ÉDOUARD PEISSON

Le Garçon sauvage

roman

LIBRAIRIE ARTHÈME FAYARD
18, RUE DU SAINT-GOTHARD, PARIS

Il a été tiré de cet ouvrage :

Cinquante exemplaires
sur vélin pur fil Lafuma,
numérotés de 1 à 50.

L'Édition originale a été tirée
sur papier Alfa des papeteries NAVARRE.

CHAPITRE PREMIER

La voix et l'odeur de la mère. — Abel au Pays Sauvage.
— Gilles. — Les bêtes. — Lecture de la Bible. — Mathieu
et la mer. — L'hiver. — La mort de Mathieu.

La mère — lorsque son regard rencontrait la cicatrice
longue de deux centimètres qui, entre deux bourrelets de
chair, traçait un sillon rouge dans le poignet droit d'Abel,
par-dessous — s'exclamait, sans souci de se répéter : « Tu
es marqué. On te reconnaîtra toujours. Et il t'a fait ça
avec un couteau? » « Avec ce couteau », précisait l'enfant,
tirant de la poche un eustache de berger, à manche de
corne. Il ajoutait : « Il avait mis la lame dans la braise. »
« Quel sauvage! » « Pourquoi sauvage? » « Il te faisait
mal? » « Oui. » « Tu criais? » « Non. »

Tout de suite avant d'habiter avec sa mère à Marseille,
Abel avait vécu, pendant huit mois, seul avec Gilles —
l'homme qui en lui enfonçant dans le poignet une lame
passée au feu, lui avait conservé la main — et des bêtes,
sur un plateau de la Haute-Provence. C'était le « pays
sauvage ».

Avant son séjour au pays sauvage, l'enfant avait été
l'hôte d'une famille paysanne, sur une colline voisine.
Pendant combien de mois ou d'années? Il ne l'avait jamais
su et ne s'en était jamais inquiété. De cette famille, il
conservait des souvenirs précis mais tout ce qui avait précédé s'était à peu près perdu dans l'oubli.

Peu après son arrivée à Marseille, Abel avait posé à la
mère cette question : « Où suis-je né? » « Ici, bien sûr.
Regarde-toi. As-tu la tournure d'un petit paysan? » Et la
glace de l'armoire devant laquelle la femme avait placé
l'enfant, avait reflété un garçon aux cheveux bouclés au
fer, vêtu d'un costume marin encore tout neuf et de souliers fins à la peau intacte.

Une heure plus tard, à une amie qui la visitait, la mère
avait dit le « souci » que lui avait donné l'enfant pendant
les premiers mois de sa vie. Elle avait dû le changer plusieurs fois de nourrice et de village. Abel avait même failli
mourir de faim. Appelée par un télégramme, la femme
l'avait trouvé entre la vie et la mort, pouilleux, couvert
de croûtes, couché sur une paillasse pourrie. « Il lui fallait
seulement un peu de lait et de la propreté. Je l'ai emporté.
Huit jours plus tard, tu ne l'aurais pas reconnu. Mais lorsque je l'ai pris dans les bras, c'était déjà un petit cadavre.
Il était froid. » Si l'on avait demandé à la mère d'énu-
mérer les femmes qui avaient pris — et qui n'avaient pas
pris — soin d'Abel, certainement elle en aurait oublié. De
sa naissance au jour où il avait été conduit sur une charrette au pays sauvage dans la maison de Gilles, l'enfant
était passé de mains de femme en mains de femme. Deux
mains épaisses l'avaient saisi, petit corps rouge et mou,
aux paupières closes, à la bouche hurlante, au moment
que la mère l'avait expulsé d'elle. Le corps avait été lavé,
poudré, sanglé, enveloppé d'un lange et, quelques heures
plus tard, posé contre le sein de la mère. Mais ce sein,
rose, marbré, à la large patelle brune, frémissant, gonflé
de vie s'était détourné des lèvres qui cherchaient à en saisir la pointe d'où le lait giclait à petits jets tièdes. « Je
veux le nourrir. » « Es-tu folle? Il t'abîmerait les seins. »
Une femme était là, la deuxième, le corsage ouvert, qui
avait pris l'enfant et lui avait offert une lourde mamelle
brune sur laquelle l'enfant s'était jeté.

Il y avait eu d'autres femmes, d'autres seins, d'autres
mains. Il y avait eu la femme qui avait laissé Abel devenir
semblable à un petit cadavre. Abel était passé d'un pays à
l'autre, d'une chambre à l'autre, d'un lit à l'autre. Il avait
été caressé par des lèvres aussi chaudes d'amour que celles
de sa mère et frappé par des mains dures qui, d'un coup
sur la tête, assommaient un lapin. Il avait entendu toute
sorte de voix et senti toute sorte d'odeurs.

Mais une voix et une odeur l'avaient accompagné. Il
avait entendu cette voix au moment même qu'il naissait :
le cri que la mère avait poussé et, encore, le doux murmure
de la femme amollie par l'accouchement. « Oh! Montre-le-
moi. C'est un garçon? Est-il beau? Pourquoi crie-t-il?
Souffre-t-il? Ne me l'enlève pas. Je veux le nourrir. » Et,
tandis qu'il était serré contre un sein qui se détournait

de lui, il s'était empli et imprégné d'une odeur de peau
chaude, de chair dilatée, d'aisselles moites, d'un ventre
encore ouvert, à laquelle se mêlaient les parfums dont
usait la mère.

Un mois après sa naissance, alors qu'il n'y voyait que
confusément, il s'était réveillé et avait ouvert les yeux à
la voix et à l'odeur de la mère venue le visiter. Elle l'avait
saisi, enlevé de sa couche, placé face à la lumière. Elle le
tenait entre ses mains et parlait. « Abel, regarde-moi. Je
suis ta mère. » Les paupières de l'enfant à peine décollées
l'une de l'autre s'étaient presque tout de suite ouvertes en
grand, et les yeux avaient brillé comme des flammes. Les
narines avaient frémi. Les lèvres pâles avaient tremblé.
Tout le corps s'était tendu. « On jurerait qu'il vous
reconnaît », avait dit la nourrice. Le corps d'Abel, son cerveau vierge, ses sens neufs, n'étaient alors émus que par
la musique de la voix de la mère et par cette autre musique
des odeurs.

Sans doute, encore, étaient-ce la voix et l'odeur de la
mère accourue qui avaient arraché Abel à la mort. Mais,
alors, la voix avait été tout autre — non pas dans son
essence mais dans son intonation : « Vous le laissiez mourir de faim, hurlait la mère. Je devrais vous dénoncer.
Vous êtes des assassins. »

Pendant des années encore, Abel n'avait été relié à la
mère que par le tressaillement provoqué en lui par la voix
et l'odeur. On le faisait propre dès le matin, on recouvrait
son corps d'une chemise blanche, on le chaussait de bas
lavés et de ses souliers les meilleurs. Il devait ne pas fois-
ser et ne pas salir son costume le plus beau. « Tiens-toi
tranquille. Ne te mets pas en sueur. Ta mère vient aujourd'-
hui. » Et dès que la mère entrait, Abel fermait un instant les yeux, troublé profondément par la voix et l'odeur.

Ainsi, pendant longtemps, la mère avait été pour Abel
une voix et une odeur. S'il était devenu aveugle, il aurait
dans une foule reconnu sa mère. Allant dans la campagne,
il lui arrivait de s'arrêter et de rechercher en lui le souvenir de sa mère (ou cela arrivait le soir, dans le lit, avant
de s'endormir). Il recherchait non pas une silhouette, non
pas des traits, non pas des gestes, non pas un sourire, non
pas la forme d'une bouche, mais une voix et une odeur.

Il ne savait pas combien de villages il avait connus,
combien de femmes l'avaient habillé, déshabillé, lavé,

caressé, battu, nourri, combien d'enfants avaient été ses
camarades de table et de lit. Il avait oublié villages,
femmes, enfants. Il était semblable au voyageur qui roule
de ville en ville, qui navigue de port en port et qui n'a de
fixe dans la vie que la maison où l'attendent pour peu de
jours une femme et des enfants. Pendant longtemps, il n'y
avait eu de certain, de stable, d'inoubliable, dans la vie
d'Abel, que le souvenir d'une voix et d'une odeur.

Le jour était venu où Abel avait regardé sa mère, où la
voix et l'odeur n'avaient plus été suffisantes. Grave, le
visage immobile, il s'était assis en face de la femme arrivée au village quelques instants plus tôt, et il lui avait
dit : « Quand tu pars? » « Pourquoi me demandes-tu
cela? » Abel avait baissé la tête, sans répondre. « Je repars,
ce soir. » Alors, l'enfant s'était mis à examiner la mère
par le détail. Il avait regardé toutes ces choses qui, mises
ensemble, constituaient la mère : les noirs cheveux bouclés,
la soie, les broderies et la ceinture de la robe, les joues
fardées, les lobes des oreilles avec les boucles de cuivre,
les bas de soie, les hauts souliers pointus, les lèvres si molles
et si tièdes lorsqu'elles s'appuyaient sur la joue, les fleurs,
les rubans et la paille tressée du chapeau, l'épingle d'or sur
la poitrine, le large cou gonflé.

Les mains se trouvaient juste en face du visage d'Abel
qui n'avait pas osé les toucher. Petites, grasses, sans os
aurait-on dit, avec le fil bleu des veines sous la peau blanche, les doigts en fuseaux aux ongles roses et bagués d'un
anneau, d'une pierre bleue et d'un brillant, elles jaillissaient
d'un poignet de dentelles, se crispaient et jouaient avec le
sac posé sur les cuisses et un fin mouchoir qui épongeait
la moiteur des tempes.

Il avait levé les yeux et éprouvé une sorte de volupté
à admirer sa mère, il s'était dit — confusément — que
tous les enfants, ses camarades, avaient une mère paysanne,
qui vivait dans la ferme, faisait la cuisine, lavait le linge,
donnait la pâtée et le grain aux bêtes, sarclait les pommes
de terre, rentrait le foin. Et cette femme paysanne il ne
l'avait pas comparée à sa mère mais à la mère de l'Enfant
Jésus qu'il avait vue — en combien d'églises? — à chaque
Noël. La mère de l'Enfant Jésus était vêtue d'une longue
robe blanche et d'un manteau bleu, non de corsages rapiécés et de jupes courtes et sales. Elle était fine de visage
et de corps, et non couverte de taches de rousseur, et non

édentée, et non allant sur des jambes épaisses, rarement lavées, sillonnées de varices et boursouflées. Elle possédait des cheveux coiffés avec soin et des mains blanches et longues, et non des mèches grasses, et non des mains courtes, rouges, encrassées, aux ongles rognés.

Sa propre mère, s'était dit Abel, était encore plus belle que la mère de l'Enfant Jésus. Certainement, à Marseille où elle vivait, elle ne faisait pas la cuisine, ne lavait pas le linge, ne donnait pas la pâtée et le grain aux bêtes, ne sarclait pas les pommes de terre, ne rentrait pas le foin.

Depuis ce jour-là, Abel avait possédé une image complète de sa mère. Depuis ce jour-là, quand il avait pensé à elle, il en avait entendu la voix, senti l'odeur et vu le visage, les mains et le corps. Lorsque la mère le visitait fréquemment, l'enfant était bien nourri, bien vêtu, tenu propre, exempt de travail. Mais les visites devenant moins nombreuses, son assiette n'était plus pleine autant et les mets qu'on lui servait se trouvaient de moins bonne qualité. Ses vêtements neufs demeuraient dans un tiroir. On ne le lavait plus. On lui mettait un seau dans les mains et un sac aux épaules. « Va donc changer l'eau des poules et chercher le pain. » Si la mère demeurait plus de trois mois sans se montrer ou si les mandats arrivaient en retard (de cela Abel ne se doutait pas), souvent l'enfant allait au lit avec un morceau de pain. Suçant le pain pour l'amollir, il se disait que la mère ne tarderait plus bien longtemps, que sa valise serait descendue de l'armoire et qu'il partirait pour un nouveau village.

Mais de tout cela Abel n'avait conservé qu'un bien vague souvenir.

Le village où Abel avait vécu, plusieurs mois ou plusieurs années, avant son séjour au pays sauvage, s'étire de l'ouest à l'est sur plus d'un kilomètre le long de la route nationale des Alpes qui, à cet endroit, suit le sommet d'une colline aride. Il déborde un peu sur le flanc de la colline, au nord et au sud, comme un gâteau mal figé, qui coulerait. Le vent qui chaque jour souffle d'un quelconque point de l'horizon tourbillonne sur les trois places : de la mairie, de l'école et de l'église, et jette des pelletées de terre, de fin gravier, de cailloux même arrachés au sol et aux maisons en ruine, au visage des passants. Là où le vent n'atteint pas, on trouve assis au soleil, à côté d'un tas de fumier, un vieillard qui a renoncé à chasser les mouches engluées dans le pus des paupières.

Le village domine au sud une profonde vallée accessible seulement par un mauvais chemin qui, au delà, conduit au pays sauvage.

La mère était venue plusieurs fois au village, puis ne s'était plus montrée. Les mandats avaient cessé d'arriver. On avait écrit à la femme qui n'avait pas répondu. Alors, Abel, les vêtements déchirés, les souliers troués, avait été hissé avec sa valise à demi vide sur une charrette qui, prudemment, s'était engagée dans le mauvais chemin.

Le fond de la vallée atteint, la charrette, après en avoir suivi un moment le lit, avait franchi un ruisseau que les pluies transformaient en torrent, gravi à travers champs en friche et boqueteaux une rude sente en lacets et s'était arrêtée, deux heures après son départ, sur une terrasse dallée de pierres, devant la maison de Gilles.

Celui-ci vivait dans la pièce principale qu'il avait remise en état, d'une ferme en ruine, à l'amorce d'un sentier qui conduisait, en s'élevant, à un immense plateau désert.

La salle était vaste, longue, assez haute de plafond du côté nord où était bâtie la cheminée et où s'ouvrait une étroite fenêtre par laquelle on apercevait le village d'où venait Abel, mais basse à l'opposé, et dans ce recoin obscur, aéré cependant par des trous dans le mur, couchaient et hivernaient les bêtes de Gilles : chèvres, moutons et poules.

Elle communiquait avec une profonde cave taillée dans le rocher, qui servait de resserre aux provisions et aux outils et par laquelle, sans sortir, on accédait à un vaste appentis qui abritait le bois.

La charrette qui avait amené Abel, repartie, Gilles avait sifflé sa chienne et s'était assis sur une pierre à fouler, devant la maison. « Fais-toi voir », avait-il dit et il avait attiré Abel à lui, le serrant entre les genoux, l'examinant comme il aurait fait d'un chiot, d'abord la tête, la palpant, appuyant les doigts sur le crâne, sur le front, sur les joues, soulevant les paupières, abaissant la tendre peau du dessous des yeux, ouvrant la bouche, y introduisait l'index, tâtant les dents.

Puis, de la même manière il avait étudié le corps de l'enfant, pinçant la chair, donnant de petits coups avec la main fermée sur les épaules, sur les côtes, sur les genoux.

Abel, le regard sur les yeux gris de l'homme, sur son nez fin, sur la brindille de bois qu'il mâchonnait et faisait aller d'un coin de la bouche à l'autre, n'avait pas dit un mot, pas gémi une fois.

Enfin Gilles avait donné une tape amicale sur le dos de l'enfant, l'avait renversé sur la terre dallée, s'était levé et avait sifflé une fois d'une manière, et la chienne, allongée, le museau au sol à côté des pattes étendues et serrées, avait bondi, et une fois d'une autre manière, et Abel avait compris que ce second coup de sifflet, plus bref et plus aigu que le premier, était l'appel auquel il devait désormais répondre.

Gilles était parti vers le plateau à la recherche des moutons et des chèvres. Abel et la bête l'avaient suivi.

La chienne était une griffonne vendéenne de forte taille, aux yeux d'améthyste bordés de courts cils blancs, à longs poils gris. Elle courait, la tête basse, le museau au sol poussant vigoureusement des pattes de derrière, bondissant au-dessus des pierres, s'élançant dans les fourrés, disparaissant dans les ravins. Elle allait vite, régulièrement, d'une allure de loup. Bientôt elle eut disparu.

Gilles avait appelé les trois chèvres par leur nom : « Algol, Mizar, Deneb ». Les bêtes s'étaient dressées, les pattes raidies sur des pierres, regardant d'un œil clair et diabolique s'avancer le maître. « Eh! vous, venez ici. Eh! vous, venez ici », et les moutons et les brebis s'étaient groupés et, avec lourdeur et lenteur, s'étaient mis en marche vers la ferme, derrière les chèvres.

Toutes les formes se diluaient dans l'obscurité qui venait. Gilles avait donné le coup de sifflet bref et aigu, et Abel s'était montré. Puis il avait sifflé la chienne, sifflé encore, sifflé plusieurs fois. Il s'était arrêté et avait écouté, les bêtes immobiles derrière lui. « Brebis. Brebis. » Il avait crié le nom de tout le souffle de ses poumons. « Brebis. Brebis. » Et la chienne avait bondi dans les jambes de Gilles. « Tu étais là, toi, et je ne te voyais pas. » Il avait soulevé la chienne, puis l'avait renversée sur le sol, et Brebis se jetait dans les jambes du maître, jouant à les saisir par les chevilles. « Ah! La bonne bête. Ah! La bonne bête », s'exclamait Gilles.

L'homme était rentré dans la maison. Les chèvres, les moutons, Brebis et Abel l'avaient suivi. La porte avait été tirée. Gilles avait allumé le feu. Il avait dit à la chienne :

« Couche-toi là », puis à Abel : « Couche-toi là », et il lui avait désigné une paillasse dans un cadre avec des couvertures, à côté de la cheminée.

Sur des barres de fer fichées dans le mur, au fond de la salle, au-dessus des chèvres et des moutons, les poules étaient accroupies, le cou rentré dans le corps, les épaules relevées, les plumes gonflées. Elles écoutaient, ouvraient et fermaient l'œil. Elles regardaient le feu et Gilles. Algol, Mizar, Deneb et les moutons s'étaient couchés face à la cheminée. Toutes les bêtes regardaient le feu et Gilles qui s'agitait devant le feu, ayant suspendu au-dessus des flammes une marmite. La chienne s'était allongée sur les dalles, les reins hauts, les omoplates saillantes, la tête aplatie. A travers la broussaille de ses sourcils qui sans cesse se soulevaient, ses yeux brillaient de l'éclat des flammes.

Gilles avait préparé deux assiettées d'une soupe faite de couenne, de lard, de pommes de terre et de pain, l'une pour Abel, l'autre pour Brebis. A l'un et à l'autre il avait dit : « C'est chaud », et la chienne avait découvert les crocs, comme pour acquiescer, comme pour dire qu'il était mauvais de se brûler. Lorsque les deux assiettes avaient été vidées, Gilles avait interrogé : « Vous avez faim encore ? » Il avait donné du fromage et un morceau de pain à l'enfant et empli une seconde fois l'assiette de la chienne.

De temps à autre, il interpellait une bête par son nom, chèvre ou mouton, et la bête était touchée comme par une pierre. « Tiens-toi tranquille. Dors maintenant. » Enfin, Gilles avait mangé, seul. Assis devant la cheminée, l'assiette sur les genoux, mâchant lentement, s'abreuvant de lait à même un pot, il tranchait le lard et le pain, piquait les pommes de terre, de ce couteau qui plus tard avait ouvert le poignet d'Abel. Par moments, sans que l'homme se détournât, sa main lançait un morceau de pain frotté de lard, ou un quartier de pomme de terre, à la chienne qui, toujours dans la même position, le museau au sol, attendait et happait le morceau, d'un coup.

Plus tard, Gilles avait mis du bois au feu, bourré et allumé sa pipe, saisi un gros livre sur une étagère et s'était mis à lire.

Quand de la maison de Gilles, le matin, on regardait le village, il paraissait être une falaise rocheuse au-dessus d'une maigre végétation grise. A midi, au contraire, ses centaines de vitres étincelaient au soleil, et la lumière et les ombres détachaient les uns des autres les blocs de maisons et creusaient les ruelles.

Abel regardait rarement le village qu'il n'avait pas aimé, tandis que, tout de suite, il avait éprouvé une sorte de passion pour le pays sauvage, séduit, sans doute, par sa solitude et sa grandeur. Le pays tout entier était fait d'énormes mamelons boisés — sur lesquels s'étendaient de vastes plateaux — entrecoupés de vallées assez profondes et de vallons. Le village que l'enfant avait quitté était lui-même situé sur l'un de ces mamelons, un peu moins habillé d'arbres que les autres et de forme un peu différente, étant plus long et étroit. Mais pour Abel, le pays sauvage commençait au delà du ruisseau qu'il avait franchi, et c'était un monde à part, un sommet du monde, que limitait en hiver la mer de brouillard au-dessus de laquelle flottaient de noires îles inaccessibles.

Ce qui encore, au pays sauvage, avait séduit l'enfant qui, jusqu'alors, n'avait connu que des cours de ferme, des rues de village, des places publiques arides, avec leur quatre platanes et la fontaine, était la vie intense qu'il y avait vite découverte.

Les grands arbres et chaque brin d'herbe, les pierres géantes et les cailloux, l'eau, le vent, la lumière, frémissaient de vie.

Rien n'était immobile, tout grouillait, tout se déplaçait, parfois si imperceptiblement qu'Abel devait, pour s'en apercevoir, demeurer plusieurs minutes sans bouger. Et le pays était d'autant plus vivant qu'il paraissait désert.

Si l'œil fixé au loin, Abel apercevait un mouvement dans les arbres d'un bois, ou une ombre traverser une terre argileuse, si un cri le faisait sursauter, si à vingt pas de lui une pierre frappait le rocher, si l'eau crevée par un corps rejaillissait, il était sûr qu'un homme ne s'était pas déplacé dans le bois, ou n'avait pas traversé la terre rouge, qu'un homme n'avait pas crié, ni lancé la pierre, ni plongé, mais une bête.

A un quart de lieue de la maison de Gilles, vers la vallée, des pommiers rongés par la rouille, branchus comme des chênes, laissaient tomber leurs fruits dans un champ d'herbe. Les arbres n'étaient plus à personne. Ils appartenaient à quelqu'un qui ne s'en occupait plus. Abel pouvait mordre dans les pommes, en manger autant qu'il en avait envie, les choisir, rejeter les pourries, essuyer les saines et en emplir son sac. Elles étaient à celui qui les prenait, et personne autre ne les ramassait que Gilles et Abel, sinon elles auraient fait du fumier pour le champ d'herbe.

Le sentier qui vers le sud conduisait sur le plateau le plus proche passait à la base — puis les enveloppait en montant — d'une trentaine d'énormes roches longues et plates, surgissant du sol comme des dents. Dans leurs anfractuosités, des oiseaux de proie couchaient et nichaient. Tous les soirs, par dizaines, noirs, ils volaient au-dessus des pierres, criaient, se jetaient les uns sur les autres et s'arrachaient leurs proies. Quand le dernier avait plongé, la nuit était venue.

Chaque trou, chaque crevasse, chaque fissure des parois de ces mêmes pierres géantes, abritaient un essaim d'abeilles sauvages, et le miel et la cire dégoulinaient en stalactites, fondaient au soleil et tombaient mous et tièdes dans la main tendue d'Abel.

Sur le sol, sous les fragments de ces menhirs naturels, détachés par la foudre, la pluie et le vent, vivaient ensemble de minces serpents gris, longs d'une demi-coudée, qui se détendaient comme un ressort et dont la piqûre tuait un chien, disait Gilles, et des scorpions. Si l'on n'y trouvait pas le serpent, c'est que les scorpions l'avaient chassé.

Le long du sentier, une claire eau froide avait creusé son lit comme si elle eût été un acide, ayant emporté la terre, puis ayant attaqué le rocher si profondément, par endroits, qu'elle courait au fond d'une tranchée étroite comme une coupure d'épée, aux parois verticales. Le ruisseau s'écartait du sentier pour disparaître dans un trou de la grosseur du tronc d'un gros arbre dont on ne voyait pas le fond mais on entendait l'eau, et le visage placé au-dessus du trou était tout de suite recouvert d'une poussière de gouttelettes glacées.

S'allongeant et appliquant l'oreille sur le sol, plus bas et un peu sur la droite, plus bas et toujours sur la droite, plus bas encore mais sur la gauche, Abel s'était demandé : « Quelle est cette bête qui ronge, qui murmure, qui rit? » C'était l'eau qui ressortait enfin à un mètre au-dessous des pieds de l'enfant. Dans le trou du haut, Abel avait jeté des bouts de bois, des pierres, des pommes, des oiseaux morts.

Rien n'était ressorti par le trou du bas. La terre avait un estomac qui digérait tout ce qu'il absorbait.

Le plateau sur lequel le sentier se perdait était un monde qu'Abel ne connut jamais complètement. Il commençait — si c'était là un commencement — à un quart de lieue de la maison de Gilles. Où finissait-il? Parfois l'enfant se trouvait, ne pouvant plus avancer, ni aller à droite ni à gauche, au sommet d'une falaise. Mais il apercevait au loin le plateau se développer dans une autre direction. Il lui aurait fallu revenir sur ses pas et se frayer une autre piste; il était trop tard ce jour-là.

Jamais il n'y avait rencontré un homme mais des bêtes à chaque pas, qui grimpaient aux arbres, qui sautaient d'une branche à l'autre, qui volaient haut dans le ciel, qui couraient, qui rampaient, des bêtes qui, posées à la cime d'un arbre, sur une pierre, postées à l'entrée d'un terrier, les ailes contre le corps, les oreilles dressées, les pattes prêtes à se détendre, guettaient l'enfant maladroit et bruyant, regardaient l'enfant venir vers elles, tournaient la tête au fur et à mesure qu'il avançait, inclinaient la tête sur le cou pour voir d'en haut et d'en bas, abaissaient sur leur œil rond leur lourde paupière, poussaient un cri, ou sifflaient, et disparaissaient.

Par endroits, après un désert de cailloux fichés dans une terre rouge, le plateau s'était effondré en un ravin profond dont les parois qui s'arrondissaient en bosses avaient été polies par l'eau. Abel en atteignait le fond en sautant d'une bosse à l'autre, en s'accrochant aux pierres, aux racines, en se laissant glisser. Et il entrait dans un monde différent de celui qu'il avait quitté, avec des broussailles autres, des arbres autres, des bêtes autres, des bruits, des odeurs, un goût autres. Sur le plateau, il avait eu chaud, dans le ravin il faisait frais. En haut, il avait été dans la lumière, en bas, il trouvait l'ombre.

Le ravin se refermait de la même manière à quelques cents mètres ou, s'il se trouvait à la limite du plateau, s'ouvrait sur un verger d'amandiers que les hommes avaient taillés, dont les fruits avaient été ramassés par les hommes, dont le pied avait été soigné par des hommes, ou sur un champ de seigle fauché, ou sur une terre rouge avec sur le bord une charrue dont le soc brillant était fiché dans le sol. Mais, sur le plateau, jamais Abel n'avait rencontré un homme. Presque à son arrivée au pays sauvage, explorant le plateau et se trouvant arrêté par une falaise, Abel avait aperçu devant lui une vallée profonde et dans la vallée, à cent mètres au-dessous de ses pieds et placé contre la falaise, une église se dégageant avec son haut clocher d'un véritable bois de hauts platanes.

Abel s'était arrêté sur les mêmes rochers, quelques semaines plus tard. Le vent du sud avait fait des trouées dans le feuillage roussi et, par endroits, à travers les branches, se distinguaient les toits rosés d'un tout petit village. Jour après jour, morceau à morceau, cheminée après cheminée, clôture après clôture, bout de mur après bout de mur, fenêtre après fenêtre, l'enfant avait vu apparaître trente maisons et leurs jardinets alignés le long de quatre rues en croix autour de l'église. De la même manière, l'automne s'avançant, il avait aperçu un homme ici, une femme là, un enfant plus loin, un chien levant la patte contre une fontaine, jusqu'à ce que les quatre rues et les deux chemins qui formaient comme la monture de l'éventail des champs ouvert entre le village et les bois noirs se fussent peuplés de paysans derrière leur charrette, de petits vieux fumant la pipe au soleil, de ménagères balayant le devant de leur porte et transportant de l'eau, d'ânes lâchant leur crotte, de boutiquiers rentrant leurs marchandises, de garçons et de filles se tenant par la main, sautant et tournant autour des feux de feuilles. Et tout ce monde minuscule s'agitait *silencieusement*. Les bouches, les portes, les fenêtres, s'ouvraient et se fermaient sans bruit. Les souliers et les fers des bêtes ne claquaient pas sur la terre. Les moyeux et les essieux ne grinçaient pas. L'eau ne chantait pas dans les fontaines. Seule la cloche de l'église était bruyante.

Pendant son séjour au pays sauvage, souvent Abel vint s'asseoir sur la falaise au-dessus du tout petit village. Jamais il n'utilisa les marches taillées dans la roche, qui y conduisaient.

Gilles ne parlait pas, si on entend, par parler, s'expliquer, tenir une conversation, dire d'où l'on est, d'où l'on vient, ce que l'on a fait dans la vie, ce que l'on compte faire. Il n'interrogeait pas, ne demandait pas à Abel s'il avait fréquenté l'école, s'il savait lire et écrire, s'il pensait à sa mère.

Mais, d'une autre manière, Gilles parlait constamment,

sans attendre de réponse, ni d'Abel, ni de la chienne, ni des chèvres, ni des autres bêtes. Il disait, ne s'adressant à personne autre qu'à lui-même : « Le temps se refroidit », ou : « Je vais fumer une pipe », ou : « J'ai entendu gratter à la porte, cette nuit ! » Il disait encore, regardant Abel ou la griffonne : « As-tu chaud ? As-tu bien mangé ? D'où viens-tu, toi ? Tu avais disparu depuis ce matin. » Et si, dans les premiers temps, Abel eût répondu : « Oui, j'ai chaud. Oui, j'ai bien mangé », Gilles aurait été aussi étonné que d'entendre parler Brebis.

Au cours de l'été, l'homme avait coupé des chênes verts dans un petit bois, au-dessus de la ferme, et il s'occupait à rentrer le bois. La soupe au lait du matin avalée, il sifflait Abel et la chienne. A trois, ils s'attelaient à une espèce de grand traîneau qu'il fallait hisser sur le flanc du plateau. Chargé, l'appareil freiné par l'homme, le garçon et la bête qui plantaient les talons et les pattes dans les cailloux, glissait jusqu'à la terrasse. Alors, Gilles se mettait à scier et à entasser le bois, et Abel et la chienne partaient vers où il leur plaisait d'aller.

Un soir que Brebis n'avait pas répondu à l'appel, Gilles et Abel avaient cependant fait rentrer le bétail, et Gilles avait allumé le feu puis empli l'assiette d'Abel. Il sortait souvent sur le seuil et appelait Brebis.

Sans avoir mangé, Gilles avait jeté un manteau sur les épaules, pris un bâton et un fanal, avait dit : « Restez couchés, vous autres » et était parti. Abel s'était levé et accroupi devant le feu auquel il jetait du bois. Qu'était-il arrivé à Brebis ? Peut-être était-elle tombée dans un ravin et s'était-elle brisé les pattes ? Il fallait cependant que la soupe de Gilles fût chaude quand il rentrerait.

Gilles avait tourné autour de la maison, criant le nom de la chienne et sifflant, puis s'était éloigné, puis s'était rapproché, puis s'était éloigné encore. Abel avait entendu les appels du côté du plateau, plus tard vers le fond du vallon. Il n'avait plus rien entendu, et le temps passait. Plusieurs fois, ayant cru percevoir un gémissement derrière la porte, il était sorti.

Tard dans la nuit — mais le feu brûlait toujours — des pierres avaient roulé sur le chemin. L'enfant avait ouvert la porte devant Gilles qui portait la chienne dans les bras.

Brebis, le poil collé par le sang, le ventre déchiré, avait

été étendue sur le dos devant la cheminée. Gilles avait
ouvert son couteau et avait présenté la lame à la flamme.
« Vous allez la tuer ? » avait interrogé l'enfant. L'homme
n'avait pas répondu. « Vous allez la tuer ? » avait répété
l'enfant. « Tiens-la, avait dit l'homme s'adressant pour la
première fois à Abel depuis son arrivée comme à un être
humain. Tiens-la, avait-il répété, approchant le couteau.
Ecarte les pattes. Avec le bras, maintiens-lui la tête contre
le sol. »

Brebis regardait son maître qui la caressa d'un geste,
puis de la lame trancha des poils, agrandit la blessure et
rogna un peu la chair salie. Travaillant, Gilles parlait à la
bête pour lui faire entendre sa voix. « Coquine ! Tu cours
comme une folle. Coquine, je t'ai trouvée. Tu ne pouvais
pas sortir de ce trou. Tu avais sauté sur un épieu. » La
langue hors de la gueule, la bête gémissait mais les yeux
flamboyaient d'amour. « Coquine ! » répétait Gilles qui
nettoyait la blessure à l'alcool, et l'enfant avait eu de la
peine à tenir la bête bondissant de douleur. « Et ce n'est
pas fini ! Folle ! Folle ! » disait Gilles.

Il avait ouvert une boîte dans laquelle il avait cherché
longuement une aiguille et un certain fil et il avait passé
le fil dans le chas de l'aiguille. « Vous allez la coudre »,
s'était exclamé Abel. « Oui, et ce n'est pas la première
bête à laquelle j'aurais recousu le ventre. Si tu t'ouvrais
le ventre et si tu risquais de perdre tes intestins, je te
recoudrais aussi. Tiens-la bien. » Brebis avait planté les
dents dans l'avant-bras d'Abel mais elle n'avait pas serré.
« N'aie pas peur. Elle ne te mordra pas. Maintenant ce
sera vite fait. »

A grands points, les lèvres de la plaie avaient été rap-
prochées. D'autres points moins larges les avait serrées.
Puis le corps de la bête avait été étroitement enveloppé
dans une forte toile. Trois semaines plus tard, Brebis bondissait autour de son maître.

C'est lorsque tout le bois avait été rentré qu'Abel s'était
blessé. S'avançant sans lumière dans la resserre, le bras
tendu pour éviter de se heurter à un obstacle, un piège à
rat s'était refermé sur son poignet. Un clou avait pénétré
dans la chair. Pendant deux jours, Abel avait continué à
courir sur le plateau mais l'avant-bras était lourd et dou-
loureux, le poignet noircissait et enflait, les doigts jouaient
difficilement. Gilles avait vite remarqué que l'enfant ne se

servait plus de la main droite. Il lui avait dit : « Tu fais comme Brebis lorsqu'elle se fait mal et court sur trois pattes. Fais voir ta main. »

La paume de la main, le poignet et une veine jusqu'à la saignée du coude étaient violacés. Les doigts de Gilles pesaient sur le pus. « Il était temps que je le voie », avait-il dit, ouvrant et présentant son couteau à la braise. Abel avait cru que l'homme allait lui couper la main. « Avec la hache », avait-il dit. « Quoi ? Quoi ? Ah ! Fou que tu es ! Peut-être croyais-tu, aussi, que j'allais te tuer. Viens et n'aie pas peur. »

Gilles avait parlé sans arrêt ainsi qu'il avait parlé à Brebis. La lame ouvrant la chair, le pus jaillissant, l'alcool lavant la plaie, il avait dit : « Coquin ! Petit d'homme ! Tu cours comme un fou. Coquin, tu étends le bras dans l'obscurité et te prends à un piège à rat. »

C'est pourquoi, le poignet droit d'Abel était marqué par-dessous d'une cicatrice.

Mais bien avant que le couteau de Gilles, pour le guérir, se fût enfoncé dans son poignet droit, l'enfant avait ressenti de l'amour pour l'homme. Au reste, toutes les bêtes de la maison aimaient Gilles. Dès que sa voix se faisait entendre, chaque tête se relevait, chaque œil se tournait. Aucune bête ne s'écartait de Gilles mais au contraire s'approchait. Dans l'obscurité du fond de la salle, elles étaient assoupies, mais si Gilles se mettait à parler, les yeux s'ouvraient, l'œil allongé des moutons, l'œil rond des poules, l'œil diabolique des chèvres. Dans l'obscurité, on aurait dit des petites flammes qui s'allumaient et s'éteignaient.

Le bien-être qu'Abel ressentait, chaque soir, après avoir mangé la soupe et avant la venue du sommeil, était l'œuvre de l'amour.

Pour tuer une bête, Gilles s'écartait des autres. La première tuée avait été un agneau. Gilles avait enlevé l'agneau à sa mère et était rentré dans la resserre où Abel l'avait suivi. S'apercevant de la présence d'Abel, Gilles avait eu un mouvement comme pour le chasser ainsi qu'il venait de chasser Brebis qui essayait d'ouvrir la porte en la poussant du museau, puis il avait eu un petit haussement des épaules. Le corps dépecé avait été suspendu dans la salle à la vue de toutes les bêtes, mais aucune, sauf Brebis qui

s'était accroupie et avait posé le museau sur la dalle à un
pouce de l'endroit où, de temps en temps, s'écrasait une
goutte de sang, n'était troublée par la présence du cadavre.
La brebis, mère de l'agneau, s'était endormie.

Gilles, comme les autres soirs, avait pris le livre, s'était
assis devant le feu, les pieds sur la pierre, avait allumé la
pipe et, le dos courbé, s'était mis à lire.

Depuis longtemps, Abel désirait poser des questions à
l'homme sur le livre, mais il n'avait pas osé. Dans la journée, le livre était posé sur une planche à droite de la
cheminée. Montant sur l'escabeau, Abel aurait pu le saisir
et l'ouvrir pour voir ce qui était écrit dedans. Mais la loi
de l'homme était que rien ne fût touché qu'il ne l'eût permis, et toutes les bêtes respectaient la loi, pourquoi Abel
l'aurait-il transgressée? L'homme rapportait un écureuil
mort, le posait sur la table, et la chienne ne touchait pas
à l'écureuil. Si elle s'en approchait trop près, Gilles disait
seulement sans hausser la voix : « C'est défendu, Brebis.
Tu le sais. »

Pourquoi Abel n'aurait-il pas respecté la loi? Pourquoi
aurait-il pris et ouvert le livre pendant une absence de
l'homme?

Suçotant la pipe de terre au long tuyau de bois, qu'il
soutenait d'une main, Gilles lisait lentement, l'autre main
posée sur la page, et l'index se déplaçant au-dessous de
chaque mot. Le livre était de grand format et les lettres
d'un caractère tel qu'à deux mètres et dans la demi-obscurité, Abel pouvait *presque* les lire. Il reconnaissait facilement les majuscules au début de chaque paragraphe.

Dans la journée, une fois encore, Abel avait traversé le
plateau en direction du sud et s'était assis sur la falaise
au-dessus du village dont à travers le feuillage éclairci des
platanes il commençait à apercevoir quelques toits et
quelques habitants. Toujours étonné par le silence et par
la petite taille des maisons et des hommes, il s'était
demandé : « Est-ce un vrai village? Sont-ce de vrais
hommes? Mangent-ils? Dorment-ils? »

Agenouillé sur la paillasse, il se posait d'autres questions du même genre. « Est-ce un vrai livre? Est-ce une
vraie histoire? Est-ce que je la comprendrais? Est-ce que
seul Gilles peut lire le livre? Est-ce que seul il peut comprendre cette histoire? »

Abel était allé à l'école, quatre semaines ici, trois mois

là. Très rapidement, il avait su lire et écrire. Mais jamais il n'avait lu un livre du début à la fin, jamais il n'avait eu un livre à lui. Jamais la mère n'avait pensé que l'enfant aimerait à ouvrir un livre à la première page et à le fermer à la dernière, et jamais Abel n'avait osé demander à la mère qu'elle lui apportât un livre.

A l'école certains livres passaient d'un enfant à l'autre et chacun à son tour en lisait quelques lignes à haute voix. Il y en avait d'autres que le maître ouvrait sur son pupitre, après avoir réclamé le silence, et le maître livrait à tous ce qui était écrit dans le livre. Sans doute pour pénétrer le secret de ceux-ci fallait-il être un homme. « Est-ce un vrai livre? » s'était demandé Abel. « Est-ce un livre que je saurais lire? Est-ce une vraie histoire? » Des livres racontaient comment « des » hommes vivaient et se battaient. Çà, c'étaient des histoires.

Mais le livre qu'à chaque veillée Gilles prenait sur la planche était gros et épais, composé de centaines de pages imprimées sur deux colonnes, avec certaines lettres rouges, et jamais l'enfant n'avait vu le pareil, de même que jamais avant de venir au pays sauvage il n'avait vu un village de haut en bas, si petit, lui semblait-il, qu'il aurait pu, comme un nid d'oiseau, le saisir entre ses deux mains et l'enlever.

Il se demandait : « Est-ce un vrai village? » et il se demandait encore : « Est-ce un vrai livre? »

A ce moment, Gilles avait posé le livre sur la pierre de la cheminée, secoué, bourré une nouvelle fois et allumé la pipe. Ayant jeté la branchette enflammée, il s'était retourné comme attiré, et son regard avait rencontré celui d'Abel. Il avait dit du ton dont il se servait pour parler à Brebis : « Tu ne dors pas, toi? » Déjà il ne regardait plus l'enfant lorsqu'il entendit : « Comment s'appelle le livre que vous lisez? »

Depuis son arrivée, Abel n'avait posé à Gilles que deux ou trois questions, lorsque Brebis s'était éventrée et lorsque lui-même s'était blessé. Avant et depuis, les relations entre l'homme et l'enfant n'avaient guère été différentes des relations entre l'homme et Brebis. Mais Gilles aimait Abel autant qu'il aimait Brebis, et Abel le savait. Parfois, Gilles serrait le corps de la chienne entre ses genoux, saisissait le cou dans ses mains, de quatre doigts relevait les oreilles, du pouce écartait la broussaille des sourcils et regardait la bête dans les yeux. De même, il lui arrivait d'emprison-

ner l'enfant entre ses cuisses, de lui faire un collier de ses
rudes mains, de lui soulever le menton et de le regarder
dans les yeux. Et s'il lui disait alors quelque chose ce
n'était rien autre que : « Ah! Coquin! Ah! Petit d'homme!
Où as-tu couru, aujourd'hui? » La chienne, qui reconnaissait le jeu et l'intonation de la voix, poussait un soupir de
jalousie. Mais elle, aussi, aimait Abel.

Lorsque Brebis rentrait, le poil mouillé, Gilles la séchait.
Il avait réparé les vêtements et les chaussures d'Abel, taillé
à la mesure de l'enfant un vieux manteau, et lui-même le
lui avait passé et serré autour de la taille avec une courroie
de cuir.

Les chiennes s'allongent sur le sol devant leur maître
qui lit, le regardent à œil mi-clos et s'assoupissent sans se
poser de questions. Le maître est dans la tranquillité et le
silence, et cela leur suffit. Mais Abel était un « petit
d'homme ». Il avait demandé : « Comment s'appelle le
livre que vous lisez? » et Gilles répondit : « La Bible ».

— Qu'est-ce que la Bible?

Gilles s'était montré incapable de dire autre chose que :
« La Bible c'est la Bible. » Abel avait poussé plus loin.
Vraiment il voulait savoir. Depuis des soirs et des soirs,
sans que l'homme qui lisait s'en doutât, son regard allait
du livre à l'homme, des mots écrits sur la page et qu'il ne
parvenait pas à déchiffrer aux yeux de l'homme qui, eux,
en avaient connaissance. Les mots s'ajoutaient les uns aux
autres et formaient des phrases qui « racontaient quelque
chose ». Que ce « quelque chose » — histoire ou non —
n'allât pas au delà de Gilles faisait souffrir Abel. A deux
pas de lui, il soupçonnait un monde que l'homme contemplait mais lui-même était aveugle. Il avait encore interrogé.

— Est-ce une histoire?

Alors, le doigt suivant les mots, Gilles s'était mis à lire
à haute voix. *Or, il avait accoutumé de relâcher, à la fête
de Pâque, celui des prisonniers que le peuple demandait.
Et il y en avait un, nommé Barabbas, en prison avec
d'autres séditieux, qui avait commis un crime* (1).

Gilles avait lu ainsi pendant plus d'une heure. Le soir
suivant, le livre ouvert sur les genoux, s'étant tourné vers
l'enfant et l'ayant vu attentif, il avait continué la lecture.

_____

(1) *Evangile selon saint Marc,* chap. xv.

Ainsi, l'habitude avait été prise. Mais, quelques jours plus tard, l'homme s'étant mis à tailler dans une peau de lièvre, l'enfant lui avait dit : « Voulez-vous que je lise? » Sur un signe de Gilles, Abel avait ouvert le livre.

A genoux sur la paillasse, les fesses sur les talons, le dos à la lampe et au feu, Abel s'était mis à scander à haute voix : *Tous les péagers et les gens de mauvaise vie s'approchaient de Jésus pour l'entendre* (1). La pipe aux lèvres, les mains travaillant la peau, Gilles avait paru satisfait. Il n'avait interrompu l'enfant que pour lui dire : « Maintenant, c'est toi qui liras. » Il en avait été ainsi chaque nuit — sauf au cours de la visite de Mathieu — pendant des semaines et des semaines, jusqu'à ce qu'Abel quittât le pays sauvage. L'heure du repos venue, Gilles posait la main sur l'épaule de l'enfant qui fermait le livre.

Bien qu'il comprît peu et parfois mal, le récit merveilleux avait produit sur Abel une impression bouleversante. C'était extraordinaire, tout ce qu'il y avait dans ce livre, tous ces hommes, toutes ces femmes, ces enfants, ces gens qui étaient bons et ceux qui étaient mauvais, ces voleurs, ces conducteurs de troupeau, ces pêcheurs, ces hommes de loi, ces rois, ces traîtres, ces foules, ces soldats, ces hommes qui mouraient et ressortaient des tombeaux, ce Jésus qui prêchait, baptisait, était tenté par le Démon, multipliait le pain, ressuscitait les morts, était flagellé, crucifié, montait au ciel, dont la voix, les nuages écartés, se faisait entendre, ces villes en fête et ces villes ruinées, ces villages, ce désert, ces lacs...

Les premiers soirs, l'enfant s'endormant passait presque sans transition de la vie terrestre à la vie biblique; une grande lumière se faisait dans sa tête, que traversaient des silhouettes d'hommes et de femmes aux visages inconnus; il entendait des voix, des cris, des lamentations, le vent, des musiques, des chants, des chocs d'armes; il voyait des palmes s'agiter, des filets déverser sur le sable des poissons par centaines, des croix se dresser, des groupes de femmes en pleurs, des enfants s'enfuir poursuivis par des soldats. Il se réveillait; Gilles dormait sur sa couche de l'autre côté de la cheminée, la chienne lancée dans son rêve à la poursuite d'une proie gémissait sourdement, parfois une chèvre,

(1) *Saint Luc*, chap. XV.

l'œil fixe, contemplait un incendie mystérieux dans la braise d'une bûche qui s'était effondrée.

Soir à soir, d'un Evangéliste à l'autre, de Matthieu à Marc, à Luc, à Jean, l'histoire se répétant et se renouvelant, Abel s'était glissé dans l'intimité des personnages du Nouveau Testament. Il n'en avait bientôt plus rêvé mais il les retrouvait à son côté dans ses courses sur le plateau. Il les apercevait suivant une sente, groupés sous un arbre, lavant leurs robes dans le ruisseau. Il voyait dans le ciel, bâties en nuages, leurs villes. Il ne sursautait pas lorsque leurs voix le surprenait. Il les interpellait. Il en parlait à Brebis.

Un soir, Gilles lui tendit le livre ouvert à la première page : *Et la terre était sans forme, les ténèbres étaient sur la face de l'abîme, et l'Esprit de Dieu se mouvait sur les eaux* (1). Plus tard, bien plus tard, Abel avait lu : *Car, voici, l'hiver est passé, la pluie est passée et s'en est allée. Les fleurs paraissent sur la terre, le temps des chansons est venu, et la voix de la tourterelle a déjà été ouïe dans notre contrée. Le figuier a jeté ses premières figues et les vignes ont des grappes et rendent de l'odeur. Lève-toi, ma grande amie, ma belle, et t'en viens* (2).

La resserre renfermait les provisions pour l'hiver et le printemps; du blé et Gilles en faisait de la farine, et de la farine du pain, de l'orge et de l'avoine pour les poules, du fourrage pour les chèvres et les moutons. Il y avait encore du café, du rhum, des pommes de terre, des haricots et des pois séchés, du pétrole et un peu de vin; Gilles buvait surtout du lait.

Le bois était rentré, scié et mis à l'abri sous l'appentis. L'homme et l'enfant n'avaient pas à redouter le vent, la pluie, le froid, la neige ni les orages qui foudroyaient les arbres géants et fendaient les rochers.

Presque tous les jours, Gilles partant poser et relever des collets, ou sur la piste d'un lièvre, sifflait Abel et la chienne. Mais l'enfant ne pouvait soutenir l'allure de l'homme et de la bête. Il les suivait d'abord à la vue, puis au bruit; lorsqu'il les avait perdus il errait pour son propre compte.

Au début de décembre, un matin, sur la place dallée devant la maison, Gilles appela la chienne et l'enfant.

(1) *Genèse*, chap. 1er.
(2) *Cantique de Salomon*, chap. II.

S'étant accroupi sur les jambes fléchies, il serra contre lui
le corps de la bête qui déjà bondissait, et dit, tendant un
bras vers les bois, à l'ouest : « Brebis. J'attends Mathieu
et tu vas aller à la rencontre de Mathieu. M'entends-tu?
Me comprends-tu? » La chienne s'efforçait d'échapper à
l'étreinte de l'homme et bondissait, folle de joie. Gilles
répéta : « Mathieu. Mathieu. Va chercher Mathieu. »
Mais, retenant toujours la griffonne : « Chut. Chut. Ne
cours pas. Ne bondis pas. Abel va avec toi. Ne perds pas
Abel. Va. » Il desserra les genoux, et à Abel : « Suis-la. »

La chienne plongea dans le ravin qui s'ouvrait juste au-
dessous de la terrasse, et les broussailles se refermèrent sur
elles de même qu'une eau. L'enfant sauta à son tour, chut
entre deux pierres et à travers de hautes plantes à dures
branches épineuses qui le fouettaient, suivi comme il put,
parfois debout, parfois rampant dans la trouée que la bête
avait faite et qui se refermait derrière elle. Du fond du
ravin, il vit sur le flanc opposé, comme une eau qui serait
allée de bas en haut, le dos argenté de la chienne aux
longs poils, qui gravissait la roide paroi.

La voix de Gilles s'entendait encore : « Brebis, Brebis.
Calme-toi. Attends Abel. »

Sur le sommet, la chienne, l'œil un peu fou, la langue
hors de la gueule, s'arrêta, se tourna et lança de brefs
appels précipités. Quand Abel, lacéré par les épines, l'eut
rejointe, elle partit comme une flèche, mais tout de suite
ralentit l'allure, l'élan freiné par une terre molle dans
laquelle elle enfonçait à mi-pattes.

Le ciel était bas et noir, le vent frais, l'air avait un goût
amer, l'herbe était glacée, la peau des arbres et des
arbustes luisait. Abel trouva un sentier ferme le long de
la terre molle et parvint à rejoindre la chienne au moment
où s'agrippant aux rides des pierres, elle commençait
l'escalade d'une paroi rocheuse.

Pour la première fois, Abel et Brebis couraient longuement ensemble. Jusqu'alors l'enfant n'avait pu se faire
obéir de la bête, mais dans le moment c'est à Gilles qu'elle
obéissait. Pour la première fois aussi, Abel prenait la direction de l'ouest, et cette partie de la région qui encerclait
l'immense plateau était encore plus boisée que les autres,
plus sauvage, encore moins humaine.

Depuis deux semaines, peut-être, Abel lisait la Bible et
ses nuits étaient troublées. A son réveil, il demeurait un

long moment comme en équilibre entre les images du rêve qui s'estompaient et les images de la réalité. La confusion des unes avec les autres était longue à se dissiper. Leur séparation ne se faisait même jamais complètement, car souvent, dans le sommeil, aux personnages et aux paysages bibliques se mêlaient Gilles, Brebis, les animaux et les aspects du pays sauvage.

Des phrases entières lues la veille et les soirs précédents lui revenaient à l'esprit, sans qu'il en comprenne tout à fait le sens ou même parfois ne le comprenant pas du tout. Elles étaient une sorte de musique. Seul, il les murmurait comme s'il eût voulu que le vent s'en emparât, les emportât, les dispersât, les semât sur ce plateau et dans ces vallons désolés.

Ce matin-là, suivant Brebis, il se mit à clamer celles qui lui venaient aux lèvres, pour qu'elles accompagnent sa course, aussi parce qu'il sentait un accord parfait entre ce qu'elles évoquaient et le ciel, les arbres, les broussailles, les rochers, la terre. Enfin, parce qu'à regarder agir Gilles, il avait appris qu'il devait faire entendre sa voix à Brebis, que la voix du maître le liait mieux à la bête et freinait mieux l'élan de celle-ci que la corde la plus forte.

Ainsi, la chienne précédant l'enfant, l'enfant clamant des paroles bibliques, Abel et Brebis franchirent encore des terres molles, gravirent des pentes semées de roches roulées, remontèrent, en en suivant les bords, le traversant par un gué et le retraversant par un autre gué, un torrent gros des eaux de pluie qui, par endroits, creusait un tunnel dans les bois et qui les conduisit à une chapelle ruinée bâtie à la pointe d'un promontoire d'où la vue s'étendait vers l'ouest et le sud sur des dizaines de lieues carrées de noires forêts entrecoupées de ravins et de pitons rocheux.

Abel n'en pouvait plus. Il s'assit sur l'une des trois marches de la chapelle dont ce qui restait du porche dominait un précipice. Posant seulement la main sur le crâne gris, il retint la griffonne près de lui.

Entre l'enfant et la cime des arbres dans la vallée, des petits rapaces tournoyaient; sur la droite, le torrent, qui avait atteint la bordure rocheuse et qui ne trouvait plus rien devant lui que le vide, disparaissait brusquement comme un fauve sous lequel une trappe aurait cédé, et du fond de l'abîme, son eau brisée remontait sous la forme d'une poussière irisée; l'horizon était fermé par une mer

les flancs avec une poignée d'arbres sur le sommet, qui se glissait entre des broussailles, s'accrochait à des saillies, passait par-dessus des terrasses, avant d'atteindre le sommet de la falaise — se disait : « Je le verrai ici, je le verrai là, je le verrai de face, de dos, de côté, je distinguerai peu à peu les traits de son visage, je le verrai grandir, et quand il sera devant moi il sera plus grand que moi », lorsqu'il aperçut, se dégageant du couvert et avant de revoir l'homme, une autre tache rampant sur le sol. « Il a un chien, pensa-t-il, qui le précède. »

Brebis debout sur ses pattes tendues n'aboyait plus; elle agitait d'un lent mouvement la queue tenue basse.

— C'est Mathieu — n'est-ce pas? — et son chien. Tu les connais. Ce sont tes amis. Ils viennent. Va... Va... Va les chercher.

D'un plongeon, la chienne disparut dans la vallée.

— C'est Mathieu. Que m'apporte-t-il? Dans le moment, il y eut dans l'esprit de l'enfant une volonté — qui était plus qu'un jeu — de confondre en une seule personne l'homme qui arrivait, avec Matthieu l'Evangéliste. Il se disait : « Voilà Mathieu. Que m'apporte-t-il? Que va-t-il me dire? » de même que le soir avant d'ouvrir la Bible il pensait : « Que vais-je apprendre? Où vais-je être entraîné? Quel pays vais-je découvrir? » Mais, en même temps, il cherchait au loin, à la pointe d'un bois ou sur le flanc d'un piton lavé par les eaux, une maison qui pourrait être celle de l'homme à la rencontre duquel Gilles l'avait envoyé.

Dès qu'il s'était trouvé en face de l'enfant, l'homme l'avait interrogé. « Qui es-tu? Comment te nommes-tu? D'où viens-tu? Y a-t-il longtemps que tu vis avec Gilles? Y vivras-tu encore pendant longtemps? »

A cette dernière question, Abel avait répondu : « Je ne sais pas. »

— Mon nom est Mathieu; Gilles te l'a dit. Gilles t'a dit — n'est-ce pas? — de venir m'attendre. Comment va Gilles? A-t-il des nouvelles du village?

Mathieu était un homme grand et mince, de l'âge de Gilles, avec des cheveux gris, des yeux bleu-clair, la peau tannée, creusée de profondes crevasses autour d'une bouche bien ouverte par des lèvres épaisses. Le visage était large, le front assez bas mais bossu sur les côtés, les pommettes

fortes, les yeux bien écartés l'un de l'autre, le nez long,
vexe un peu en son milieu mais se redressant et dévelop-
pant à sa base des narines bien dessinées.

Se découvrant et épongeant la sueur de ses tempes, il
s'était assis au côté d'Abel. « Tu étais là depuis longtemps? Tu m'as vu venir de loin? » Puis, aux bêtes :
« Paix, Sultane. Paix, Brebis. » Et à l'enfant : « Regarde-
les. Regarde Sultane; elle est presque aussi belle que Brebis. Elles s'aiment et sont prêtes à se dévorer si je disais
un certain mot. Elles sont jalouses l'une de l'autre. Ainsi
sont les chiennes, ainsi sont les femelles. »

Sultane était, elle, un chien de berger, mais d'une race
peu commune. Couleur tabac, avec des poils frisés aussi,
moins longs et moins touffus que ceux de la griffonne, et
seulement sur le dos, elle était un peu moins haute sur
pattes que la chienne de Gilles, mais plus longue et plus
fine de corps. La tête à poils ras était aussi plus allongée,
et les yeux étaient deux fentes obliques tandis que ceux
de Brebis avaient la forme des yeux humains.

— Paix, Sultane. Paix, Brebis.

Les chiennes, le poil hérissé, les pattes tendues, mais
agitant la queue, tournaient l'une autour de l'autre, en
grondant.

Mathieu avait posé sur une marche de la chapelle ruinée, entre ses pieds et ceux de l'enfant, le sac de cuir qu'il
portait à l'épaule et l'ouvrait.

« Tu dois avoir faim. Il est bientôt midi. Moi, je suis
en route depuis deux heures... » Il sortait du sac du pain
qu'il partagea, du saucisson, du lard, une bouteille de vin.
« Prends cela pour toi. Mange. Tu es parti de bonne heure,
aussi... Et ça monte depuis ma maison jusqu'ici. As-tu vu
ma maison? » Il tendait le bras, avec son couteau au bout
de la main. « Là, juste sur ce mamelon. Non? Suis le sentier... »

— Je vois, dit Abel, le ravin où je vous ai aperçu
d'abord...

— Regarde plus loin... Il y a un bois. Après le bois. Le
sentier tourne à droite. Tiens... elle va être éclairée. Tu
vois, après le bois, l'ombre du nuage qui s'avance. Maintenant, l'ombre est sur la maison. Vois-tu?

— Je vois l'ombre.

— La voilà en plein soleil.

— Ah! Oui. On dirait un nid de guêpes.

— J'ai laissé la porte ouverte à cause des chèvres, pour qu'elles se sentent moins seules... Paix, Sultane. Paix, Brebis. Venez ici. Couchez-vous, l'une à côté de l'autre.

Et il leur avait donné à manger; un morceau de pain frotté de lard à l'une, un morceau à l'autre. « C'est bon, les bêtes. Ça se tuerait mais c'est bon cependant. C'est franc. Ça n'a pas d'idée de derrière la tête. On sait ce que ça vaut. On n'a qu'à regarder leurs yeux. Et Gilles, qu'est-ce qu'il fait? A-t-il chassé ces temps-ci? Bois, bois. Je ne suis pas comme Gilles; il me faut du vin. »

Abel n'avait détourné le regard du visage de Mathieu que pour chercher la maison au fond de la vallée. Tout le visage de Mathieu parlait; les yeux souriaient; les paupières se plissaient; les narines palpitaient; la bouche se rétrécissait, s'élargissait, se fronçait; la peau se plissait à la base du nez, au menton, dans le creux des joues.

Jamais un homme n'avait parlé à Abel si longtemps, ni d'une telle manière, *d'égal à égal*. Abel n'aurait pas aimé que Gilles lui parlât ainsi; il se trouvait bien du silence de Gilles. Mais Mathieu, c'était différent. Mathieu ne devait pas être un homme comme les autres. Et l'enfant se sentait troublé ainsi qu'il l'avait été lorsqu'il avait découvert la minuscule silhouette noire cheminant entre les lèvres du ravin. Troublé et cependant confiant. « Qu'est-ce qu'il m'apporte? » se demandait-il encore, sans donner à cette question une forme si précise.

Il aurait voulu l'interroger. Il n'avait pas osé, de même qu'il n'avait jamais osé poser à sa mère une question sur sa vie. Tous les hommes qu'il avait connus — et les femmes et les enfants et Gilles lui-même — étaient fixés, lui semblait-il, dans le même cadre pour l'éternité, et ne faisaient d'un jour à l'autre que répéter les mêmes gestes. Mais pas la mère... mais pas Mathieu.

Mathieu venait de la petite maison, là-bas, en avant du mamelon, et la maison, pareille à un nid de guêpes, semblait à l'enfant aussi mystérieuse que les maisons, les palais et les villes de la Bible. Ainsi pour Mathieu. Il était un homme de la Bible (il ne le confondait plus avec l'Evangéliste). Mathieu comme les personnages de la Bible était chargé d'inconnu. Sa vie n'était pas enfermée dans un cadre. Il n'était pas un homme de couleur terne, étroitement cerné pas les limites du corps. Il rayonnait.

— Regarde, disait l'homme à l'enfant, si c'est beau.

Ici, nous sommes comme l'aigle. Nous dominons le monde.
Nous planons. Tu regardes là, au-dessous de toi, puis tu
déplaces un peu l'œil, d'un millimètre, et tu as fait vingt
kilomètres, tu as franchi vingt kilomètres sans bouger.
Amuse-toi.

Mais il s'était mis debout. « Allons maintenant. Il ne
faut pas trop faire attendre Gilles. En avant, Sultane, Brebis. Qui de vous deux arrivera la première? Nous n'avons
plus besoin de vous. Mais ne partez pas en chasse. »

Il avait ri, tendant le bras, montrant les deux bêtes,
l'argentée et la brune, galopant côte à côte, comme deux
louves.

Un agneau de lait rôti et des fromages étaient servis.
Abel en mangea, puis s'agenouilla sur sa couchette avant
que Gilles et Mathieu se mettent à table.

Les hommes avaient d'abord parlé du pays, des bêtes,
de la chasse. Ainsi que Gilles l'avait fait, Mathieu avait
rentré le bois. Il chassait et posait des collets, lui aussi.

Cependant il était allé au village récemment et en avait
rapporté de la poudre, du tabac et du pétrole. Gilles en
avait-il besoin? Il avait donné des nouvelles. Il avait dit
qui était malade et qui était mort. « Tu ne t'en doutais
pas? » « Non, le vent a soufflé du sud, tous ces temps-ci,
et je n'ai pas entendu la cloche. »

Les hommes buvant du vin et du lait, chacun à son goût,
puis de l'eau-de-vie, avaient mangé l'agneau jusqu'à ce qu'il
ne restât plus que la carcasse, et Brebis et Sultane se partageaient les os.

Abel avait dû prêter davantage attention. Mathieu
s'était mis à parler de quelque chose que l'enfant ignorait
tout à fait, qu'il ne pouvait se représenter qu'avec peine,
dont il ne savait que le nom : la mer.

Peu à peu, Abel avait deviné que les noms d'hommes
prononcés par Mathieu et par moments par Gilles
n'étaient pas des noms d'hommes du pays mais des noms
d'hommes d'ailleurs. Peu à peu, il avait compris que
Mathieu et Gilles s'étaient trouvés ensemble à New-York
et à Sydney. Mais où étaient New-York et Sydney? Les
heures passant, il était parvenu à faire la différence entre
les noms des bateaux et les noms des ports.

Agenouillé toujours sur sa couche, il s'était enveloppé
de la couverture et avait appuyé le dos contre le mur. Le

feu flambait, les moutons dormaient, mais les chèvres
écoutaient la voix des hommes qui, les pieds sur les briques
de la cheminée basse, fumaient.

Avec le même calme et sans plus d'étonnement, Abel
aurait écouté parler des anges. Mathieu prononçait souvent le mot *feu*. Au centre du navire brûlait un feu qui ne
devait jamais s'éteindre; ils avaient été les serviteurs de
ce feu, pendant des années.

A New-York, à Sydney, à Marseille, le navire était
chargé de charbon. C'était du bon ou du mauvais charbon, qui brûlait bien ou qui brûlait mal. Abel avait cru
comprendre que la raison d'être des navires dont parlait
Mathieu était d'absorber le charbon dont on emplissait
les soutes. « Qu'est-ce que c'était que les soutes? » Il
n'avait aucune idée de ce que pouvait signifier le mot :
« pression ». Mais c'était certainement quelque chose de
très désirable et de très difficile à obtenir et à conserver.

Mathieu, mal assis sur sa chaise, les épaules larges, les
mains nouées ensemble et posées sur les fortes cuisses,
l'une passée sur l'autre, se penchait sur le feu. Il fumait
presque sans arrêt des cigarettes qu'il roulait, qu'il allumait d'une braise saisie entre les branches des pincettes
et qu'il n'enlevait plus des lèvres jusqu'à ce qu'elles fussent
consumées. Il parlait en clignant l'œil droit, pour le protéger par la paupière de la fumée qui rampait sur le
visage.

Il « remuait » des souvenirs, comme s'il avait fouillé
dans un sac de marin. Il en saisissait un, le présentait à
Gilles sur une face, sur l'autre, et ce souvenir le faisait
penser à autre chose dont il parlait tout de suite. Il était
obsédé par ses souvenirs. Il disait : « Figure-toi. J'ai rêvé,
l'autre nuit, que je me trouvais à bord du *Plata*. » Et
encore : « La semaine dernière, au village, j'ai rencontré
un homme qui ressemblait à Talon. Tu te souviens bien
de Talon qui était premier chauffeur sur...? »

Gilles écoutait. Il répondait : « Oui » ou : « Non ». Il
semblait par moments sur le point de parler, lui aussi, et
alors il retirait la pipe de la bouche, et ses lèvres s'entr'ouvraient, mais avant qu'il eût prononcé un mot, Mathieu
avait repris la parole.

Ni Gilles ni Mathieu ne prêtaient attention à Abel qu'ils
auraient pu voir sans détourner la tête et qui, placé tel
qu'il était, sur le côté, les observait à son aise.

Mathieu parlait bien. Il donnait de longues explications.
Il se faisait bien comprendre. Quand il évoquait le souvenir d'un homme, il en disait les nom et prénoms, l'âge,
le lieu de la naissance. Il le dépeignait. Il le montrait
grand ou petit, maigre ou gros. Il en rappelait les habitudes, la manière de parler, de penser, les gestes. Il le
« refaisait ». Il l'imitait. « Tu sais bien comment marchait
Lentz, le torse en avant comme s'il allait foncer, et il
envoyait les jambes et les pieds de côté. On aurait dit
que ses pieds étaient un peu fous. »

Mathieu parlait comme un créateur. Il tirait des êtres
de l'argile, semblait-il, et les pétrissait. Pourtant ses mains,
toujours nouées ensemble sur les genoux, ne bougeaient pas.
Il donnait la vie à ses souvenirs en leur soufflant dessus et
il les rejetait derrière lui pour en tirer un autre du passé.

Il faisait de même pour les navires. Il avait le don de
rendre vivant un navire. « Tu te souviens comment il était
et quelle allure il avait, la coque noire peinte de frais, ses
deux tuyaux à bandes rouges, ses trois ponts blancs, celui
des embarcations si long, si haut !... Penser que tout cela
est au fond ! Quand on rentrait, il fallait suivre de si longues coursives, descendre tant d'étages avant d'atteindre le
poste qu'il me semblait pénétrer dans la terre, comme les
mineurs. L'eau montait à droite et à gauche, bien au-dessus
de nos têtes... et les passagers que l'on ne voyait jamais,
qui vivaient, eux, au-dessus de l'eau... Tu te rappelles ? »

Gilles suçotait la pipe et hochait la tête. On aurait pu
dire qu'il avait rajeuni mais ce n'était pas tout à fait cela.
Dans le rayonnement de la grande lumière qui s'était allumée dans ses yeux, les rides des paupières et des tempes,
les plis profonds du front et ceux qui froissaient les joues,
des pommettes au bas du menton, s'estompaient sans disparaître. Dans ce rayonnement, encore, la moustache et le
cheveu étaient d'une couleur imprécise et une ombre velou-
tée donnait à la figure une rondeur qu'elle n'avait pas...
qu'elle n'avait plus. Pourtant, non, Gilles n'avait pas
rajeuni, car, en y regardant mieux, Abel s'aperçut que,
dans le même moment, Gilles possédait deux visages qui
se superposaient sans se confondre ; l'un grave, sévère, figé
dans l'immobilité de l'âge mûr, et l'autre joyeux, vibrant,
d'une intensité de vie extraordinaire.

Gilles n'avait plus d'âge. Il avait à la fois vingt ans et
cinquante ans. Il ne vivait plus. Il était le témoin de sa

propre vie. Il voyait défiler devant lui sa propre vie.

— Quelles larges rues de chauffe, poursuivait Mathieu. On avait de la place pour envoyer les pelletées de charbon dans la « gueule du feu ». Quel tirage! Facile de faire monter la pression. Et quel marcheur! Mais quel rouleur! Qu'est-ce qu'on prenait entre les Açores et New-York, en hiver. Parfois, je croyais qu'il allait chavirer. Ooh!

Les histoires qu'il lisait dans la Bible, chaque soir, n'avaient pas plongé Abel dans un si grand étonnement et dans un si profond ravissement que ces phrases, ces bouts de phrases, que Mathieu murmurait plutôt qu'il ne les prononçait, les lèvres qui ne lâchaient pas la cigarette, se desserrant à peine. (Il ne fallait pas, là, dans un espace si restreint et clos, empli et entouré de silence, parler bien fort.)

La Bible « allait de l'avant ». La Bible ne donnait pas d'explications, ou peu. Mais Mathieu s'attardait, revenait sur ce qu'il avait dit. Il semblait que chaque souvenir fût un bijou précieux, et Mathieu le faisait tourner entre les doigts, en montrait les ciselures et les diamants qui l'enrichissaient encore.

Sans doute l'enfant ne percevait-il pas bien la différence entre la réalité et la légende, entre ce qui existait et ce qui était inventé, entre un monde dans lequel il pourrait physiquement pénétrer et un monde où il n'était admis que par l'esprit.

Il écoutait Mathieu et il le regardait. L'intonation et les vibrations de la voix, la lumière et la fixité de l'œil, la tension des traits, la crispation des mains nouées ensemble, l'infime balancement et toute l'attitude du corps, dénotaient l'émotion de l'homme qui parlait et la puissance qu'avait exercée et qu'exerçait encore sur lui la mer.

Il y avait devant Abel, à deux pas de lui, Mathieu et Gilles, deux hommes de chair, d'os et de sang, deux témoins qui arrivaient de ce monde réel mais inconnu : la mer, qui en indiquaient le chemin à l'enfant. Et, déjà, celui-ci se demandait s'il ne pourrait pas y aller. Mathieu ne disait que quelques mots, que quelques phrases courtes, souvent entrecoupées et inachevées, comme s'il eût voulu se décharger d'un surplus, et l'enfant recueillait avec avidité ces mots, ces phrases, ce trop-plein, ce filet d'eau que laissait échapper la coupe débordante.

... Avec deux cheminées et trois ponts sur le dos...

Qu'était-ce donc : une coque, des embarcations et des coursives?... Avec des étages comme une maison... Dans laquelle
les hommes descendaient ainsi que les mineurs dans
l'intérieur de la terre... Etrange bête munie de longues
pattes, qui marchait dans l'eau, qui allait au fond de
l'eau, qui roulait, qui tanguait... Les larges rues de chauffe
et les pelletées de charbon dans la gueule du feu...

Mathieu parlait encore des longues lames grises, des ter-
ribles coups de vent d'ouest de l'Atlantique du nord. Les
hommes qui vivaient dans les fonds du navire ne pouvaient
sortir, sans risquer d'être emportés par les paquets de mer
qui balayaient le pont... Des cyclones, de la mousson, de
la chaleur... Les tôles rougissaient, les hommes s'évanouis-
saient devant les foyers... Du froid... Le navire jusqu'à un
mètre de la flottaison était recouvert de glace. On aurait
dit un « iceberg ».

Abel s'était endormi, cette nuit-là, sans s'allonger; le
corps s'était affaissé sur les jambes repliées et la tête
s'était abaissée sur la poitrine.

Plus tard, Gilles l'avait couché et couvert.

Mathieu était demeuré deux jours encore à la maison
de Gilles et il avait de nouveau parlé de la mer, des
navires et des marins. Puis il était parti.

Au moment de se quitter, Gilles et Mathieu avaient fixé
la date d'une visite que rendrait Gilles à son ami. Ils
avaient fait le compte des jours et creusé au couteau des
traits sur la porte de Gilles et sur le bâton de Mathieu.

— Tu te souviendras? avait crié Gilles.

— N'aie crainte. C'est marqué là-dessus, avait répondu
Mathieu et il avait levé le bâton.

Quand il avait atteint le haut du ravin, s'étant fait
aider par Sultane qu'il tenait par le collier, il avait encore
agité le bâton comme pour dire : « Je me souviendrai
mais toi, n'oublie pas. »

Deux voix d'hommes font beaucoup de bruit. Quand
elles se taisent, de nouveau on entend le bruit des branches
qui se frottent l'une à l'autre, celui de la brise sur la tuile
du toit, celui de la goutte d'eau à cent mètres qui se laisse
tomber de la pointe de la mousse dans le creux du rocher,
le soupir des bêtes.

Celles-ci étaient satisfaites du départ du visiteur et de

sa chienne; les poules se tassaient sur elles-mêmes, les
chèvres, les moutons, Brebis faisaient leur place dans la
paille, avant de s'endormir. Les bêtes levaient l'oreille,
ouvraient un œil, écoutaient la voix familière, écoutaient
le rat qui creusait son nid dans la terre, sous la dalle,
regardaient la grande flamme et se rendormaient.

Puis l'hiver s'était fait comme un fruit qui se forme,
se gonfle et du vert tourne au doré. Le feu avait été plus
exigeant; il brûlait clair et haut; sans cesse il fallait lui
jeter de nouvelles bûches. Le soleil à midi pâlissait et, au-
dessus du torrent, en contre-bas de la maison, s'étendait
tôt dans l'après-midi un long nuage de brume qui suivait
exactement le cours de l'eau, et celle-ci grondait plus fort
et était plus blanche.

Du ciel tombait le froid comme une pluie. Il pénétrait
dans la chair des épaules et du dos. Les aubes étaient
interminables. Quand enfin le soleil se montrait, la terre
et tout ce qui a planté ses racines, ses griffes, ses dents
dans la terre, tout ce qui marche et rampe dans la terre,
tout ce qui marche et rampe sur la terre, étaient figés
dans l'immobilité. Le vol des oiseaux était lent et court.
L'eau du ciel se glaça. Les cheveux, le front, le visage
d'Abel, le manteau que Gilles lui avait taillé, chaque poil
de Brebis, chaque poil des chèvres et des moutons, furent
recouverts de petits cristaux. Les tuiles, les pierres plates
de la terrasse, chaque brin d'herbe, chaque branche, devinrent blancs et brillants. C'était l'hiver qui se faisait, et
tandis qu'il se faisait et mûrissait, Abel lisait la Bible à
Gilles.

Le 20 décembre, dans l'après-midi, Gilles, assis sur la
terrasse, le dos au soleil, tourné vers le village, regardait
les maisons sur le haut de la colline en face, que le soleil
commençait à toucher. Les vitres flambaient, semblait-il,
l'une après l'autre, l'une ici et l'autre là. On voyait une
flamme blanche qui disparaissait tout de suite. On aurait
dit qu'un diable plaçait une allumette au-dessous de tous
les rideaux de tulle que les ménagères disposent aux fenêtres.

Abel, lui aussi, se chauffait le dos, assis au côté de Gilles,
et la chienne, croyant que le maître attendait un visiteur
qui viendrait de la vallée, se tenait accroupie tout au bord
de la terrasse.

— Il fait beau, avait dit Gilles qui depuis qu'il avait

soigné le poignet d'Abel, s'était mis à parler à l'enfant, certains jours. Et les femmes ouvrent les fenêtres au soleil, pour qu'il entre. Si le temps se maintient, nous irons au village pour la Noël.

Le lendemain, le temps avait eu tendance à se mettre à l'est. Le ciel, au delà du toit, du côté de l'est, était devenu crasseux. Tout le reste du ciel, au sud, à l'ouest, au nord, était clair, lumineux même. Au-dessus des maisons du village, au-dessus des collines, au-dessus des bois, entre les maisons et le ciel, entre les collines, les bois et le ciel, il y avait une mince bande de lumière, une petite marge de lumière, comme si on eût légèrement passé là une estompe, pour éclaircir, et on voyait bien que le ciel ne touchait pas les maisons, les collines, les bois, mais qu'il passait par derrière, très loin. Mais du côté de l'est, au delà du toit, le ciel était sale.

Peut-être, pensait Abel, y avait-il là-bas, vers l'est, un de ces grands ports dont avait parlé Mathieu, avec des centaines de navires dont « les tuyaux fumaient ».

Le jour suivant, les fumées s'épaissirent. Elles devinrent plus sombres, plus nombreuses. Il y en avait au ras des collines à l'est, par derrière, plus loin encore, et sur la droite, et sur la gauche. Elles gravissaient les collines, par derrière toujours, puis elles se couchaient — le vent les couchait — puis elles s'abaissaient, enveloppant les crêtes mais s'y déchirant par endroits, puis se reformant, se soudant les unes aux autres et formant enfin une nappe de nuages, compacte ici, en lambeaux là, que le vent emportait.

Puis, l'eau tomba en une épaisse cataracte blanche, que le vent gonflait comme la voile immense d'un navire de légende, et, pendant des jours, le pays sauvage disparut sous l'eau, avec un ciel qui s'éclaircissait et devenait plus sombre, avec de courtes pauses. A la pluie souvent se mêlaient des flocons de neige qui fondaient. L'eau ruisselait de toutes les pentes, et les sentiers étaient devenus des bourbiers argileux desquels les pieds ne pouvaient se libérer qu'avec peine.

La veille du 1er janvier, la pluie cessa et le vent d'est se mit à passer en trombe sur le pays. Il soufflait au ras du sol. Il couchait les arbres, il les tordait, il en cassait, il en déracinait. Il emportait tout ce qui n'était pas solidement fixé, et Abel pris dans son étreinte luttait des épaules, des

reins, des cuisses et des jambes comme contre un torrent.
Le vent hurlait et secouait la maison.

Un peu avant la nuit, Abel s'approcha de la fenêtre et
regarda passer le vent au-dessous de lui, dans la vallée,
entre la maison et la colline du gros bourg. Le vent avait
fait le vide comme l'eau d'un lac de la montagne qui aurait
rompu sa digue. Les arbres ployés tremblaient sous son
poids, leurs branches cassaient, d'autres étaient déchique-
tées. D'autres cédaient d'un coup et arrachaient leurs
racines du sol détrempé, et les racines se rompaient une
à une, puis l'arbre partait à la dérive avec des pierres
grosses comme une tête d'homme qui roulaient, avec des
cadavres d'animaux, avec des planches, avec des piquets
et des lambeaux de clôture.

Le vent sans ralentir de vitesse, sans diminuer de puissance, se chargea de flocons épais qui, en quelques minutes,
recouvrirent de haut en bas tout ce qui faisait face au
vent, tout ce qui faisait face à l'est. Des torrents de neige
passaient qui se plaquaient contre les troncs, qui péné-
traient dans les sous-bois, qui suivaient les ravins, qui
tapissaient une face — une seule — des rochers.

Plus tard, Abel ouvrit la Bible et tandis qu'il lisait à
haute voix, le vent avait cessé. L'enfant s'interrompit, surpris par le silence. « Lis, lis », lui dit Gilles qui remettait
en état des raquettes.

Troublé par le silence, plusieurs fois Abel s'était réveillé
dans la nuit. Les yeux des bêtes dansaient dans l'obscurité comme des feux follets, Brebis soupirait et Gilles lui-
même ne dormait pas.

Pendant trois jours et trois nuits, la neige était tombée
presque sans arrêt, très lentement, en larges flocons qui se
détachaient d'une masse grise, à quelques mètres seulement
au-dessus du toit semblait-il, qui se balançaient mollement,
qui étaient gris eux aussi, puis blancs avant de se poser,
qui s'effondraient au contact de la couche déjà épaisse et
ajoutaient aux autres leurs cristaux glacés.

La chute ayant cessé, la terrasse fut dégagée, puis le
chemin de la source qui fumait, puis l'herbe courte d'un
terrain, à cent mètres de la maison, que les poules coupaient et avalaient.

Le vent du nord souleva toute cette neige en hauts tour-
billons, la rabota ici, l'accumula plus loin, en fit des

paquets qu'elle tassa, en combla des ravins. Puis vint un
froid intense, et tout cassait ; la pierre sous un coup de
talon, la branche enrobée de glace et l'outil d'acier oublié
devant la porte.

C'est alors que la chienne de Mathieu, un matin, avait
pénétré en trombe dans la maison. Elle était méconnais-
sable, plus longue, plus basse, amincie, le crâne aplati,
tout le corps recouvert de neige glacée, avec les pattes
bottées jusqu'en haut d'un ciment d'argile durci par le
froid, avec des glaçons aux poils de la queue, aux poils de
la gueule, aux oreilles.

La langue hors de la gueule, les yeux rouges, elle s'était
effondrée.

— Mais c'est Sultane, c'est Sultane, répétait Gilles. Il
lui fit boire du lait et lui donna à manger. Il dit à Abel :
« Couvre-toi. » Sans plus parler, il donna du grain et du
fourrage aux bêtes et emplit d'eau les pots. Il disposa d'une
certaine manière du bois sur le feu. Il mit des provisions
dans le sac de cuir. Sur les épaules de Brebis il plaça un
collier qu'il avait fait pour que la bête pût tirer sur le
traîneau, sans s'étrangler. Au collier, il attacha une corde.
« Viens ici », fit-il à Abel, et il enroula et fixa autour de la
taille d'Abel l'autre extrémité de la corde. « Mets tes
raquettes. Allons. » Et il plaça la grosse pierre devant la
porte fermée.

Basse, longue, sur le mamelon recouvert par la neige, la
maison de Mathieu était ce jour-là, lorsque Gilles et Abel
s'en furent suffisamment approchés, semblable à une baleinière grise naviguant lourdement dans une mer blanchie
d'écume. Entourée d'embruns, elle était soulevée par l'une
des énormes lames vert-noir et blanches, figées dans leur
mouvement, qui formaient le fond de la vallée, paraissait-
il.

Sa porte, au sud, était ouverte et des boules grises se
déplaçaient lentement autour d'elle. On aurait pu croire
encore, à cause de ce trou noir de la porte, que la baleinière était avariée, qu'elle avait été touchée par l'étrave
d'un navire coulé, et que des naufragés s'efforçaient de
l'atteindre et de se hisser à son bord.

Gilles cria : « Ohé ! Mathieu. Ohé ! Mathieu. » Puis
lâchant son bâton, laissant de ses épaules glisser le sac de
cuir, il se précipita dans un ravin, à la suite de Sultane

qui hurlait, comme folle. D'un coup d'épaules, Brebis bascula Abel qui eut juste le temps de saisir le bâton et le sac.

Pendant deux heures, Brebis, haletante, gémissante, avait entraîné l'enfant à toute allure à la suite de Gilles et de Sultane. Elle l'avait renversé, culbuté mille fois, tiré en travers des sentiers et des ravins emplis de neige, hissé de force au haut des parois rocheuses. Dès qu'il reprenait pied, Abel empoignait la corde à deux mains et courait aussi vite qu'il le pouvait derrière la chienne qui suivait la trouée faite par l'homme et la bête qui les précédaient.

Abel était couvert de coups, ses mains et son visage étaient déchirés, ses vêtements en loques. Il avait perdu son béret. Il était coiffé de glace, et des plaques de neige durcie adhéraient à son corps.

Il pleurait et il riait. Il ne comprenait rien à ce qui arrivait, à ce qui lui arrivait. Mais c'était beau et bon de courir ainsi dans la neige, de se cogner aux pierres, d'être fouetté par les branches, d'être battu par la terre, après des jours et des jours au coin du feu.

Emporté par la griffonne, il glissa le long de la pente glacée, sur deux cents mètres, puis tout à coup il fut libre. Il vit, déjà loin devant lui, dans un tourbillon de poussière blanche, le dos gris de Brebis qui fonçait, la tête basse. La corde avait cassé.

Il se mit debout, les jambes fléchissantes, passa la courroie du sac à l'épaule, puis il avança, boitant, titubant, s'aidant du bâton, le long de ce sentier que quelques semaines plus tôt Mathieu avait suivi. Et Abel qui le regardait du haut de la falaise s'était dit : « Je le verrai de dos, de face. Je le verrai grandir peu à peu. Qu'est-ce qu'il m'apporte? » Mathieu avait apporté la mer à l'enfant.

Posant les pieds dans les trous creusés (il ne pouvait pas se tromper) par l'homme et les deux chiens, il arriva au pied du mamelon, à la base de l'énorme lame qui portait sur son dos la baleinière avariée, et qui ne s'écroulait pas. Il écoutait. N'allait-il pas entendre la voix du marin? « Tu te souviens, Gilles, du *Biskra* et du sacré coup de cuiller qu'il donnait dans la mer, avec son arrière? »

Enfin, traînant le sac, éreinté, près de s'écrouler, il mit le pied sur le plateau.

Les chiennes n'aboyaient pas. Immobiles, le corps en

dehors, deux chèvres regardaient par la porte dans la maison où Gilles était entré. Abel s'approcha pour voir Brebis bousculer les chèvres, sortir de la maison le nez au sol, tourner à droite, tourner derrière la maison, revenir, jetant en avant son long corps gris, comme si de l'arrière-train elle eût repoussé le sol pour avancer. Au moment que la bête plongea vers la plaine, du côté du nord, les volets de la fenêtre furent écartés violemment et claquèrent contre le mur, et le torse de Gilles apparut, les bras écartés comme si l'homme allait s'adresser à une foule assemblée devant la maison. Il parla, mais pour lui seul, le regard égaré. Il cria : « Il est arrivé malheur à Mathieu. »

Se coulant dans les ravins, remontant les pentes, passant par-dessus des collines, longeant des falaises, l'homme, l'enfant et les chiennes avaient fait route du nord-est au sud-ouest, rattrapés, dominés, dépassés, par des nuages gris, ronds, allongés, bordés de roux, qui suivaient la même route. Dans la matinée, les nuages avaient disparu à l'horizon devant les marcheurs. L'après-midi, ils étaient devenus plus nombreux, plus importants, moins rapides. Ils paraissaient avoir rencontré un obstacle au sud-ouest. Ils s'accumulaient. Au moment qu'Abel avait atteint la maison et que Gilles avait ouvert la fenêtre, le ciel semblait être un miroir immense reflétant le pays sauvage transformé par la neige en une mer houleuse.

Alors, il avait froid, vraiment froid. Le froid n'était plus apporté par le vent. On ne pouvait plus s'en préserver en s'abritant du vent. On ne pouvait plus avoir chaud, en s'accroupissant contre une pierre placée face au soleil. Le froid venait d'en bas et d'en haut, de la terre et du ciel. Il rayonnait du sol, des nuages, de chaque rocher, de chaque arbre.

Après l'effort, Abel frissonna, et la sueur qui recouvrait son corps se glaça. Il entra dans la maison.

Ce n'était qu'une pièce, vaste et claire, haute de plafond, dallée de carreaux rouges, à la fois cuisine et chambre, avec une profonde cheminée basse, noircie par la fumée et les flammes, meublée d'un lit de fer large, d'une armoire, d'une commode et d'une table, décorée de photographies et de tableaux représentant des navires à vapeur, avec, de chaque côté de la cheminée, des casseroles, des grils, des pots, des bouquets d'herbes accrochés à des clous.

Entre la fenêtre, la porte et la cheminée circulait un
courant d'air glacé dans lequel Abel fut pris comme s'il
s'était jeté dans un torrent. Sur la table étaient posés des
assiettes, un paquet de tabac, un morceau de pain, une
marmite, une bouteille, des verres et des couverts. Dans la
cheminée, au-dessus des cendres était suspendue une autre
marmite. Entre la table et la cheminée, les pieds vers la
porte, Mathieu était allongé sur les carreaux, et Gilles
debout regardait le cadavre.

Abel n'avait d'abord pas compris. Il avait mal distingué.
Il n'avait pas vu si les pieds étaient chaussés ou non; les
pieds étaient deux masses noires et informes. Abel s'était
approché, s'était un peu penché et, alors, avait vu et compris qu'une bête s'était attaquée au cadavre de Mathieu,
avait arraché la laine des chaussettes, avait planté les
dents dans la chair, en avait arraché des morceaux et avait
bu le sang. Les orteils avaient été dévorés et des fragments d'os apparaissaient.

Abel s'était reculé, étourdi, comme s'il eût reçu à
l'improviste un coup violent sur la tête. Il s'en était fallu
de peu qu'il tombât et, en même temps, il sentait le froid.
Il avait regardé sans crainte et sans défaillance l'aiguille
de Gilles coudre la chair ouverte de la chienne, le couteau
de Gilles s'enfoncer dans sa propre chair enflée par le pus,
et ce couteau encore ouvrir la gorge des agneaux. Les
pieds de Mathieu rongés par une bête l'écœuraient. Il
n'avait pas tout vu.

Le pantalon de velours que portait Mathieu était
déchiré, la chemise était lacérée, et le fauve qui avait
rongé les pieds avait, des griffes et des dents, ouvert le
ventre de l'homme. Il s'était encore attaqué aux mains, à
la gorge, et la tête de Mathieu était au quart détachée du
tronc.

Abel tremblait. Il avait envie de vomir.

Gilles, debout, regardait son ami, sans rien dire, sans
faire un geste. Sultane gémissait. Brebis, partie sur une
piste de sang, aboyait du côté du nord. Les chèvres
bêlaient. Les nuages s'épaississaient et s'abaissaient. La
nuit venait.

Gilles tout à coup parla et s'agita. Il s'agenouilla, se
pencha, palpa le cadavre et dit : « Oh! Mathieu. Que
t'est-il arrivé? Quand es-tu mort? Comment es-tu mort?
Il t'a pris mal? »

Il avait ramené sur le ventre les lambeaux de la chemise, refermé le pantalon. Il s'efforçait de soulever les bras étendus mais le corps était raidi et collé aux carreaux.

Brebis entra. Du sang rougissait les glaçons de son ventre. « Couche-toi », dit Gilles. Sur la commode, il prit la lampe, l'alluma, la posa sur la table. Il ferma la fenêtre, saisit les chèvres par les poils du cou, suivi d'Abel les conduisit à l'étable derrière la maison et leur donna une grosse brassée de fourrage. De l'appentis, il rapporta du bois dans la maison. Il écarta les cendres du foyer, fit jaillir une flamme et ferma la porte.

Abel s'approcha et s'assit sur les briques de la cheminée. Aux flammes qui naissaient, Gilles donna de petits morceaux de bois à dévorer, l'un après l'autre. Le bois humide brûlait mal. Le froid était visible, presque palpable ; autour des flammes pauvres il formait une auréole. Il avait rendu compact et lourd l'air de la cheminée, et la fumée refoulée s'amassait dans le haut de la salle.

Gilles s'agenouilla auprès du corps de Mathieu et tâcha vainement de le déplacer. Il essaya de passer les mains sous le torse du cadavre, mais celui-ci était collé au dallage, par le sang et par la glace. La lampe et le feu faisaient rutiler sur chaque carreau de la cuisine des dizaines de petites étoiles qui étaient de minuscules gouttes d'eau gelées, qui étaient comme la sueur gelée de la cuisine. On en voyait aussi au bas des murs, jusqu'à cinquante centimètres de hauteur, autour des pieds de la table, à la base de l'armoire et de la commode et aux pieds du lit. On aurait dit encore de la poussière de diamant.

Gilles se mit debout, enjamba Mathieu, le saisit par les épaules mais il ne put le déplacer. « Je ne peux pourtant pas te laisser là », dit-il. Il sortit et revint avec une grande brassée de bûches. Il fit le va-et-vient plusieurs fois entre la cuisine et l'appentis, et chaque fois il laissa tomber plus de dix bûches sur le carrelage.

Couvert de sueur, Gilles avait enlevé la veste, relevé les manches de la chemise jusqu'aux coudes et s'était mis à faire un vrai feu de chauffeur de navire. Il avait écarté la marmite de fonte et les fumerons, choisi le bois, jeté des branchages secs, construit au-dessus un échafaudage de bûches, et les flammes s'étaient élevées à un mètre.

Gilles et le feu se connaissaient de longue date. La

masse d'air froid qui obstruait la cheminée avait été tout
de suite crevée et emportée. Les flammes sifflantes s'appli-
quaient contre les pierres noires, et sans cesse Gilles lançait de nouvelles bûches dans le foyer.

Abel s'était un peu écarté. Il se baignait dans les grandes
vagues de chaleur mais il tremblait. La cheminée ronflait,
toute la maison, qui se dilatait, ronflait et vibrait, et la
cuisine entière remplie de flammes était un vaste foyer.

Abel ne se trouvait plus dans une maison bâtie sur le
plat d'un mamelon du pays sauvage recouvert de neige.
Il se trouvait dans les fonds d'un navire, dans la « chambre de chauffe » d'un navire.

« Te souviens-tu, avait dit l'homme mort, des pelletées
de charbon que l'on envoyait dans la gueule du feu ? » Ici,
c'étaient des brassées de bois qui culbutaient dans la
gueule du feu, qui crépitaient et s'enflammaient.

Abel regardait Mathieu dont le visage rosissait à l'éclat
des flammes. Il entendait Mathieu : « Quelle allure il
avait, avec ses deux cheminées, ses trois ponts, celui des
embarcations si haut et si long ! Il fallait suivre de si
nombreuses coursives, traverser de haut en bas tant
d'étages avant d'atteindre le poste, qu'il nous semblait
pénétrer dans la terre comme les mineurs. L'eau montait
à droite et à gauche, au-dessus de nos têtes. »

Il était hallucinant de voir le feu et d'entendre les
paroles du mort. L'eau courait au-dessus de la maison —
mais peut-être était-ce le vent qui s'était levé. — Les
grandes lames grises de l'Atlantique du nord se poussaient
l'une l'autre dans le ciel, et Mathieu, les pieds et les mains
rongés, le ventre ouvert, la gorge profondément déchirée
par un animal sauvage, gisait sans vie devant le feu qu'il
avait servi pendant trente ans, de Marseille à Anvers,
d'Anvers à New-York, de New-York à Sidney, de Sydney
à Marseille.

Sultane, qui avait roulé sur le flanc, la langue hors de la
gueule, sur le côté, une goutte de sang entre les paupières
closes, semblait être, elle aussi, un cadavre. Brebis avait
pris sa pose d'attente. Allongée, le ventre touchant le sol,
les cuisses repliées, bandées, ressorts qui pouvaient se
détendre en une seconde, la tête à plat à côté des pattes
tendues, elle regardait les flammes par-dessus le corps de
Mathieu.

Il y avait maintenant dans la cheminée un énorme tas

de bois embrasé et enflammé. Le goudron coulait, épais
et brillant, le long des briques. Des carreaux, du bas des
murs, du pied des meubles, s'élevait un voile de vapeur.
L'eau dégouttait du plafond et des solives. La sueur ruisselait du front de l'homme et de l'enfant. La fourrure des
bêtes fumait. La maison craquait comme un navire dans
la tempête.

— Mangeons, dit Gilles.

Il s'assit sur le socle de la cheminée, tout contre le feu.
Du sac attiré à lui, il sortit du pain, du saucisson, du fromage. Il trancha le pain, le saucisson et le fromage et
donna sa part à l'enfant.

Le couteau à la main — ce couteau qui soignait et qui
tuait — il mettait dans la bouche des morceaux de pain
taillés en coin, des morceaux de saucisson et de fromage
gros comme le pouce, et il mâchait. De temps en temps,
il lançait du pain et de la viande à Brebis qui happait,
donnait un coup de dents et avalait. Sultane gémissait.

La bouteille de vin était posée près du feu.

Mangeant lentement — se nourrir est une chose impor-
tante pour les hommes du pays sauvage et pour les
marins — l'homme et l'enfant regardaient Mathieu.

Ils regardaient le visage de Mathieu, et dans le visage
de Mathieu se passait quelque chose d'extraordinaire.

Abel était assis sur la brique de la cheminée, du côté
de la porte, et la tête de Mathieu était à demi tournée
vers la cheminée, c'est-à-dire qu'Abel se trouvait juste en
face du visage du mort. Si Mathieu eût été vivant, sans
se déplacer il aurait vu Abel.

Le visage de Mathieu avait été comme durci par la
mort, comme resserré. Il avait eu la couleur grise de certaines pierres. Depuis un moment déjà, il avait repris une
couleur de chair, mais c'était le reflet des flammes qui lui
avait rendu cette couleur. Maintenant, il brunissait, il
reprenait la couleur vivante que lui avaient donné les
vents de l'Atlantique et du Pacifique, les vents du pays
sauvage, le soleil, la neige, la pluie chaude et la pluie glacée. Maintenant, de nouveau, le sang mêlait sa couleur à
celle de la peau.

Devant les yeux de l'enfant, la chair s'amollissait et se
dilatait. Les rides qui n'avaient plus été que des traits
fins comme tracés par une épingle sur la pierre du front
étroit, des paupières et des tempes, s'élargissaient et se

creusaient; elles redevenaient des sillons profonds. La
cavité des joues, au-dessous des pommettes, que la mort
et le froid avaient accentuée, se détendait comme si les
joues se fussent un peu remplies de chair, par-dessous. Les
lèvres s'épaississaient, les paupières avaient glissé et
s'étaient un peu abaissées sur les yeux morts, et la bouche
qu'une contraction avait mystérieusement scellée, s'entr'ouvrait.

Abel avait oublié qu'un instant plus tôt il avait cru être
dans les fonds d'un navire, qu'il avait entendu dans le ciel
les lames grises de l'Atlantique se bousculer, qu'il se trouvait réellement dans une maison sur le plat d'un mamelon
du pays sauvage.

Il regardait Mathieu et se rappelait le visage de Gilles
écoutant son ami parler du passé, quelques semaines plus
tôt. Devant les yeux d'Abel, il y avait eu deux Gilles. Abel
regardait Mathieu et il n'aurait pas été étonné si les plaies
du cou, du ventre, des mains et des pieds se fussent fermées et si l'homme s'était levé. Et l'homme debout n'aurait
pas été le Mathieu qui avait fait une visite à la ferme
mais le marin qui vingt ans plus tôt était dans une chaufferie le serviteur du feu.

Alors, Gilles avait pu soulever légèrement et déplacer de
quelques centimètres le corps de son ami. Il avait arraché
un drap de lit et l'avait fait glisser entre les carreaux et
le corps, en commençant par les pieds. Il avait enveloppé
Mathieu, l'avait serré dans le drap, ficelé avec une corde
et, l'ayant pris par les épaules, il l'avait traîné jusqu'au
pied du lit, puis soulevé, puis étendu sur le matelas.

La porte avait été ouverte, le feu dispersé, les braises
jetées dans la neige, et Gilles et Abel, grelottants, enveloppés de couvertures, blottis contre les pierres de la cheminée, avaient attendu le lever du soleil.

CHAPITRE II

Abel retrouve la mère et quitte le pays sauvage. — La maison de la mère. — Marseille. — La mer est un feu. — La vie d'Abel à Marseille. — Découverte du cinéma.

A la fin de l'hiver et au début du printemps, plusieurs fois Gilles était allé au village. En revenant, un soir, il dit à Abel : « Ta mère a écrit. Peut-être retourneras-tu au village. » Abel ne répondit pas.

Si on l'eût conduit au village, il serait revenu au pays sauvage, à moins qu'on ne l'attachât. Mais on arrive toujours à rompre une corde. Il aurait fait comme Sultane que Gilles avait emmenée avec les chèvres de Mathieu et enfermée. Elle s'était enfuie. Gilles avait fait la course et l'avait ramenée. La bête, attachée, avait hurlé pendant cinq jours, puis elle avait disparu. « Elle mourra de faim, avait dit ~~Mathieu~~ Gilles. Je ne puis rien y faire. »

A la fin du mois de mars, Abel, sur le plateau, du côté de l'ouest, avait vu devant lui, à quelques mètres, les broussailles s'ouvrir devant et se refermer derrière une grosse bête noir-roux qui chassait à toute allure, le museau au sol. Il avait dit sa rencontre à Gilles. « C'est Sultane, avait répondu Gilles. Elle n'est pas morte. Ah! Tant mieux. Maintenant aucun homme ne pourra l'approcher mais on la tuera d'un coup de fusil. »

Abel, lui aussi, serait retourné au pays sauvage, autant de fois qu'il l'eût fallu, même s'il avait dû en mourir. *Mais si la mère venait le chercher?*

Il désirait revoir la mère, sentir son odeur et entendre sa voix. Le désir lui était venu avec le printemps, avec la disparition du froid, au moment que dans tous les coins des petites sources avaient surgi, que le bois des arbres avait verdi et s'était dilaté. Il s'était mis à penser

à la mère souvent, comme il y pensait autrefois, en lisant
la Bible, en s'endormant, en se réveillant, en courant sur
le plateau. Il recherchait dans sa mémoire la forme de son
corps, le mouvement de ses mains, ses traits, son sourire,
ses gestes, son allure, son odeur. Ce qu'il avait retrouvé le
plus exactement c'était la voix. Il s'arrêtait, fermait les
yeux, faisait le silence en lui. Alors il entendait la voix
de la mère.

Il n'avait pas demandé à Gilles ce qu'avait écrit la
mère. On ne lui avait jamais montré une lettre de la mère.
Lui-même, il ne lui avait jamais écrit. Elle viendrait au
village — l'enfant en était sûr — et du village au pays
sauvage. Il s'assiérait devant elle, la regarderait, lui tou-
cherait les mains.

Abel ne s'écartait plus bien loin de la maison, souvent
s'asseyait sur la terrasse, du côté du nord, les yeux sur le
village.

— Qu'est-ce que tu attends?
— La mère.
— Tu veux partir?
Encore, l'enfant ne répondait pas.

Au début du mois de mai, un matin, vers dix heures,
à l'appel de Brebis, Gilles et Abel étaient sortis sur la
terrasse. Dans le fond de la vallée, une charrette suivait
le lit du torrent; l'eau par endroits atteignait le ventre
du cheval. Gilles dit : « Ils sont fous. Ils vont le tuer. »

A cause des broussailles, des arbustes, des arbres, bien
qu'ils n'eussent pas encore leurs feuilles, on distinguait mal.
On ne voyait jamais le cheval et la charrette d'une seule
pièce, et les branchettes avec leurs rameaux formaient une
sorte de fumée qui brouillait un peu l'image. L'homme
qui conduisait, un pied sur le plateau, l'autre sur un bran-
card, tenait haut les guides. Une femme était assise au
milieu, sur la planche, qui se tenait avec les mains d'un
côté et de l'autre.

C'était la mère; Abel n'en doutait pas.

Sur une pierre de la terrasse, il se tenait, lui-même,
dans la même position que la mère, un bras d'un côté, un
bras de l'autre. Sans s'en apercevoir, il se balançait un
peu. Il était rouge d'émotion. Tous les bruits réels autour
de lui avaient disparu, mais ses oreilles vibraient du bruit
de la voix de la mère. Il ne voyait, et mal, que la charrette avec au milieu une tache sombre qui bougeait un

peu, mais il y avait, devant ses yeux, sa mère assise, avec
les beaux cheveux, les lèvres épaisses, les yeux rieurs, le
haut et large cou, les blanches mains.

— Ma mère, se disait Abel, est belle comme la Bible,
belle comme la mer de Mathieu. Aucune femme n'est
habillée comme elle, et elle vient.

Pour faire sortir la charrette du torrent, le conducteur
avait sauté dans l'eau et saisi le cheval par une courte
courroie de cuir fixée à une gourmette, et il s'était mis à
marcher devant, moitié à reculons et moitié sur le côté,
tirant sur la courroie et excitant la bête. Abel avait enfin
entendu la voix de la mère. « Arrêtez. Laissez-moi descendre. J'irai à pied. »

Après avoir trouvé Mathieu mort, la gorge et le ventre
ouverts, les mains et les pieds dévorés, Gilles avait été
pris d'une rage folle contre les renards et — fait rare —
des semaines étaient passées avant qu'il eût pu en tuer un.

Il plaçait des pièges mais l'appât était enlevé sans que
le ressort se fût déclenché. Les renards dédaignaient les
viandes empoisonnées. Brebis se lançait sur une piste, conduisait Gilles au terrier, et le terrier se trouvait abandonné.

Enfin, Gilles était rentré, portant sur le dos un fauve
splendide, les reins cassés par une balle, qu'il avait jeté
sur les dalles de la cuisine. C'était un mâle adulte, au
poil roux et presque noir sur le dos, à la queue longue,
à la tête étroite, les babines découvrant des crocs d'ivoire.

Gilles l'avait éventré et égorgé rapidement, avait fait
sauter les griffes à coups de couteau et l'avait laissé sur
les dalles toute une nuit, devant le feu.

Les bêtes avaient paru folles. Les poules hérissées caque-
taient, les moutons serrés bêlaient, les chèvres dansaient
comme des sorcières, une nuit de Sabbat, Brebis hurlait
à la mort. Pourtant Gilles avait ouvert la Bible et l'enfant
avait lu, et, lisant, peu à peu il avait compris le sens des
mutilations infligées au fauve : la tête presque détachée, le
ventre ouvert, les griffes arrachées, et de son abandon sur
les dalles.

Le lendemain matin, Gilles avait cloué la bête, en croix,
sur le volet d'une fenêtre close de l'ancienne ferme, à
deux mètres du sol. Pour que les dents demeurent visibles,
il avait entaillé les joues et, dans la gueule ouverte de

force, il avait introduit une branche de chêne dépouillée
de son écorce.

La mère, mettant le pied sur la terrasse, s'était trouvée
en face du corps crucifié, dont le poil noir se détachait
par plaques, au ventre béant, et avait poussé un cri :
« Quelle horreur! »

Puis, elle avait jeté un regard qui avait fait le tour du
pays sauvage. Elle avait vu, mal vu, en une seconde à
peine, les ruines de la ferme, les couches des bêtes, dans le
fond de la salle, les pierres géantes au-dessus desquelles
tournoyaient les rapaces, la pente aride qui conduisait au
plateau, le ravin, les bois noirs. Elle s'était reculée, comme
si elle eût reçu un choc. Enfin, elle avait posé les yeux sur
Abel qui la regardait.

Elle était coiffée d'un large chapeau de paille garni d'un
ruban vert, vêtue d'un léger manteau vert-sombre, serré
à la taille par une ceinture de cuir noir, chaussée de bottines
lacées qui galbaient la jambe. Elle portait aux oreilles des
anneaux dorés et, entre les seins, une broche en forme
d'épée.

— Je t'emmène à Marseille, avait-elle dit. Mais elle
n'avait pas embrassé Abel, ni saisi sa main noire. « Je
t'emmène, avait-elle répété. Tout de suite. Tout de suite. »
Et elle s'était dirigée vers la charrette.

Abel l'avait suivie, puis il s'était arrêté, puis il s'était
tourné vers Gilles, vers Brebis, vers le plateau. Il se tenait
immobile, sans geste, l'œil rond, le sourcil arqué. Est-ce de
cette manière qu'il allait quitter Gilles, Brebis, le pays sauvage, le pays de Mathieu, la Bible, toutes les bêtes?

— Viens, viens, avait encore dit la mère.

Elle ne comprenait pas. Jamais l'enfant n'avait paru
éprouver une peine à se séparer de ses gardiens... ni d'elle,
et jamais elle ne l'avait trouvé si sale, si « mal soigné ».

Gilles qui tenait la main droite dans la poche, l'en avait
sortie serrant le couteau. Abel s'était demandé un instant
ce que Gilles allait faire avec le couteau. En frapper la
mère?

Gilles s'était approché d'Abel. « Prends mon couteau,
avait-il dit. Je te le donne. Maintenant, va avec ta mère.
Adieu. »

Dans la charrette, Abel s'était accroupi, la tête basse,
les bras serrant les jambes. « Qu'est-ce que tu as? avait

demandé la mère. N'es-tu pas heureux de me revoir, que je te garde avec moi? Tu vas vivre avec moi, à Marseille. »

« N'es-tu pas heureux? » Il ignorait le bonheur et le malheur. Il ressentait un peu ce que doit éprouver une bête prise au piège. Il était là, dans la charrette, comme dans un piège. Il avait perdu la liberté. S'il eût voulu s'engager sur le plateau, dans le sentier qui conduisait au-dessus du faux village, il ne l'aurait pu, ni exciter Brebis à la course, ni suivre dans la poussière et sur le tronc des arbres la piste d'un écureuil. Qu'il se tournât à droite, qu'il se tournât à gauche, qu'il grattât dessus, qu'il grattât dessous, il se heurtait aux barreaux et au bois de la cage dans laquelle la mère l'avait enfermé.

Il était accroupi sur le plateau de la charrette, si près de la mère que les cahots le jetaient contre elle. Sa tête se heurtait à la cuisse de la mère, sa joue se frottait à la laine et à la soie qui enveloppait le corps de la mère. A l'odeur de la mère qu'il aspirait à plein nez, il défaillait presque, d'aise. Quand la femme parlait, quand elle disait : « N'es-tu pas heureux de me revoir, que je te garde avec moi? » quand à un choc plus rude d'une roue sur une pierre, elle poussait un cri, la voix de la mère pinçait une corde tendue dans la poitrine de l'enfant.

Abel éprouvait une jouissance, presque voluptueuse, qui atténuait la sensation de la perte de la liberté, qui écartait le regret de quitter Gilles, Brebis, le pays sauvage. Souvent, il regardait la mère, rapidement, en dissimulant un peu par le jeu des paupières le regard qu'il lui lançait de bas en haut. Autre chose encore jetait au loin, plaçait à l'arrière, la peine éprouvée d'avoir été brusquement arraché à la vie qu'il aimait : la curiosité. Elle s'était emparée de tout l'enfant. Enfin, sa mère était venue, *pour l'emmener*. Il allait vivre avec elle, habiter sa maison, coucher près d'elle, manger avec elle. La nuit et le jour, heure à heure, sa propre vie et celle de sa mère allaient se côtoyer et souvent se confondre.

Abel s'était posé sur la mère — depuis qu'il avait pris conscience d'elle, de l'importance qu'elle tenait dans sa vie — des dizaines de questions jamais formulées avec précision. La femme s'était présentée à l'enfant toujours de la même manière, toujours richement habillée, ayant au cours de ses rapides visites toujours la même attitude, les mêmes gestes, les mêmes paroles. Chaque fois, Abel avait

été devant la mère comme devant une image, et il s'était
posé sur elle les questions que les enfants se posent devant
le personnage d'une image. Qui est-elle? Où vit-elle? Comment vit-elle? Comme est sa maison? Qui sont les gens
qui l'entourent?

Accroupi dans la charrette, vibrant à cette voix et à
cette odeur qui le troublaient depuis sa naissance, il regardait le corps et le visage de la mère sans les détailler, et il
se sentait arraché à la vie qui avait été la sienne jusqu'à
cette heure. Il sentait qu'il quittait un monde pour un
autre, comme s'il eût quitté le pays sauvage pour vivre
dans la Bible. Ce départ du pays sauvage et cette entrée
dans la vie de la mère étaient une mort et une naissance,
sans que les liens soient rompus entre les deux vies.

L'écho de la voix de Mathieu — « Te souviens-tu,
Gilles? » — rendait plus riche la joie éprouvée. Il allait
vivre avec la mère, *à Marseille*. Et il pensait à cette crasse
dans le ciel, à ces « fumées » qui avaient assombri le ciel,
certain jour.

Au moment que la charrette s'engageait dans une rue
du bourg, la mère avait dit : « Tu sens mauvais. Mais
je t'ai apporté des vêtements. » Dans la maison où il avait
vécu, plusieurs mois ou plusieurs années, en présence
de la femme et de l'homme qui l'avaient nourri, Abel
avait été dépouillé de sa veste et de son pantalon de bure
rapiécés. Il s'était défait des souliers ferrés par Gilles et
avait déroulé les bandes de toile noircies qui enveloppaient
ses pieds. La mère avait presque arraché la chemise en
lambeaux, répétant : « Tu sens mauvais », ajoutant :
« Que tu es sale! Est-il possible de laisser un enfant dans
un tel état? » Elle criait. « Tu vivais dans la vermine.
Tu étais couché dans le fumier, avec les bêtes. Oh! oh!
oh! Est-ce possible? Je ne peux l'emmener comme
ça. »

On avait lavé Abel. La mère, elle-même, avait rogné les
ongles des pieds et donné quelques coups de ciseaux dans
les cheveux, sur le front, autour des oreilles, sur la nuque.
« Demain, tu prendras un bain. »

Nu, Abel se tournait lorsqu'il fallait se tourner, levait
la jambe lorsque la mère lui disait de lever la jambe.
Gilles avait lavé Brebis dans le torrent, et Brebis n'aimait
pas du tout qu'on la lavât. Elle tremblait, baissait la tête,

et dès que Gilles l'avait lâchée, elle était partie comme
une flèche, s'était secouée et roulée dans l'herbe. Il s'en
était fallu de peu qu'Abel ne bondît hors de la maison
et ne se roulât dans la poussière de la rue.

Une discussion avait mis aux prises la mère et la femme
et l'homme qui avaient été les gardiens d'Abel. Ils parlaient d'argent. La mère affirmait avoir envoyé ce qui
était dû et même davantage. « Il fallait tout de même le
soigner. » « Ah! oui, les soins! » répondait la mère. Elle
remettait le beau chapeau. Du sac de cuir, elle avait sorti
un mouchoir, un poudrier, un bâton de rouge, du rimmel,
un miroir. Elle arrangeait la couleur de ses joues, de ses
lèvres, de ses paupières. Elle mettait un peu de poudre
sur le menton et sur le nez. La mère, qui avait retrouvé
son éclat, dominait la gardienne plate, terne et échevelée.
« Vous voulez de l'argent encore? En voilà. » Elle riait,
l'œil noir, les lèvres écarlates découvrant des dents sans
tare. Elle avait jeté sur la table trois ou quatre billets et
tandis que l'homme et la femme se précipitaient, Abel
s'était glissé sous le meuble et avait fouillé le pantalon de
bure; l'émotion lui avait fait oublier un instant le couteau
de Gilles.

La mère avait cru emmener avec elle un petit sauvage;
c'était un petit sauvage qui en savait long. Elle avait été
sûre que ce qu'il verrait l'émerveillerait. L'enfant ne
venait-il pas de vivre plusieurs mois avec un vieil homme
seul et des bêtes, dans une maison qui ressemblait à une
caverne perdue dans la montagne? Dans le train, Abel
s'était assis à la place que la mère lui avait désignée. Il
n'avait que le souci de la route suivie. Au pays sauvage,
l'enfant, partant en course dans une direction inconnue,
s'inquiétait de la place du soleil dans le ciel et des repères :
un fort genévrier noir, ou des pierres trouées, ou un chêne
que la foudre avait frappé, et une moitié de l'arbre était
morte et l'autre moitié vivait. S'il n'y avait, sur un bon
bout de chemin, ni genévrier remarquable, ni pierre
trouée, ni chêne foudroyé, Abel plaçait une pyramide de
cailloux.

La mère se plaignait du soleil qui faisait couler ses
fards et aurait voulu qu'on abaissât un store, mais elle
n'avait jamais passé la nuit en compagnie d'un mort qu'il
avait fallu dégeler avec un grand feu et, ensuite, exposer
à un vent chargé de poussière de neige. Elle n'avait pas

attendu en grelottant le lever du soleil, pour qu'il la
réchauffât.

Elle avait enlevé le chapeau, s'épongeait, avait dégagé
les épaules du manteau, soulevé de deux doigts la soie de
la robe qui collait aux cuisses. Le soleil brûlait la peau
de l'enfant, et c'était bon.

Abel, dont l'œil disparu aux trois quarts derrière la paupière ressemblait à une perle en forme de larme, ne devait
pas oublier, se disait-il : l'après-midi; le soleil sur la droite
(le train changeant de direction, le soleil se déplaçait aussi,
mais, le plus souvent, il se trouvait sur la droite) ; une
ferme isolée à la toiture à quatre pentes, avec un grand
cyprès à l'angle sud; une église sur le sommet d'une colline; dans un village, un cours planté de huit rangées de
hauts platanes; une rivière étroite que la voie franchissait
sur un pont métallique, tout à côté d'un vieux pont en dos
d'âne; un fleuve qui coulait vers le soleil couchant, entre
deux plages de cailloux.

La mère s'inquiétait du mutisme de l'enfant, avait souci
de sa faim, se plaignait de ses pieds qui la faisaient souffrir. Abel, sans répondre, avalant sans la mâcher une tarte-
lette, avait déchaussé ses propres pieds que le cuir neuf
blessait.

La mère avait craint qu'Abel ne se refusât à monter
dans le train. Lorsque le tonnerre grondait, la mère fermait les contrevents et allumait une bougie devant la
statue de la Vierge placée dans un coin de la chambre,
mais l'enfant surpris par l'orage s'abritait sous un arbuste
et regardait le ciel. Ou, si c'était la nuit, s'approchait de
Gilles et, comme lui, appuyait le front à un carreau de la
fenêtre. Peut-on redouter de monter dans le train, lorsqu'on a vu le ciel immense fendu en deux par la foudre,
lorsqu'on a vu pendant plusieurs secondes le pays sauvage
dans une lumière bleue et être hérissé de petites flammes,
des boules de feu dévaler du plateau, l'eau du torrent
transformée en fonte en fusion, lorsqu'on a entendu l'écho
du tonnerre dans la vallée et chaque rocher pousser son
beuglement, lorsqu'on a senti la terre trembler sous soi?

Le convoi traversa une gare, passa au-dessus d'une route
semblable à un fleuve chargé de navires, s'engagea sous un
tunnel, en ressortit, puis pénétrant et s'enfonçant dans
Marseille, côtoya, à droite et à gauche, d'autres convois
qui roulaient dans un sens et dans l'autre.

« Il est extraordinaire, ce gosse, pensait la mère. Il n'a rien vu et rien ne l'étonne. »

Le quartier où vivait la mère, à Marseille, était construit sur le flanc est d'une vaste butte qui sépare l'ancien port du nouveau. Du sommet à la base et du sud au nord, la grand'rue prenait la butte en écharpe. Elle permettait de quitter le port, de quitter le centre de la ville sans voir l'eau et les navires autrement que par petits morceaux, par images successives de la forme et de la grandeur d'une carte postale, et encadrées par les murs sordides d'une vingtaines de ruelles qui piquaient droit sur le port.

Au sommet de la butte, l'eau lâchée en abondance emportait par la grand'rue et les ruelles les ordures vers des bouches d'égout largement ouvertes. Jour et nuit, on entendait le bruit de cette eau chargée de papiers gras, de déchets de légumes, de vieux souliers et de charognes.

La mère était logée dans l'une de ces ruelles qui s'appelait « Rue de l'Araignée » et qui, avant de déboucher sur le quai, traversait à angles droits une rue plus large qu'Abel nomma vite : la rue de la Fête. Celle-ci s'ouvrait entre des maisons jaunes et grises, aux fenêtres garnies de linges et de grappes d'enfants. Sombre, fraîche, silencieuse et déserte le jour, elle s'illuminait, s'échauffait, bruissait et se peuplait dès l'arrivée de la nuit. A toutes les portes se tenaient des femmes, le cheveu huilé, le visage fardé, l'œil assombri, la lèvre peinte, la chair blafarde, à demi vêtues de robes de couleurs vives, qui chantaient d'une voix éraillée, riaient, fumaient, vidaient des verres d'anis, gloussaient, entouraient d'un bras la taille d'un homme qu'elles tentaient d'entraîner.

Dans des boutiques faiblement éclairées, sur des rideaux tendus contre la glace, encadré par l'ombre projetée et fixe d'un lit, d'une chaise, d'un broc à eau et d'une cuvette, le jeu d'autres ombres révélait d'autres femmes, nues ou seulement couvertes d'une courte chemise, se lavant, se maquillant, se coiffant, pissant dans un seau. Et, encore, par moments, on apercevait, par des trous dans les rideaux ou par des interstices, un morceau de chair : une fesse, une épaule, une jambe.

Dans les bars moins chichement éclairés, les larges pavillons des phonos beuglaient des chants et de la musique. Le patron emplissait les verres alignés sur le zinc auquel des hommes et des femmes s'accoudaient, et avec eux, souvent, des hommes fardés, parfumés, qui portaient des bijoux, comme les femmes, et que l'on appelait de noms de femmes. Il arriva à Abel de voir, un soir, un poing s'abattre sur le visage peint de l'un de ces hommes et une large tache rouge se former tout de suite là où le coup avait porté. Le battu criait et, se reculant, s'efforçait de se protéger de ses mains aux doigts bagués et aux ongles vernis.

C'était « la rue de la Fête », avec ses « graphophones », ses chansons, ses danses, ses rires, ses cris de femmes, ses batailles, ses buveurs, ses joueurs de cartes.

La mère n'en parlait qu'avec mépris.

La femme ne s'était pas doutée de l'émotion d'Abel lorsque la porte de la maison qu'elle habitait à cent mètres de la rue de la Fête s'était ouverte devant lui. « C'est ici que vit ma mère. »

« Allons, avance. N'aie pas peur. (Il faisait nuit.) Tu ne peux pas tomber. » Cependant elle était passée devant l'enfant et l'avait conduit par la main. C'était extraordinaire, tous ces escaliers; il y en avait cinq. « Lève le pied, disait la mère à l'enfant qui trébuchait. Tu t'y habitueras vite. » On montait dans l'obscurité, en spirale. C'était tout le contraire de ce qu'avait dit Mathieu : « On descendait, semblait-il, dans la profondeur de la terre. » Ici on s'élevait.

En traversant le palier du quatrième étage, la mère avait dit : « Toi, tu couches là. Ta chambre et la cuisine sont derrière cette porte. Nous redescendrons. »

Une vingtaine de marches plus haut, elle l'avait arrêté. « Nous y sommes. » Pendant que la mère introduisait la clef dans la serrure — et elle avait un peu tâtonné — tandis qu'elle écartait devant elle la porte et cherchait de la main le bouton électrique, le cœur d'Abel avait battu follement. Depuis que la mère était devenue une sorte de phare dans la nuit de sa vie, il désirait voir sa maison.

La lumière donnée, elle avait été devant lui tout à coup, dans sa réalité, dans son ensemble. C'était une grande chambre, longue de cinq mètres, large de quatre. Elle était au sommet de la maison dont elle formait la plus grande partie du cinquième étage, et, au-dessus d'elle, il n'y avait rien que des combles bas.

Abel était demeuré un long moment sur le seuil, la

porte ouverte. En face de lui, dans la muraille qui faisait
façade, s'ouvrait l'unique fenêtre mais elle était large,
aussi, et haute, dans les proportions de la pièce. Par elle,
à quelques mètres par-dessus la rue, Abel vit les deux fenêtres éclairées d'une maison.

« Ne reste pas là, dit la mère qui déjà ouvrait les vitres
et tirait les contrevents. Défais-toi. Tu dois être éreinté.
Moi, je n'en puis plus. »

A droite de la fenêtre qu'encadraient des rideaux de
forte toile vert-sombre, avec de grosses fleurs dorées, qu'un
cordon faisait glisser sur une barre de cuivre, se trouvait
une commode de bois brun recouverte d'un marbre rouge,
avec sa glace de petite taille dans un cadre de bois sculpté,
qui était un peu penchée en arrière; à gauche, un meuble
bas et étroit de bois verni et jaspé dans lequel s'ouvraient
par des boutons de cuivre six tiroirs. Un peu en avant de
ce meuble et entre lui et une haute, large et profonde
armoire à glace unique, d'un bois plus sombre que celui de
la commode, qui était placée contre le mur de gauche,
étaient un divan en forme de chaise-longue arrondie,
recouvert d'une étoffe rouge rayée de noir et, devant ce
divan, un tabouret garni de paille dorée.

La cheminée partageait la paroi de droite, à quatre pas
d'Abel qui, enfin, s'était avancé et avait refermé la porte
derrière lui. Sur son marbre blanc veiné de bleu étaient
posés des cendriers emplis de bouts de cigarette, des bouteilles d'alcool et de sirop dont le bouchon avait sauté,
des boîtes et des paquets de cigarettes, des boîtes d'allu-
mettes, un plateau à verres, un pot à eau en cristal, deux
vases de grès bleu dans l'un desquels quelques œillets se
desséchaient, et dans le cadre de bois doré du miroir ovale
qui reflétait bouteilles, pot et vases, étaient glissées par
un coin des cartes postales en couleurs avec des inscrip-
tions en or, des fleurs, des visages d'hommes jeunes, une
mèche de cheveux relevés sur le front et des moustaches
frisées au fer, et des femmes corsetées dont d'une main
on aurait pu encercler la taille.

Entre la fenêtre et la cheminée et en avant de la commode se trouvait une imposante toilette rose tendre, devant
laquelle, se mirant dans une glace ronde qui basculait, la
mère s'était assise sur une chaise du même bois et de la
même couleur. La femme se desserrait, faisait crouler ses
cheveux sur les épaules, et ses mains, avec une brosse au

dos nacré, des peignes, des fins mouchoirs qu'elles saisissaient et posaient, un miroir à monture de cuivre qu'elles
plaçaient tantôt à droite, tantôt à gauche, tantôt de trois
quarts, faisant pivoter la tête sur le cou dégagé, avec des
tiroirs qu'elles ouvraient et fermaient, des boîtes de crème
et de poudre dont elles ôtaient le couvercle, des houppettes
duveteuses qu'elles secouaient, mimaient une danse qui
hallucinait Abel.

Parfois, le bras gauche de la femme se tendait en
arrière et la main cherchait à tâtons un mouchoir ou une
épingle à cheveux posés sur le marbre blanc et festonné
d'un grand guéridon de bois noir monté sur une colonne
torse.

Mais le plus beau meuble de la chambre — de la maison
de la mère — était le lit dont la tête disparaissait dans le
large enfoncement ménagé dans les cloisons qui faisaient
face à la fenêtre. On aurait pu s'y coucher en travers, tant
il était large. Deux épaisses et rondes barres de cuivre
jaune se cintraient et encadraient d'autres barres de cuivre
carrées qui formaient balustrade. Une souple fourrure
noire à poils ras, lustrée, était jetée d'un côté à l'autre
sur des draps dont la blancheur reflétait la lumière des
trois lampes du lustre fait de larmes de verres, suspendu
au centre de la pièce.

Sur les petites tomettes rouges et hexagonales, s'éta-
laient un très grand tapis à fond crème et à dessins géo-
métriques bruns, et, de chaque côté du lit, deux vastes
peaux de renne. Il y avait encore deux tables de chevet,
des chaises de paille, des coussins, ronds, carrés, ovales,
rouge-sombre, noirs, mordorés, ornés de dentelle et de
broderies, en soie, en toile, en velours, tous froissés, écrasés,
jetés dans les angles de la cheminée et de la fenêtre, sur
la chaise-longue, sur le tapis, sur les peaux, sur les chaises.

Aucune image, aucune photographie, aucun tableau ne
rendaient moins nus les murs que recouvrait aux deux
tiers une tapisserie bigarrée bleu-lavande. Mais dans
l'angle des cloisons, à la droite du lit, une Vierge de la
Garde dorée, avec sa couronne royale, ses longs cheveux
sur les épaules, son manteau et son enfant qu'elle regarde,
un vase bleu à col étroit garni de deux rosettes de perles
et un minuscule chandelier d'argent à trois branches
étaient posés sur une tablette de bois au-dessous de laquelle
était fixée une lampe électrique. Lorsque, du lit, la femme

éclairait la lampe, la Vierge disparaissait dans l'ombre.

Abel s'était avancé lentement, saoulé presque par l'odeur de la mère, qui, la porte ouverte, s'était dégagée de la chambre, comme un parfum d'un flacon débouché, les mains effleurant, tâtant, prenant connaissance du grain des bois et des étoffes, de l'épaisseur des couvertures, des peaux, du tapis, de la douceur des soies, le regard glissant d'un meuble à l'autre, d'un miroir aux étagères chargées de linges de l'armoire entr'ouverte, aux tiroirs de la commode emplis de dentelles et de toiles brodées dans lesquels la femme fouillait.

Les jours à venir, Abel verrait les soies, les broderies, les fourrures, les vêtements, les linges fins, un à un. Il les froisserait dans les mains, les sentirait. Il déboucherait les flacons, mettrait une larme de chacun des parfums sur la langue, goûterait aux crèmes, saisirait la Vierge dorée pour apprendre si elle était de métal ou de terre, creuse ou pleine.

De la chambre d'Abel, juste au-dessous de celle de la mère, blanchie à la chaux, sans tapis, nue, meublée d'un lit de fer, d'une chaise et d'une table, on passait dans une cuisine sans jour dans laquelle du linge séchait sur deux cordes tendues au-dessus d'un tas de bois, d'un tas de charbon, de chaussures usagées, d'une malle, de deux valises et de vieilleries de toute sorte. Allumant le fourneau à gaz et montrant l'évier et un tub, la mère dit : « Tu feras ta toilette ici. »

La porte de la chambre d'Abel ouvrait juste en face de la volée d'escalier qui conduisait chez la mère.

Gilles était le maître du pays sauvage. Il se faisait obéir des bêtes. Il sifflait d'une certaine manière, et, au loin, Brebis levait l'oreille, écoutait, agitait sa large queue et partait vers Gilles. A leur nom crié, les chèvres se tournaient du côté de l'appel. Dès qu'elles entendaient le « cott... cott... cott... » les poules accouraient à toute allure, bondissant et volant même au ras du sol sur plusieurs mètres. L'enfant répondait, lui aussi, au sifflet et à son nom : « A...bel ».

Gilles connaissait chaque pouce carré du pays sauvage. Il disait à Abel : « Tu suivras la sente jusqu'au vieux genévrier, parce qu'il a plu, et jusqu'au vieux genévrier la sente est tracée dans le rocher. Après, tu tourneras à

droite, parce que si tu continuais droit devant toi, tu
t'embourberais. » En regardant seulement les souliers
d'Abel, en reniflant l'odeur de ses vêtements, à la couleur
et à l'odeur, encore, des mains de l'enfant, à des brindilles
et à des épines fichées dans la bure, il savait où Abel avait
couru dans l'après-midi. « Tu as traversé les champs
d'amandiers sur le plateau, puis tu t'es laissé glisser dans
un ravin ; il y a de l'argile entre la semelle et le talon de
tes souliers et de la terre jaune sur les tiges. Et ce ravin
dans lequel tu es descendu est le deuxième du côté de
l'ouest, car il est le seul à posséder une source qui coule
dans les fougères. Tes genoux sont verts. Tu t'es agenouillé
et as bu à la source. »

Juste au-dessus de l'endroit où le ruisseau disparaissait,
pour ressurgir plus bas, un rocher, nu, arrondi, poli, sortait
du sol. On aurait dit la moitié d'un énorme œuf de pierre,
ou le sommet du crâne chauve d'un géant qui aurait été
enterré debout, et, tout autour, la terre se serait un peu
affaissée. Presque tous les soirs, Gilles s'asseyait sur ce
rocher et levait les yeux vers le ciel. Il tournait la tête et,
aussi, il pivotait sur lui-même. Il était à tel point le
maître du pays, se disait Abel, qu'il ne se trompait jamais
sur le temps du lendemain, même s'il n'y avait qu'un
seul nuage dans le ciel, même s'il n'y avait pas de nuage.
Le vent qui soufflait, ne fût-ce qu'une brise très légère,
se trahissait toujours ; il apportait des odeurs ; à trois
kilomètres il pesait à sa manière sur un bois de pins, et
Gilles, à cette distance, distinguait à la couleur différente
le « poids » de la brise. Une absence totale de vent (un
calme absolu et qui surprend) était aussi un indice. Il y
avait encore les couleurs du ciel.

Gilles étonnait l'enfant. S'il avait reconnu en un point
le passage d'un lapin : l'empreinte d'une patte dans la
terre sèche, trois crottes, une bourre accrochée à une épine,
il affirmait que l'animal ne pouvait gîter que dans deux
ou trois terriers qu'il désignait. Mais si les traces étaient
vues ailleurs, les terriers n'étaient plus les mêmes.

Il n'était pas besoin de calendrier dans la maison du
pays sauvage, et le jour de Dieu était honoré par les
mêmes courses, les mêmes soins aux bêtes, la même lecture
de la Bible. (Mais si le vent soufflait du nord, il apportait
le son de la cloche du village.) Gilles enfonçait la corne du
pouce dans l'écorce d'un rameau, et la plus ou moins

grande humidité de l'aubier lui apprenait où le temps en
était. Puis il n'avait plus été besoin d'entailler les branchettes; elles changeaient de couleur et les bourgeons dur-
cissaient, comme un bouton sous la peau.

D'autres signes prouvaient la maîtrise de Gilles sur le
pays sauvage, et ce pays sauvage, pour le dominer, il fallait être aussi silencieux que lui, de même que l'on domine
les bêtes par le silence. Sans doute, pour que la mère
dominât Marseille, fallait-il qu'elle parlât haut, se disait
Abel, qu'elle s'agitât sans cesse, qu'elle interpellât les passants, qu'elle chantât, qu'elle criât même, que les talons de
ses hautes bottines claquassent sur les pavés et sur
l'asphalte, et ses robes au vent.

Le lendemain de son arrivée, Abel avait été baigné et,
tandis que sa mère enveloppée dans un peignoir le savon-
nait, le rinçait, le massait, l'oignait de crèmes et de parfums, l'enfant pensait au mystère de l'eau. Il pensait au
ruisseau du pays sauvage qui disparaissait dans un trou
de la terre, et il tournait et retournait l'un, puis l'autre
des robinets de la baignoire, et de l'un coulait de l'eau
chaude et de l'autre de l'eau froide. Il y avait aussi, dans
les rues, cette eau qui jaillissait des fontaines, courait le
long des trottoirs et disparaissait, elle aussi, dans de grands
trous noirs.

« D'où vient cette eau? » avait demandé Abel. Cette eau
que laissent s'échapper, voulait-il dire, ou retiennent les
robinets, et cette eau qui bondit d'un pavé à l'autre. Où
se trouve la déchirure immense dans laquelle l'eau
s'engouffre avant de resurgir ici?

« Ne t'occupe pas de ça », avait répondu la femme qui,
dans l'instant, serrait Abel dans le peignoir dont elle
s'était dépouillée.

Les maîtres répondent ou ne répondent pas. Gilles, parfois, aux questions de l'enfant, demeurait lèvres closes,
pensait Abel qui regardait le corps de la femme, et cette
femme était sa mère. Lui-même il était comme un agneau
ou un chevreau, et l'agneau, ou le chevreau, s'approche
de la bête qui l'a mis bas, se frotte contre son corps et
s'efforce de saisir les mamelles. Abel avait enlacé sa
mère autour des hanches et avait posé la joue contre le
ventre.

La femme s'était dégagée en riant. « Quel petit sauvage
tu faisais hier quand je t'ai vu, debout au côté de

l'homme! Et tu regardais sans avoir peur cette horrible bête éventrée. Moi, j'avais envie de vomir. »

Sortant du bain, Abel avait été conduit chez le coiffeur. On l'avait assis face à un miroir, dans un fauteuil qui pivotait. La mère, se disait-il, connaissait toutes les rues de Marseille; elle allait sans hésitation dans la foule, tournait à droite, tournait à gauche, traversait les passages hardiment. Elle aurait été perdue au pays sauvage, mais à Marseille où un cri ne peut guider, où le pied ne laisse pas sa trace, où l'on ne peut placer une pierre sur deux autres, où l'herbe ne pousse pas, où il n'y a que trois sortes d'arbres — et ces arbres rognés sont alignés, — elle était chez elle.

— Comment taillons-nous les cheveux de ce petit bonhomme? avait demandé le coiffeur.

Abel regardait son image dans la glace, mais ce n'était pas son image qui l'intéressait. Il n'avait pas souci d'être joli ou laid, n'ayant aucune idée de la beauté ou de la laideur. Joli et laid étaient des mots que Gilles n'avait jamais prononcés. Peu importait à Abel d'être propre ou sale. Car qu'est-ce que la propreté et la saleté?

— Dégage bien le cou et les oreilles, avait répondu la mère. Fais la raie à droite mais ne relève pas les cheveux à gauche. Laisse-les retomber un peu sur la tempe.

— Quel âge a-t-il?

— Pourquoi veux-tu le savoir?

Abel abaissait à demi les paupières parce qu'une pointe des ciseaux s'appuyait sur le front. Ainsi, il avait le même regard que la veille dans le train lorsqu'il avait pris note des repères qui pourraient lui servir un jour... Il se demandait dans le moment s'il parviendrait à ne pas se perdre dans les rues de Marseille et à reconnaître l'une de l'autre toutes les personnes, hommes et femmes, que la mère saluait par leur nom et tutoyait, et qui l'interpellaient.

La veille, l'arrivée de la femme et de l'enfant à la rue de l'Araignée avait été retardée par des rencontres, des arrêts dans des boutiques, des conversations au bord des trottoirs, par des exclamations et le récit fait par la femme et inlassablement répété de l'expédition en charrette au pays sauvage, de l'altercation avec les gardiens d'Abel. du voyage. Le matin, dix femmes pour le moins s'étaient trouvées sur le passage de la mère et l'avaient arrêtée. La marchande de journaux, la laitière, le tenancier et le

garçon du bar où la femme et l'enfant avaient déjeuné
d'un café au lait et de croissants, la fleuriste, la modiste,
la parfumeuse, la propriétaire et la servante de l'établissement de bains avaient encore posé des questions. Maintenant, le garçon coiffeur et la grosse femme blonde de la
caisse voulaient savoir d'où venait l'enfant et pourquoi la
mère était allée le chercher.

Elle est dans ce pays, se disait Abel, dans les rues de
ce pays, parmi les hommes et les femmes de ce pays, ainsi
que Gilles est au pays sauvage, tout autour de la maison
et au loin, parmi les bêtes du pays sauvage. Elle est le
maître de Marseille.

La tête d'Abel avait été savonnée une fois encore,
séchée et parfumée, puis le coiffeur avait tracé une raie
à droite ainsi que le désirait la mère, et la pointe des
ciseaux avaient effleuré une fois encore le front pour bien
égaliser la mèche qui retombait sur la tempe gauche.

— S'*il* te voyait, *il* ne te reconnaîtrait pas, avait dit la
mère.

L'après-midi, entrant dans la chambre, Abel avait trouvé
la mère, vêtue d'une combinaison, assise devant la toilette. « Je ne suis pas encore prête », lui avait-elle dit.
Il avait pris le tabouret de paille dorée, l'avait placé
contre le mur, à côté de la fenêtre, et s'était assis.

La poussière de lumière qui passait par les jours des
contrevents et entre les contrevents aux trois quarts tirés,
éclairait la femme. Elle se massait le haut de la poitrine,
le cou et le visage. Les doigts des mains enduits d'une
crème faisaient lentement les mêmes gestes, les uns sur la
partie droite du corps, les autres sur la partie gauche.
Mais les mouvements furent différents pour le cou, pour
le menton, pour les joues, pour la lèvre supérieure, pour
les ailes du nez, pour le dessous des yeux, pour le front.

Peu à peu, le visage prenait une autre forme, une autre
teinte, une autre expression. Mais aucun de ces mots
n'avait un sens pour Abel qui, les lèvres entr'ouvertes, ne
faisait aucun mouvement.

Puis, la femme humecta d'une huile parfumée et brossa
les cheveux qu'elle portait longs. Elle releva les épaisses
vagues noires, les noua en torsades et les fixa. A tout
instant, elle tournait la tête à droite, à gauche, l'abaissait,
la relevait. Ou bien, le gras bras nu étendu, elle saisissait

derrière elle sur le marbre du guéridon le miroir à manche de cuivre.

Ensuite, elle usa largement d'une poudre ocrée dont elle se recouvrit les mains, les bras, le haut des seins, le cou tout autour, les épaules et le visage, mais elle eut soin d'en ôter le surplus à l'aide d'un linge de soie. Une pommade épaisse dessina les lèvres. Une autre fut passée sur les paupières. Un crayon allongea les yeux. Et, à tout instant, le linge de soie — parfois il était roulé et seulement une pointe servait — diminuait une épaisseur et rectifiait une ligne.

Enfin, une poudre rosée fut appliquée sur les pommettes et les lobes des oreilles et quelques gouttes de parfum versées sur les aisselles et la poitrine.

— Il est temps de partir, dit la mère, se levant.

Elle se chaussa — et ce fut Abel qui lui tendit les hautes bottines à lacets — passa la robe, la boutonna, fixa la broche en forme d'épée, ajusta la ceinture. Elle se coiffait du chapeau de paille au ruban vert lorsque plusieurs coups furent frappés à la porte que la femme entr'ouvrit tout de suite.

— C'est vous? dit-elle. Vous saviez bien que je n'étais pas libre.

Un homme de petite taille, vêtu avec une certaine recherche, les cheveux blonds et rares, le teint clair, les traits fins, les yeux bleus un peu saillants et fanés, les bras courts, se tenait sur le palier, le chapeau à la main.

Abel l'avait regardé, avait regardé son visage, ses vêtements, ses mains, ses bottines, avec plus de curiosité qu'il n'avait détaillé l'aspect de tous ceux qui avaient approché la mère, car celui-ci était venu jusqu'à la maison et aurait été reçu si la femme et l'enfant n'avaient été prêts à partir.

— Ne puis-je entrer? Quelques minutes seulement. Il avait ajouté : « Et voici Abel. »

— Oui, voici Abel. Mais nous avons à sortir. Il est tard déjà, avait répondu la mère, saisissant et enlevant l'œillet rouge que l'homme portait à la boutonnière.

— Deux minutes.

— Abel, descends l'escalier et attends-moi à la porte.

Abel, qui courant sur le plateau du pays sauvage était la légèreté même, semblait être soudain devenu lourd. Il avait atteint le rez-de-chaussée, traînant les pieds sur

chaque marche. Son front s'était un peu froissé. Un pli
s'était formé entre les yeux.

La porte de la maison ouverte derrière lui, il s'assit sur
une marche, les pieds sur le trottoir. Une ombre était passée sur sa joie. Il voyait la main de la mère saisir la fleur
à la boutonnière de l'homme, et il avait été écarté.

Un chien famélique arrachait à l'eau qui l'emportait un
papier graisseux. Abel l'appela et la bête vint et plaça la
tête entre les mains de l'enfant.

— Oh! toi, dit la mère qui précédait le petit homme,
jamais tu ne sauras te tenir. Je l'ai baigné ce matin et le
voilà qui tripote les oreilles d'un chien galeux.

Le monsieur à la fleur avait salué et s'en était allé par
le haut de la rue.

— Où allons-nous? avait demandé Abel.
— T'habiller d'abord. Puis à la mer.

Si Abel, après une enfance vécue dans les villages perdus
des Alpes et huit mois d'une existence solitaire au pays
sauvage, n'avait pas tous les soirs lu deux ou trois cha-
pitres de la Bible et entendu trois nuits de suite Mathieu
parler de la mer, peut-être serait-il devenu fou, ce jour-là.
On n'emplit pas sans danger l'estomac d'un homme sur le
point de mourir de faim et on mesure l'air à celui qui
remonte des profondeurs.

La mère aurait bien ri si on lui eût demandé d'avoir de
telles précautions pour l'enfant arraché à la solitude. Elle
avait assez d'esprit pour répondre : « Mais non. Touchez,
il n'a pas la tête chaude. » Elle ne savait pas que dans
cette petite tête, ronde, dure, dont l'extérieur maintenant
était propre, dont les cheveux étaient taillés et rangés avec
soin, se faisait un équilibre.

Par les yeux et les oreilles, les images et les bruits péné-
traient comme un torrent et, par moments, Abel ressentait le besoin de fermer les vannes, en abaissant les paupières et en s'efforçant de ne plus entendre. Mais la petite
tête n'était pas vide. Lisant la Bible, elle avait déjà bâti
des villes, rassemblé des foules, groupé des chevaux par
centaines, équipé des chars de feu, rangé des hommes en
bataille. Ecoutant Mathieu, elle avait construit et lancé
des navires sur un océan qu'elle avait imaginé.

Abel regardait, écoutait, s'isolait et, très vite, il était
parvenu à arrêter, saisir et amener à lui — à pêcher

pour ainsi dire dans le torrent des images et des bruits — les seuls détails qui l'intéressaient, qui lui paraissaient avoir un lien avec ce qu'il connaissait, et il établissait des rapports et des comparaisons.

Ce jour-là, d'ailleurs, il avait été incapable de saisir l'ensemble de ce qui s'offrait à lui et qui, sans qu'il en eût conscience, lui paraissait désordonné, déréglé, sans but. Le secret de cette vie agitée lui échappait... et continua à lui échapper. Ce jour-là, encore, sa vision était troublée par la réponse : « T'habiller. Puis à la mer » que la femme avait faite à sa question : « Où allons-nous ? »

Abel allait à la mer. Il allait voir la mer de Mathieu, et dans le fond des images qui se présentaient à lui par milliers, il cherchait déjà la mer.

Par la grand'rue qui courait du haut de la butte au bas, en diagonale, comme un coup de sabre en travers d'une poitrine, de l'épaule gauche au flanc droit, la maison de la mère avait été atteinte, la veille. Tout autour de cette même grand'rue, se trouvaient l'établissement de bains et le coiffeur où l'enfant avait été conduit. C'est en suivant encore — tantôt l'un, tantôt l'autre — ses trottoirs étroits et encombrés d'étalages, d'éventaires, de paniers de fruits et de légumes, de caisses de poissons, de tonneaux qui servaient de tables à des buveurs, en glissant dans ses ordures et sur son pavé gras, que la mère et l'enfant avaient gagné cet après-midi le centre de la ville. Abel qui cherchait la mer devant lui, qui regardait les fumées dans le ciel, au loin, ne s'était pas douté que les carreaux de faïence bleue aperçus en bas de la rue de l'Araignée et au bas des ruelles traversées étaient des petits morceaux du port.

Dans un « grand magasin », un commis s'était plié en deux devant la mère, la pesant, l'évaluant, se disant que le visage était un peu trop fardé, les lèvres un peu trop rougies et épaissies, l'œil un peu trop allongé et assombri, le cheveu un peu trop gras et un peu trop parfumé, la toilette un peu trop voyante et la chair un peu trop lourde, mais que la femme cependant était fort désirable, et il le lui avait fait comprendre. Celle-ci en avait profité pour faire sortir au calicot tous les vêtements d'enfants qu'il avait en vente.

Sur le trottoir, la femme avait fait tourner Abel sur lui-même. Il était coiffé d'un béret plat, vêtu d'un com-

plet marin bleu sombre et chaussé de souliers noirs et
vernis. Poussant vers la tempe la mèche de cheveux, la
femme avait dit : « Je peux te montrer. Tu es mon fils.
Je ne rougis pas de toi. »

Elle avait arrêté un fiacre découvert qui passait.
« Monte », avait-elle dit à l'enfant. Puis au cocher : « A
la mer, par le Prado. »

Les maisons et leurs boutiques, les trottoirs larges et
étroits et tout ce qu'il y avait dessus : hommes, femmes,
enfants, kiosques à friandises et à gâteaux, marchands
d'oublies, marchands de glace, les cyclistes, les voitures, les
charrettes, les omnibus, s'étaient mis à tourner autour
d'Abel comme s'il avait été au centre d'un immense
manège. Ce qui était sur le côté droit passait par derrière, puis sur le côté gauche, puis par devant. Abel ne
pouvait pas s'expliquer : c'était toujours pareil et toujours
différent.

Il était au centre d'un tourbillon de formes, de couleurs
et de bruits. Des femmes et des enfants habillés de bleu,
de rose, de blanc, de jaune, de rouge, qui parlaient, riaient,
chantaient, des chevaux blancs, noirs, pie, qui hennissaient,
étaient entrevus ici, puis emportés comme par un vent, puis
revus là, avec d'autres femmes, d'autres enfants, d'autres
chevaux. Tout se déplaçait sur un fond de boutiques, de
maisons et d'arbres qui ne changeait pas et qui n'était
jamais le même, qui s'approfondissait, se rétrécissait,
s'élargissait, s'exhaussait, se rapetissait, comme s'il avait
été en matière plastique.

La voiture roulant sur le Prado, le mouvement se ralentit
et prit une sorte de stabilité. A droite et à gauche, les
grands arbres, sur plusieurs rangées, se présentaient l'un
après l'autre et basculaient. On aurait pu croire que derrière le fiacre il y avait un gouffre dans lequel les arbres
tombaient comme des soldats de plomb touchés l'un après
l'autre par une balle, et, avec eux, tout ce qui s'agitait
sous leur jeune feuillage : les garçons qui se poursuivaient,
les nourrices qui poussaient une voiturette, les filles qui
sautaient à la corde, et, encore, tout ce qui était aperçu
plus loin, au delà de l'ombre : les riches maisons, les cor-
beilles fleuries, les châteaux, l'eau qui jaillissait en poussière d'or, les collines grises, les parcs.

Abel s'était tourné, un peu penché et avait regardé derrière lui, derrière la voiture, pour se rassurer. Rien n'avait

disparu. Les arbres, les châteaux, les parcs avaient seulement pris l'immobilité, la taille et la forme d'une image.
Tout cela appartenait à la mère, se disait-il, comme le pays
sauvage à Gilles.

La solitude du pays sauvage avait marqué Abel, mais,
avant le pays sauvage, une autre solitude lui avait imposé
sa discipline. Toujours, Abel avait été seul. Isolé parmi les
hommes, aurait-on pu l'appeler. Il avait été enlevé à la
mère et dix fois il avait changé de maison et de femme
nourricière, dix fois il avait été transplanté et dix fois les
racines qu'il avait commencé à pousser avaient été arrachées. Il s'était organisé. Instinctivement, il se défendait,
par l'immobilité, par le silence, par la non-manifestation
de ses sentiments.

La mère, tout à coup, avait posé le pied sur la terrasse
de la maison de Gilles, et Abel ne s'était pas élancé vers
elle. « Je t'emmène. N'es-tu pas heureux? » Abel n'avait
pas répondu. Il n'avait dans le train prononcé que quelques mots qui n'avaient pas trahi son bonheur, ni son
souci. Depuis son arrivée à Marseille, un seul mouvement
de son corps avait été accordé à ses sentiments intimes,
celui, au bain, qui lui avait fait entourer de ses bras la
taille de sa mère.

Dans la voiture, sur le Prado, il se tenait raide, immobile, et la femme, qui n'avait pas surpris ce regard jeté en
arrière, s'étonnait de cette « sagesse ». A la vérité, Abel
en était arrivé à un état d'exaltation qu'il n'avait jamais
éprouvé. L'arrivée soudaine de sa mère, la séparation
d'avec Gilles, Brebis et le pays sauvage, le souci de connaître la route suivie (pour la retrouver au besoin), la
certitude d'aller vers la mer, la chambre de la mère, cet
enveloppement constant par le corps, par la voix et par
l'odeur de la femme, ce tourbillon dont il était le centre
et auquel tout d'abord il avait résisté, de bruits, de formes,
de couleurs dans la lumière printanière, l'avaient peu à peu
transporté. Il en était arrivé au point où l'œil et l'oreille
deviennent des sortes de magiciens et transposent, trans-
forment, rendent beau ce qui est laid.

Abel, à qui jamais aucune femme n'avait raconté une
histoire de fée, en inventait une. Il ne sentait pas sous les
fesses les ressorts mous des sièges. Il ne voyait pas le cuir
déchiré, le tapis poussiéreux et élimé, le chapeau melon
crasseux du cocher, son cou plissé, rouge et boutonneux, sa

veste verdâtre qui avait craqué sous le bras droit, les
jets de salive jaune, les deux lanternes dépourvues de vitres
et branlantes, à droite et à gauche. Il n'entendait pas les
jurons, ni les apostrophes à la rosse qui lâchait sa crotte,
ni les insultes aux passants peu pressés.

Bercé par le claquement irrégulier des fers sur le pavé
de bois, dans un carrosse, il allait à la mer.

Lorsque à la plage, le fiacre ayant appuyé sur la droite,
elle se présenta à lui, il fut ébloui et saisi. « Qu'est-ce que
la mer? » s'était-il demandé. « C'est un feu. »

Il avait vu seulement la masse d'eau dans son ensemble,
et non le rivage, ni le ciel, ni les îles dans le lointain. Ainsi,
le soir, au pays sauvage, avant la lecture de la Bible, il
regardait les flammes sans distinguer les briques de la cheminée, les plaques de fer noircies, la marmite suspendue
à un crochet, ni les bûches.

— La mer, c'est un feu, s'était-il répété.

Les flammes brûlent les yeux et le visage de ceux qui
s'en approchent de trop près, et les mains trop hardies. Il
faut s'en écarter. Encore, la puissance des flammes est-elle
limitée. Mais la puissance de la mer!

Abel s'était reculé sur le siège jusqu'à sentir la tiédeur
de la mère qui avait ouvert une ombrelle et se tenait bien
droite, la figure et le torse dans une pénombre vert d'eau.

La mer paraissait être une immense colline couchée —
comme Brebis étalée sur le carrelage — d'un bleu lumineux traversé de veines d'un bleu plus sombre et d'autres
veines d'un bleu plus clair. Par endroits, de grands remous
la bouleversaient, comme si dans sa profondeur un nouveau feu se fût allumé, et de nouvelles flammes montaient
vers la surface en s'élargissant. Dans le lointain, des
flammes dorées couraient tout le long d'une ligne; on aurait
dit qu'un incendie ravageait le faîte de la colline.

La mer avait un mouvement du large vers la terre, un
mouvement en oblique, d'une énorme roche qui paraissait
en verre et qui se trouvait en arrière et rompait la ligne
incendiée, vers une pointe de la terre, toute déchiquetée,
en avant, à droite.

Elle avait encore un mouvement de bas en haut; l'eau
profonde s'élançait vers la surface, bousculait l'eau supérieure, surgissait et s'étalait en largeur. Abel se mit à
craindre que l'eau montât encore, recouvrît le sable, cou-

rût sur les rochers, passât par-dessus un mur bas et
envahît la ville.

C'était cela, sans doute, que Mathieu appelait une tempête.

Après une côte, le vieux cheval soufflait et le fiacre
dominait une minuscule plage. Abel regarda au-dessous de
lui. Assise sur le sable, une femme tricotait et *dans l'eau*
était accroupi un enfant tout nu. Abel avait d'abord vu
la mer déserte, et il lui avait semblé que rien ne pouvait
se trouver en elle sans être tout de suite attaqué et détruit,
comme une branche présentée aux flammes. Là, il voyait
un enfant dans la mer. Jusqu'aux genoux, l'eau l'entourait
mais, encore, l'enfant tenait les bras dans l'eau qui montait
jusqu'au ventre, plus haut que le ventre jusqu'à toucher la
poitrine. Elle redescendit. Puis, elle s'enfla d'un coup,
brusquement, et, écumante, elle passa par-dessus l'enfant
qui disparut. Deux secondes après, l'enfant, bien droit, les
jambes et les bras écartés, tout le corps lustré, des perles
d'eau entre les lèvres, riait aux éclats, le visage tourné
vers la femme, sa gardienne.

Abel retira la main posée sur la cuisse de la mère et
s'écarta. Quel était donc le pouvoir de la mer puisqu'un
enfant tout nu qui avait été recouvert par elle, riait? Elle
n'était donc pas un feu. Pourtant, oui, elle était un feu.
Que brûlait-elle donc?

Comme un feu, la mer attirait. Brebis redoutait le feu,
et il l'attirait; tandis que Gilles travaillait et qu'Abel lisait
la Bible à haute voix, la chienne regardait les flammes
jusqu'à ce que le sommeil lui abaissât les paupières.

Abel ne pouvait pas détourner les yeux de la mer. Il
pensait à Mathieu. Lorsque celui-ci, dans la maison de
Gilles, parlait de sa navigation passée, le regard posé sur
les flammes, il ne les voyait pas mais à leur place cette
lumineuse masse d'eau bleue qui se trouvait devant Abel.

La mer était un feu qui brûlait autre chose que le corps
de l'homme, quelque chose qui était en lui. Cette brûlure
intérieure, l'homme en portait toujours la trace. Mathieu,
le regard posé sur les flammes, voyait la mer. Mais,
encore, quand il allait à travers le pays sauvage, encore
quand il était assis seul à sa table, encore quand il regardait dans le fond des yeux de Sultane, encore quand,
allongé sur le lit, il cherchait le sommeil. La mer s'introduisait dans le corps de l'homme et le brûlait. Elle était

en lui, et l'homme parlait : « Tu te souviens, Gilles?... »

Le cheval avait repris le trot, et la mère interrogeait
l'enfant : « As-tu faim? Es-tu content? » Abel secoua la
tête, négativement. « Je n'ai jamais vu un gosse comme
toi. Tu ne dis rien. » Il serra davantage les lèvres. Il
n'aurait pas posé de questions même à Mathieu. Parle-t-on
lorsqu'un navire, le premier que l'on voit, apparaît? Il
était roux et noir, allongé sur l'eau et rampait comme un
lézard. Abel se mit debout et, pour la première fois, la
femme le vit manifester une émotion. Pour peu, il aurait
battu des mains et crié un nom. Assez près de la côte, le
navire qui quittait Marseille avançait rapidement et ses
deux tuyaux déversaient une abondante fumée.

Abel « voyait » dans ses fonds des hommes semblables
à Mathieu et à Gilles, qui jetaient des pelletées de charbon
dans la « gueule du feu ». Ils avaient traversé le navire
de haut en bas, « descendu tant d'échelles, suivi tant de
coursives, qu'il leur avait semblé s'enfoncer dans la terre,
comme les mineurs ». « Ils avaient l'eau autour d'eux et
au-dessus d'eux. »

— Assieds-toi, lui dit la mère. C'est un bateau. Tu en
verras bien d'autres.

Tout de suite, il en avait vu des dizaines, enfermés dans
les grands ports, derrière les jetées, au-dessous des collines grises, noirs et roux, eux aussi, et si serrés les uns
contre les autres qu'Abel en distinguait mal les formes.
En eux vivaient des centaines d'hommes de la race de
Mathieu et de Gilles, car, au-dessus de leurs ponts, s'étalait
une lourde fumée de charbon qui s'allégeait, s'éclaircissait et s'étirait au fur et à mesure qu'elle s'élevait. Ce port
qu'Abel avait cherché « vers l'est », dans le ciel du pays
sauvage, était là, devant lui. La route qu'il avait suivie et
dont il s'était efforcé de voir et de retenir dans sa mémoire
les détails, était la route de la mer, des grands ports, une
route que certainement Mathieu et Gilles avaient parcou-
rue au moins deux fois, pour partir et pour revenir. Abel
éprouva un sentiment de sécurité qu'il aurait été bien
incapable de définir et qui se traduisait en lui par une
espèce de satisfaction physique. Il ne s'était pas éloigné de
quelque chose mais il se déplaçait dans un monde connu,
et le miracle était que sa mère l'accompagnât.

Sauf aux mâts, aux cheminées et aux coques, il ne pouvait donner nom à rien. Il aurait fallu que Mathieu assis

à son côté lui soufflât les mots à l'oreille. Il aurait écouté
Mathieu ou Gilles mais personne autre. Avait-il, au reste,
pour le moment, besoin de savoir? S'il avait été transporté
dans les grands ports, il s'y serait reconnu tout de suite.
Rien ne l'aurait surpris. Il serait allé d'un navire à
l'autre, aurait pénétré à l'intérieur des navires, suivi les
coursives, se serait rendu dans les postes d'équipage, dans
les chaufferies, dans les soutes.

Mathieu n'était pas assis à son côté, pourtant Abel
entendait sa voix, non pas une voix qui articulait des
syllabes, formait des mots et construisait des phrases, mais
une voix aussi imprécise que les navires dans le lointain,
qui était une musique vaguement perçue et qui, peu à peu,
plongea l'enfant dans une sorte d'engourdissement.

Le fiacre descendait une rampe, vers le Vieux-Port.
D'autres navires se montraient, tout près, que l'enfant
ne quittait pas des yeux, sans en voir les détails. La mère
eut le sentiment de quelque chose d'anormal. Pourquoi,
en Abel, l'exaltation dont il avait été saisi et qu'il avait
montrée à la vue du premier navire avait-elle disparu?
La femme, qui ne connaissait rien à la mer, aux navires,
rien aux gens de mer, se mit à en parler. Qu'importait?
Plus pénétrante que sa voix était celle irréelle de Mathieu

Le jour venu, Gilles avait saisi dans une remise un pic
et une pelle. Au nord, derrière la maison, il avait dégagé
une ancienne cave à demi souterraine. Il avait enlevé la
neige durcie que le vent avait entassée là, ôté des pierres
grosses comme une tête d'homme, creusé la terre, donnant
au trou la forme d'un corps, et dans ce trou il avait transporté Mathieu. Au-dessus du corps, posées en travers sur
les murs de fondation, de manière que le cadavre n'en
supportât pas le poids, il avait placé des planches. Sur
les planches, il avait jeté les grosses pierres, puis la terre,
puis la neige en plaques glacées. Enfin avec cinq pierres, il
avait dessinée une croix grecque. Et la neige était tombée
de nouveau.

Mathieu était mort. Sur son corps pesait la terre et,
au-dessus de la terre, étaient étagées des planches, des
pierres, de la terre encore, de la neige. Mathieu était mort
mais sa voix, comme la lumière de ces astres éteints depuis
des dizaines de milliers d'années, atteignait cependant
Abel.

Les fers du cheval tiraient des étincelles des pierres, les

roues cerclées de fer sautaient d'un pavé à l'autre, les essieux gémissaient, la mèche du fouet déchirait l'air sec. La mère parlait sans arrêt, croyant devoir expliquer les images qui se présentaient à l'enfant.

Abel se taisait.

Trois soirées de suite, Abel n'avait pas quitté des yeux Mathieu assis en face du feu, une jambe passée sur l'autre, les mains nouées sur le genou, le buste penché un peu en avant. Pendant trois soirées, les mots avaient jailli de la bouche du navigateur, et, mot après mot, comme trait après trait et touche de couleur après touche de couleur, des images un peu mystérieuses et sombres s'étaient formées dans la tête de l'enfant. « Il faisait chaud et les tôles rougissaient. » « La glace recouvrait le navire jusqu'à un mètre de la flottaison. » Une à une, les images avaient bâti un monde fantastique de la mer, qui était là, maintenant, devant l'enfant.

L'un à côté de l'autre, bordage contre bordage, étrave contre proue, touchant le quai et embossés sur bouées, semblables et différents de matières, de formes, de tailles, de couleurs, les navires s'alignaient. Entre eux, d'une rive à l'autre du port, pénétrant dans l'anse ou en sortant, des embarcations à rames, à moteur, à voiles, naviguaient. Dans le fond, des centaines de barquettes plates recouvraient l'eau. Des hommes travaillaient sur les quais, sur les ponts, des hommes conduisaient les embarcations.

Navires, barquettes de pêche, embarcations et hommes venaient-ils de la mer ou l'enfant les avait-il apportés avec lui du pays sauvage?

Qu'importaient les paroles de la mère? Abel entendait la musique de la voix de Mathieu et voyait les tôles rougies par la chaleur, les coques recouvertes par la glace, les ponts balayés par les paquets de mer et, encore, « l'étrange bête munie de longues pattes, qui marchait dans l'eau, allait au fond de l'eau et « roulait » comme roulent les pierres lâchées sur la pente d'un ravin ».

L'immobilité et le silence d'Abel irritaient la mère. « Es-tu bête? » fit-elle et, tout aussitôt, elle se repentit d'avoir prononcé cette parole et serra l'enfant contre elle. Puis, elle donna l'ordre au cocher de poursuivre la route, de contourner la darse et de les déposer sur le Quai du Port.

Comme ils approchaient de la rue de la Fête, Abel

aperçut accroupis sur des futailles, à dix mètres de la
voiture qui ralentissait, trois enfants de son âge. L'un
d'eux, noir de peau, les cheveux bruns et embroussaillés,
l'œil sombre, le visage tuméfié, le torse nu, le regardait.
Puis, un bras se détendit ainsi qu'un ressort et, tout de
suite, à l'intérieur de la voiture, contre le siège du cocher,
devant la mère et l'enfant, s'écrasa un paquet dont l'enveloppe — une feuille de journal — éclata. Du crottin de
cheval mouillé rejaillit jusque sur la robe de la mère.

— Les cochons! s'exclama-t-elle.

Elle criait des insultes lorsque le « monsieur » chauve
aux bras courts se présenta.

Jusqu'à ce qu'elle vînt le chercher au pays sauvage,
l'enfant n'avait vu la mère que quelques fois — trois ou
quatre chaque année — et il avait passé la fin d'un
automne, tout un hiver et le début d'un printemps sans
entendre sa voix ni sentir son odeur. Si cela avait continué, peut-être l'amour d'Abel pour la mère se serait-il
atrophié.

Mais la mère était venue et l'amour avait éclaté comme
les bourgeons d'un arbre sous la poussée de la sève de
mars. Abel avait physiquement besoin de la mère. La voir,
l'entendre, la sentir, s'approcher d'elle, la toucher, le seul
bruit du pas de la femme dans la chambre au-dessus de
la sienne, lui faisaient éprouver une véritable jouissance.

Le matin, Abel, qui s'éveillait tôt, montait, pieds nus,
jusqu'à la porte de la mère, s'accroupissait sur le palier
et attendait l'appel qui l'autorisait à entrer. La femme
disait : « Lave-toi et habille-toi. Je te peignerai moi-
même. » Elle lui mettait dans la main quelques sous. « Va
donc acheter du café-crème et des croissants. » Il prenait
le pot, dévalait les escaliers, dévalait la partie de la rue
de l'Araignée qui conduisait au quai et, tandis que le bistrot le servait, Abel regardait le port.

La mère avait peur de la mer. « Je la crains », avait-elle
dit à l'enfant qui n'avait pas compris, et elle s'était refusée
à aller aux îles en bateau. Pourtant, souvent, elle louait
une voiture et faisait le tour de la Corniche. Parfois, la
femme et l'enfant étaient seuls, parfois un « monsieur »
— tantôt l'un, tantôt l'autre — les accompagnait. Mais
jamais encore Abel n'avait touché l'eau de mer. Lorsqu'il
voyait des hommes et des femmes se baigner, il interro-

geait : « Pourquoi n'y allons-nous pas ? » « Je t ai déjà
répondu que les bains de mer m'abîment la peau. »

« Tu es servi », disait le bistrot. Abel jetait les sous
sur le comptoir, saisissait le pot et les croissants, courait,
montait jusqu'à la chambre, deux marches par deux
marches. Les verres étaient sur la table avec du sucre
dedans. « Ah! il est chaud », disait la mère.

Amollie par le sommeil, les seins lourds, la chair moite,
le poil luisant, une vapeur odorante se dégageant du corps,
accoudée à la fenêtre, serrant l'enfant contre elle, elle buvait
le café à petites gorgées. « Dis donc, Abel, tu me prendras
rendez-vous chez la coiffeuse. » Elle allumait une cigarette,
s'asseyait sur le large lit défait, secouait la cendre du tabac
dans la coupe pleine de mégots écrasés, défroissait des
billets jetés en poignée sur le marbre de la cheminée, les
comptait, les pliait, les plaçait soigneusement dans un portefeuille de cuir.

Abel, assis sur un coussin dans l'angle de la cheminée ou
sur le tabouret à paille dorée à droite de la fenêtre, la
contemplait. Dans sa nudité que voilait mal une soie
légère à peine fixée aux épaules, il la trouvait aussi belle
que le jour où, fardée, coiffée, chapeautée, corsetée, les
jambes gainées dans des bas noirs, il l'avait « regardée »
pour la première fois. Quelques minutes de vie, de mouvement, suffisaient pour effacer les plis et les rides du
sommeil. Le sang circulant plus vite, la peau se colorait,
les paupières et les tempes se défroissaient comme l'étoffe
sous le fer chaud, la chair se gonflait et s'affermissait, le
poil retrouvait sa souplesse et sa vigueur. « Va chez la
coiffeuse maintenant. Dis-lui que je serai chez elle à onze
heures. »

La femme et l'enfant mangeaient parfois chez eux, à
toute heure, toutes sortes de choses : des fruits, des
gâteaux, de la charcuterie, de la viande froide, parfois
au bord de la mer, parfois dans l'un des restaurants du
port. Avant midi, ils allaient ensemble chez la coiffeuse
et la manucure, chez la lingère et la repasseuse. Vers
cinq heures du soir, ils partaient pour une promenade ou
pour visiter les grands magasins. Presque tous les jours, au
début de l'après-midi, la mère recevait un visiteur —
souvent le petit monsieur au cheveu rare ou l'un de ces
hommes qui parfois les accompagnaient en voiture et les
conduisaient au restaurant — qu'Abel renvoyé dans sa

cnambre guettait par le trou de la serrure. Peu après,
au-dessus, les bouchons sautaient, les verres heurtaient le
marbre de la table, les talons claquaient sur le carrelage,
la mère riait aux éclats.

Abel lisait les journaux que la mère achetait pour elle
et d'autres qu'elle achetait pour lui, d'autres que la coiffeuse et la repasseuse lui donnaient, des pages déchirées
qu'il trouvait ici et là. Quand il en avait assez de lire,
il descendait dans la rue, s'asseyait sur le trottoir et pensait au pays sauvage jusqu'au moment où le bruit des
volets qu'une main repoussait lui faisait lever la tête.
Dans l'entre-bâillement, il apercevait le cou, le triangle
brun du menton et les yeux de la mère qui lui faisait
des doigts un signe d'amitié.

Peu après, le « monsieur » qui faisait visite à la mère
sortait et Abel, qui avait baissé la tête pour ne pas le voir,
bondissait dans l'escalier. Il trouvait la femme, un bout de
cigarette aux lèvres, un léger peignoir passé sur la chemise
de soie, assise devant la toilette, qui se recoiffait et rafis-
tolait son maquillage. « Ouvre un peu plus la fenêtre »,
disait-elle. Le lit était défait et sa lingerie froissée.

Le soir, Abel se couchait tôt mais il ne s'endormait pas.
Immobile, les yeux ouverts dans l'obscurité, il attendait
que la mère, sortie pour une course mystérieuse, rentrât.
Et elle ne revenait jamais seule. Passant devant la porte
de l'enfant, elle suspendait au bouton un papier avec un
ou deux gâteaux dedans. Les pâtisseries mangées, Abel
luttait encore avec le sommeil. Enfin, le visiteur nocturne
s'en allait.

Abel se glissait hors du lit et hors de la chambre, montait l'escalier obscur et grattait à la porte de la mère.
« Entre, petite souris », disait la femme. Mais il devait,
après l'avoir embrassée sur le front, descendre se coucher
tout de suite.

« Il savait, affirma Abel le jour où la mère lui dit qu'il
irait à l'école, tout ce qui était nécessaire : la lecture et
l'écriture. » La mère rit comme il aimait, c'est-à-dire aux
éclats, en rejetant la tête en arrière, en agitant les boucles
noir-bleu, et l'on voyait les arcs rouge-sang des lèvres
s'écarter, une mousse de salive s'étirer entre les dents
blanches et la chair rose du palais, tandis que les lourds
seins tendaient la soie qui les couvrait.

— Tu iras à l'école cependant. C'est fou ce que tu peux être sot.

Abel était à Marseille depuis trois, quatre semaines. Il était un peu dégrossi. (C'est la mère qui parlait ainsi.) Il avait appris à se laver sans l'intervention de la mère, non seulement le visage mais le corps. La femme le coiffait et, lorsqu'elle lui disait : « Arrange ton béret », il le plaçait sur la tête juste comme elle désirait qu'il le fût. Il marchait dans les rues sans se cogner aux passants et il disait : pardon si, par hasard, il se heurtait à quelqu'un. Il demeurait sans trop bouger assis pendant une heure sur une chaise tandis que la mère papotait chez une amie. Il saisissait sans apparence d'avidité, de deux doigts propres, un gâteau — non le plus gros — sur l'assiette tendue et disait : merci. La mère précisait que ces résultats avaient été atteints en trois, quatre semaines. « C'est inimaginable! Si vous l'aviez vu; un véritable petit sauvage. Il vivait avec les bêtes. »

Sans rougir, Abel fermait les yeux. Il ne comprenait pas. Quelle signification avaient les mots inimaginable, sauvage? Pourquoi aurait-il été mal de vivre avec les bêtes? Deux mondes différents existaient : le pays sauvage avec Gilles et Brebis et celui de la mère : sa chambre, ses odeurs, les rues de Marseille. Deux mondes? Quatre pour le moins. Encore celui de la Bible. Encore celui de la mer.

Il ouvrait les yeux, prenait un autre gâteau qu'on lui offrait et souriait parce que, dans le moment, il s'imaginait en enfoncer la moitié dans la gueule de Brebis.

Mais parce qu'il se lavait seul le visage et le corps, disait pardon et merci, portait un béret ainsi qu'il doit l'être, Abel devait aller à l'école.

C'était une belle école avec une croix au-dessus de la grille qui fermait la cour, avec une chapelle qu'Abel et la mère peu poudrée parfumée sans excès, vêtue d'un tailleur discret, visitèrent sous la conduite du directeur.

Tout de suite et très lentement, Abel se détacha de l'homme et de la femme et se dirigea vers un mur couvert de peintures et coupé de fausses colonnes en saillie, auxquelles, d'un côté et de l'autre, étaient suspendus à hauteur d'homme, des tableautins qui représentaient le jugement et la marche de Jésus vers la mort.

Abel alla de tableautin à tableautin, s'arrêtant devant chacun, du bas au haut de la chapelle, puis, avec les mêmes stations, suivit le mur qui faisait face et se retrouva auprès de la femme et du directeur. Celui-ci lui dit : « Mon garçon, lorsqu'on traverse une chapelle ou une église on fait une génuflexion devant l'autel. »

Deux heures plus tard, devant la porte de sa chambre, fouillant le sac pour saisir la clef, la mère aperçut une masse noire accroupie sur le palier : Abel.

La mère rit, non aux éclats comme de coutume mais doucement, avec émotion. « Comment as-tu fait pour trouver ton chemin? Et si tu t'étais perdu? Si tu t'étais fait renverser par une voiture? » Elle le saisit, le fit se lever, l'embrassa.

Le soir, en présence de l'enfant, un ami de la mère écrivit une lettre d'excuses au directeur. Il composait dans sa tête une phrase bien balancée, très cérémonieuse et, avant de l'étaler sur le papier, demandait l'approbation de la mère. Entre deux phrases, il posait des questions. « Vous avez cependant présenté des papiers pour l'identité de l'enfant? » et : « L'enfant porte votre nom? » « Oh! répondit la mère, j'ai payé d'avance le trimestre et tout s'est fort bien arrangé. »

Elle interrogeait Abel. « Qui t'a conduit? Par où es-tu passé? Te souvenais-tu du nom des rues? » Abel n'avait pas encore compris le service que rendent les plaques bleues au coin des rues.

Une semaine plus tard, Abel fut reconduit à l'école. Il revint seul dans la matinée mais n'ayant pas osé monter à la chambre, c'est, assis sur le trottoir, que la femme, sortant, le trouva, jetant des morceaux de papier dans l'eau du ruisseau qui passait au-dessous de ses cuisses comme sous un pont.

Le soir, en présence d'un autre ami de la mère, Abel entendit certaines phrases. « Voudrais-tu demeurer un âne? Il faut être instruit. Je veux que tu sois autre chose qu'un ouvrier. Je ferai tous les sacrifices qu'il faudra. »

Que voulait-elle dire? Un âne, un ouvrier, sacrifices, instruit?

— Je sais lire et écrire. Toi, maman, connais-tu la Bible?

— La Bible? Que veux-tu dire?

L'homme se tourna vers l'enfant. « Il est extraordinaire,

ce gosse. Il faut le faire parler. Je vais t'interroger. Tu connais la Bible, toi?

Abel ne répondit pas.

— Nous allons lui faire boire une goutte d'alcool, ça lui déliera la langue.

— Ah! non, cela je ne le veux pas, s'écria la mère.

— Rien qu'une goutte, poursuivit l'homme qui avait saisi la bouteille de cognac. Rien qu'une goutte sur un grain de sucre.

Abel brisa le grain entre les dents et trouva que l'alcool donnait bon goût au sucre. Il tendit le verre pour être servi de nouveau. La mère, du cognac aux lèvres, se mit à rire. « Oui, si tu parles de la Bible, dit l'homme, et je t'offre aussi une cigarette. » La mère protesta. « Oh! c'est du tabac doux. » Le cognac, le sucre, la cigarette, le rire joyeux de la mère firent oublier âne, ouvrier, instruit et sacrifices. Abel parlerait-il ou ne parlerait-il pas?

Bientôt la question ne fut même plus posée. Comme une eau tiède, sombre, moelleuse, la lourde nuit printanière chargée d'odeurs et de musique avait, sans que l'on s'en aperçût, envahi la chambre. La lumière de chevet avait pris plus d'éclat. Le vaste lit épais se gonflait et d'autres parfums montaient de la chair dilatée de la femme. Le verre de cognac tremblait au bout des doigts de l'homme.

On envoya Abel se coucher.

La mère demanda que l'on surveillât Abel de plus près. Le directeur affirma par écrit que « le fait ne se reproduirait plus ». Et Abel demeura tout un jour à l'école sans s'en échapper. Mais le second jour, pendant la récréation qui suivait le repas de midi, il s'approcha de la porte grillée sans être aperçu du concierge assoupi, l'entr'ouvrit, se glissa entre le battant fixe et le battant mobile et partit. Dans la rue, il se dit : maintenant personne ne me rattrapera. Mais personne ne l'avait poursuivi.

Le soir, la mère conduisit l'enfant au restaurant. « Nous serons seuls », dit-elle. C'est à croire qu'elle plaisantait. Dans les rues du port où l'on sert à manger, sous la jaune lumière un peu poisseuse de quelques lampes électriques, entre des monceaux de mollusques et de poissons, traînant les pieds dans une eau moirée de mazout et truffée de coquilles, d'arêtes et de têtes écrasées de rougets et de merlans, de papiers sales et de morceaux de pain, une

épaisse foule grouillait. La femme et l'enfant avaient eu
de la peine à trouver une petite table libre parmi les
quelques dizaines mal équilibrées sur les mauvais trottoirs,
si étroits que les serveurs devaient marcher dans les ruisseaux.

Abel, assis en face de la mère, humant l'odeur du port,
l'oreille vibrante du murmure de la foule, des cris des
poissonnières, du crin-crin des mauvais violons et des gui-
tares, l'œil suivant les oscillations d'un mât de goélette,
trait lumineux dans le ciel obscur, se demandait comment
il devait s'y prendre pour raconter ce qui lui était arrivé
dans l'après-midi.

Son assiette était pleine de poissons qu'une croûte dorée
soudait entre eux, si petits et si bien frits que la fourchette
en piquait quatre ou cinq à la fois et qu'on les broyait
sous les dents sans distinguer de la chair les têtes, les
arêtes et les queues. Ce mets plaisait à l'enfant. Mais
comment, se demandait-il, raconter l'histoire à la mère?

Elle, aussi, aimait les petits poissons. Elle les saisissait
avec les doigts, comme des gâteaux, et les croquait. Ses
lèvres luisaient d'huile, ses cheveux se débouclaient et son
nez avait besoin de poudre. Elle prit la bouteille par le
goulot.

— Veux-tu du vin? demanda-t-elle.

— Oui, répondit Abel qui ajouta tout de suite, tandis
que la femme après avoir versé un doigt de vin blanc
dans le verre de l'enfant, emplissait le sien : « Sais-tu monter à cheval, maman? »

La femme prit le verre dans la main et but. Elle n'avait
pas l'intention de répondre à une de ces questions « bêtes »
que les enfants posent parfois, parce qu'il leur passe dans
la tête on ne sait quelle idée.

— Je voudrais avoir un cheval, poursuivit Abel — et il
mangeait ou faisait semblant, regardant son assiette trop
fixement pour la voir. « C'est très beau, un cheval. » Il
précisa. « Je veux dire un cheval sur lequel on monte, avec
une selle, un cheval qui court très vite, et non pas un de
ces chevaux de village, qui sont lourds, qu'on attelle à une
charrette. »

La mère, qui l'entendait sans l'écouter, l'interrompit.

— Bois donc puisque tu as voulu du vin.

Abel croqua un poisson, but, posa le verre sur la table
et posément, avec ténacité, poursuivit.

— Un cheval, ça obéit, comme Brebis. Il y en avait un,
tout noir, avec une seule tache blanche sur le front. Quand
son maître l'appelait il levait la tête et la tournait du côté
d'où venait la voix.

— Il y en avait un, où ça? interrogea la mère qui
ajouta : « Veux-tu encore des poissons? »

— Non, merci. Sur les images.

— Ah! Je croyais là-bas, dans ta montagne.

Elle posa une main sur le bras du serveur qui passait,
dans le ruisseau. « Garçon, encore une portion de poissons.
Du fromage, Abel? »

— Oui, maman, du fromage. Il y avait aussi un homme,
grand et mince, avec les yeux clairs, avec un grand chapeau, un mouchoir autour du cou, une chemise à carreaux,
un gilet de cuir et des bottes avec des « trucs » au talon,
qui piquent.

— Des éperons.

— C'était le maître du cheval. Il se tenait bien droit,
le chapeau un peu en arrière, les jambes se balançaient.
Il sifflait. On ne l'entendait pas. On voyait les lèvres un
peu serrées qui s'ouvraient et se fermaient. Tu sais,
maman, comme ça.

Abel fit comme s'il sifflait, mais sans bruit.

— Oui, oui, je sais, fit la femme qui depuis un instant
regardait le visage de l'enfant. « Continue. »

Abel demeura silencieux le temps que le serveur mit à
poser sur la table une assiette garnie d'un morceau de
gruyère.

— L'homme était à cheval et il sifflait... (« Tu l'as
dit », coupa la mère)... et le cheval au pas descendait d'une
colline. Là-bas, il n'y a pas d'arbres. Il n'y a que des
pierres rondes, beaucoup de grosses, et il y a de la poussière, aussi. Le cheval descendait le chemin de la colline.
Loin autour, on voyait d'autres collines, toutes sans arbres,
sans ruisseaux non plus, avec de gros rochers.

— Nous allons partager le fromage. Je pense que la
moitié te suffit.

Abel acquiesça d'un geste de la tête et poursuivit.

— On avait vu l'homme et le cheval très loin, quand ils
étaient sur le haut de la colline et on ne les voyait pas
bien. Puis, ils se sont approchés et on les a vus comme
s'ils étaient devant nous.

Abel mordit dans le gruyère et il s'aperçut que la mère souriait. Il sourit, lui aussi.

— Au bas du chemin de la colline, mais très loin, très loin, il y avait un village. Et tout à coup on s'est approché du village. Nous, maman, tu comprends? Comme si nous étions à cheval, comme si nous étions allés très vite. Et j'ai cru que c'était le village qui s'approchait. Alors, nous avons été dans le village. Il n'y avait que quelques maisons, des maisons faites avec des planches, et des trottoirs de planches, aussi. Et nous allions dans ce village, sur ces trottoirs, mais, nous, on ne nous voyait pas. C'étaient les maisons, elles s'avançaient, elles se tournaient...

La mère, dont les yeux souriaient davantage, les coudes posés sur la table d'un côté et de l'autre de l'assiette un peu poussée vers le milieu, le visage appuyé sur le dos des mains unies, déplaça un bras, fouilla son sac et jeta deux sous dans la main que lui tendait un gosse à demi nu.

— Alors, poursuivit Abel, nous sommes entrés dans une maison. C'était une grande salle tout en bois, avec un balcon autour, à la hauteur de l'étage, et des portes qui ouvraient sur ce balcon. En bas, il y avait des hommes, beaucoup, comme le cavalier. Tu sais : le grand chapeau, le gilet de cuir, le foulard et les bottes. Et autour du poignet, ils ont un bracelet de cuir avec des clous.

« Ils étaient, reprit Abel après avoir respiré, debout devant un comptoir sur lequel il y avait des verres et des bouteilles. D'autres étaient assis à des tables. Ils buvaient et ils jouaient avec des cartes. Ils parlaient et on ne les entendait pas. Il y en avait un très mauvais. Il se disputait avec un autre. Puis ils se sont battus à coups de poing. Et celui qui était très mauvais a renversé l'autre. Il l'a jeté à terre d'un coup de poing sur le menton. Alors... »

— Alors? interrogea la mère qui faisait un signe au serveur pour qu'il apportât l'addition.

— ...La porte s'ouvrit et le cavalier entra, celui qu'on avait vu au haut de la colline et qui sifflait et...

— Et, dis-moi, quand es-tu allé au cinéma?

La femme ajouta : « Tu t'es encore enfui de l'école. Je ne ferai rien de toi. Peut-être aurait-il mieux valu que je n'aille pas te chercher. » Mais la mère n'était pas fâchée. « Tu iras à l'école en octobre. »

Quelques jours plus tard, l'ami de la mère qui avait

fait boire du cognac à Abel, lui apporta une Bible. Elle n'était pas belle comme celle de Gilles mais écrite en tout petits caractères et entoilée de noir. Et rien n'avait été changé dans la vie de l'enfant, sauf que, dans l'après-midi, au lieu de lire des journaux il ouvrait la Bible; sauf, encore, que, pour changer d'aventures, plutôt que de jouer avec l'eau du ruisseau, il allait s'asseoir dans un cinéma du port.

CHAPITRE III

La femme inconnue. — Rencontre de Paul. — Abel est
rendu à la liberté. — Le monde irréel. — L'homme et le
pantin. — Le tombeau des Evangélistes. — La plage de
galets. — L'ordre dans le désordre.

Abel et la mère avaient pris le repas du soir dans la
chambre. L'enfant était assis à la place qui était devenue
la sienne, tout à côté et à droite de la fenêtre, sur le
tabouret. La mère, sur la chaise-longue, tournait le dos à
la lampe de chevet déjà allumée. Entre eux, mais un peu
sur le côté, était la table ovale avec, dessus, des pelures
d'oranges, des assiettes salies, des verres pollués, des
papiers gras, des cartons faits de crème, une bouteille à
demi pleine de vin doux et une bouteille avec encore deux
doigts de bière.

C'était un tiède soir d'octobre. Insensiblement, le jour
était mort mais le ciel n'avait fait que changer de lumière,
et le visage de la mère était demeuré clair. Dans le silence
de la fin du jour et du début de la nuit, les bruits de la
rue de la Fête s'étaient glissés dans la chambre avec la
discrétion (c'était un lundi) de quelqu'un qui veut passer
inaperçu. Musiques, chants, rires, appels étaient là cependant et meublaient la nuit qui sans eux aurait paru trop
vide à la femme.

Elle fumait, pleine d'abandon dans sa tenue, le visage
enduit de crème grasse, les cheveux sur les épaules, nue
sous un peignoir lâche, les pieds dans des sandales. Le
linge était resté là où il avait été lancé : la culotte sur
une chaise, la chemise sur une autre, les bas à côté des
bottines sur le tapis, le corset moulé par la poitrine et les
hanches, sur le lit défait.

La femme n'avait pas commandé : « Ramasse ces éplu-
chures d'oranges, ôte ces verres, ces bouteilles et ces papiers

de là, descends les assiettes à la cuisine, essuye le marbre. »
Elle n'avait pas regardé sa montre.

La mère ne sortirait pas ce soir-là et aucun visiteur
n'était attendu.

Abel soupira d'aise. C'était la paix dans son cœur.

La femme dit tout à coup : « Lundi prochain, je
t'accompagnerai à l'école. »

Elle avait passé une jambe sur l'autre et se tenait penchée en avant, l'avant-bras droit sur la cuisse, la cigarette
entre les doigts de la main gauche. Ses yeux étaient fixés
au delà de la fenêtre, sans rien voir. Ainsi, presque aussi
immobile que lui, elle avait la même pose que Mathieu
parlant de la mer.

Depuis deux ou trois semaines, la femme avait changé.
Ses habitudes étaient déréglées. Parfois, comme ce soir,
elle demeurait à la maison, sans recevoir de visite. Mais
cela, dont Abel se réjouissait, était peu.

Ses manières d'être, de se comporter, de parler, se modi-
fiaient d'un instant à l'autre. Dans sa tenue, ses attitudes,
ses gestes, ses paroles, se glissait soudain une sorte de
toxique qui les transformait. Puis, le poison éliminé, la
mère redevenait semblable à elle-même.

Ainsi avait été Brebis à une certaine époque. Gilles lui
disait : « Couche-toi là et ne bouge plus. » La chienne
s'allongeait, le museau entre les pattes, et l'œil d'améthyste
brillait au-dessous des cils blancs, un œil un peu fou qui
n'était pas celui de Brebis mais celui, semblait-il, d'une
autre bête qui avait pris l'apparence de la chienne. Gilles
sortait pour emplir d'eau une marmite, et Brebis disparaissait. Elle revenait deux heures plus tard, ou le lendemain,
rampant presque, se coulant par l'entre-bâillement de la
porte, la langue pendante, le poil humide.

Au bout de deux semaines, tout était rentré dans l'ordre ;
de nouveau Brebis avait obéi, de nouveau, sans s'écarter
beaucoup, elle avait accompagné son maître, et un appel
l'arrêtait net dans son élan comme si un mors lui eût scié
la gueule.

L'œil de la mère était, aussi, par moments, un peu fou.
Une dizaine de jours plus tôt, tandis que la femme à sa
toilette épaississait ses cils, Abel l'avait nettement remarqué. Une main tenait le miroir, l'autre le fard et, entre les
paupières écartées, l'œil agrandi que, par instants, l'ombre
des doigts voilait, n'était pas le « vrai » œil de la mère

mais celui d'une femme que le garçon ne connaissait pas.
L'œil physiquement demeurait le même; il n'était ni plus
ni moins mobile; son éclat n'était ni plus ni moins vif.
C'était une transformation du dedans... comme pour Brebis.

Ce jour-là, la femme avait été plus trépidante encore,
plus minutieuse dans sa toilette et plus soucieuse de celle
d'Abel. Elle avait posé et répété souvent des questions sur
l'heure et sur le temps. « As-tu entendu sonner l'horloge?
Fait-il du vent? Le ciel s'assombrit, pleuvra-t-il? » Et
cette fébrilité avait disparu lorsque la femme et l'enfant
eurent rencontré sur le Quai du Port un homme qu'Abel
n'avait jamais vu.

Le soir, dans la chambre, la mère ayant retrouvé l'enfant
qui avait passé deux heures dans un cinéma, l'avait bourré
de charcuterie, de gâteaux, de vin doux. Elle s'était montrée joyeuse à l'excès. « C'est Paul qui a acheté tout cela. »
« Paul? » « Oui, ce monsieur que nous avons rencontré. »

Le lendemain, de nouveau, la mère avait été nerveuse.
Cette instabilité dans le comportement de la femme
s'était accentuée. Ce soir d'octobre, la mère était calme.
Elle était en paix. Avalant des tranches de saucisson, suçotant une orange, grignotant des gâteaux, sirotant du vin
doux, elle avait écouté l'enfant lui raconter un nouvel
exploit de Rio Jim, l'interrompant souvent, lui posant des
questions.

Le repas terminé, elle s'était assise sur le divan, avait
allumé une cigarette et regardé la nuit au delà de la fenêtre. C'est alors qu'elle avait dit : « Lundi prochain, je
t'accompagnerai à l'école. »

Mais Abel trouvait l'école triste, avec ses grilles, sa cour
poussiéreuse, sa douzaine de platanes, sa classe sombre,
ses deux centaines de garçons vêtus de tabliers noirs, et il
s'était promis de ne plus jamais y aller.

Lorsque, quatre mois plus tôt, à la question : « Et dis-
moi quand es-tu allé au cinéma? » il avait répondu :
« Cette après-midi », la femme s'était seulement exclamée :
« Je n'arriverai pas à faire quelque chose de toi. » L'addition payée, le visage repoudré, les cheveux ramenés derrière les oreilles, elle avait pris l'enfant par la main et
l'avait entraîné.

A cette époque, la mère n'avait jamais l'œil un peu fou.
Ses colères, tout extérieures, se traduisaient par des mouve-

ments désordonnés, des exclamations, des cris. Elles
n'affectaient pas l'âme. Elles étaient des agitations de surface. Ainsi, au village, après avoir ramené Abel du pays
sauvage, en face de l'homme et de la femme qui lui récla-
maient de l'argent, la mère avait fait de grands gestes,
jeté des billets sur la table, haussé le ton de la voix mais,
quelques minutes plus tard, il n'y paraissait plus.

« Je suis allé voir le directeur, poursuivit la femme.
J'ai payé pour trois mois. On te surveillera. La porte sera
fermée à clef. » « J'ai payé cher, ajouta la mère après
avoir marqué un petit silence. Je ne veux pas perdre mon
argent. »

Perdre de l'argent ne signifiait rien pour Abel. Pour
avoir du pain, de la viande, des souliers, au village, il
fallait donner des sous au boulanger, au boucher, au cor-
donnier. La mère avait sorti des billets de son sac. Mais,
au pays sauvage, l'argent n'existait pas. Abel n'en avait
jamais vu dans les mains de Gilles, ni entendu tinter dans
les poches de son pantalon. A Marseille, les pièces et les
sous passaient sans cesse d'une main à l'autre, de la main
de la mère à celle du coiffeur, de la lingère, de la repasseuse, de la femme qui nettoyait la chambre, du baigneur,
de la parfumeuse, du bottier, du garçon de café, du garçon
de restaurant, de la main de la mère à celle d'Abel, de la
main d'Abel à celle du bistrot, du marchand de glaces, de
la caissière de cinéma.

Perdre de l'argent. La mère en sortait à tout instant de
son sac mais elle en ramassait à pleines mains sur le marbre de la cheminée.

— Achète-moi des livres, maman. Mais je n'irai pas à
l'école.

Abel eut devant lui la femme inconnue. Comment des
yeux, une bouche, un front, un menton, des cheveux, des
mains, une chair, un corps, peuvent-ils en une seconde se
transformer complètement et cependant demeurer les
mêmes? Les yeux exprimèrent la cruauté, la haine et même
une sorte de folie. Comment une telle bouche, toute plis-
sée, dont les lèvres avaient blanchi et s'étaient amincies,
qui avait pris l'apparence d'un bec, avait-elle jamais pu
— et pourrait-elle encore — embrasser mollement et avec
chaleur? Les lèvres pourraient-elles de nouveau s'écarter
pour un grand rire? Le front et le menton s'étaient durcis
au point qu'ils semblaient de pierre mais encore ils

s'étaient creusés de plis profonds. Les cheveux n'étaient plus cette douce mousse humide dans laquelle Abel se rafraîchissait le visage; chaque mèche était devenue une poignée de serpents, les mains des serres.

— Tu iras à l'école, commanda la femme inconnue.

Les mots claquèrent; le contentement, la paix du cœur, le silence, la chaleur de l'intimité devinrent poussière.

— Va te coucher, dit la femme.

Il avait cru avoir perdu la mère. Cette femme qui s'était dressée devant lui, aux yeux haineux, à la bouche en forme de bec, aux cheveux vipérins, qu'il entendait aller et venir lourdement sur les tomettes au-dessus de lui, qui posa ses coudes durs sur la pierre de la fenêtre, dont le corps massif fit, plus tard, gémir le lit, n'était pas celle dont l'odeur et la voix l'avaient troublé depuis que le monde des sensations existait... pour lui.

Plutôt que de vivre avec cette femme inconnue et d'aller à l'école, il retournerait au pays sauvage.

Abel — couché — se mit à rechercher dans sa mémoire les repères remarqués entre le pays sauvage et Marseille : la voie ferrée, un tunnel, un fleuve qui coulait vers le soleil couchant entre deux plages de cailloux, une rivière étroite que le train avait franchi sur un pont de fer, une place de village plantée de huit rangs de platanes... et s'endormit. L'aube n'était pas loin.

La bouche chaude de la mère posée sur ses lèvres, le réveilla.

— Allons, paresseux, habille-toi vite et va chercher le café. Il est près de neuf heures.

La femme inconnue de la soirée avait disparu. Mais comment?

Les douces mains de la mère tirèrent l'enfant du lit, l'habillèrent, le coiffèrent. « Passe-toi un peu d'eau sur le visage et fais attention de ne pas tomber avec le pot. »

Abel avait sommeil mais le sommeil n'était pas pour le gêner. Il en était le maître. C'est un besoin que l'on satisfait sans avoir recours, comme pour la faim, à quelque chose d'extérieur, qui se satisfait aussi par portions.

Deux jours plus tard, la même fébrilité dans les mouvements de la mère, la même minutie dans les soins du corps, la même recherche dans la toilette, les mêmes questions :

« As-tu entendu sonner l'heure? Faut-il prendre un parapluie? » firent dire à Abel : « Est-ce que nous allons encore
le voir? »

— Qui donc?

— Le monsieur de l'autre jour.

— Quel monsieur?

— Paul.

La femme, dont le visage rosit, regarda l'enfant avec
stupéfaction. Elle dit seulement : « Peut-être préférerais-
tu aller au cinéma ou lire? » Mais, sans insister, elle jeta
un dernier coup d'œil à la toilette d'Abel et à la sienne et
fit passer l'enfant devant elle.

Le vent du sud-est ridait l'eau gris-vert, faisait se cogner
les embarcations et chargeait le ciel d'énormes nuées gri-
sâtres. Sur ce fond majestueux, les vieilles maisons de
l'autre côté du port, qui passaient la tête les unes par-
dessus les autres, et certaines entre deux autres, faisaient
penser aux gens d'une noce qui posent chez le photographe.
Dans l'ouest, au loin, il tonnait.

« Il ne faudrait pas qu'il pleuve, dit la femme. Puis,
elle se mit en route sans plus parler, sans hésitation, sans
s'arrêter pour saluer une connaissance. Jamais Abel ne
l'avait vue si légère. Ses pieds touchaient à peine le pavé,
et sans le moindre bruit. D'elle, semblable à une corde
d'arc tendue, le vent et les flèches lumineuses qui passaient
entre les nuages tiraient des vibrations. Elle-même rayonnait, et sa main que l'enfant tenait, se crispait et se relâ-
chait sans cesse. À toucher cette main, Abel éprouvait la
même sensation qu'à poser la main sur le dos de Brebis
en folie. Les mots qui, toujours, en temps normal, touchaient la femme comme ceux auxquels, toujours, en temps
normal, la chienne obéissait, avaient perdu leur puissance.

Brusquement, peut-être pour se cacher à elle-même sa
fièvre et son désir, peut-être pour les cacher à l'enfant, la
mère se mit à parler. C'était une ruse que Brebis ignorait
mais une ruse qui trahit la femme plus qu'elle ne la servit.
Abel, troublé, pas une fois ne répondit. « Qu'as-tu donc,
aujourd'hui? » L'enfant serra davantage la main qui le
conduisait, comme par prudence, car ils allaient s'engager
sur une large chaussée.

« N'aie donc pas peur. » Elle s'élança. Sur le trottoir,
assis à la terrasse d'un café, Paul parlait avec des amis.
Jamais Abel n'avait rencontré un homme semblable à

Paul, se disait-il. Il n'en avait vu qu'au cinéma. La souplesse du corps de Paul, la mobilité des traits de son
visage, l'aisance de sa parole et de ses gestes, le surprirent.
Paul avait un torse long, des mains et des bras longs, une
tête et un visage de forme allongée. Sans cesse, sur son
fauteuil de paille, il se déplaçait, se soulevant des coudes,
bandant de ses jambes croisées les longs muscles qui tendaient l'étoffe dont il était vêtu, posant plus loin ou plus
près du dossier des fesses étroites, se penchant d'un côté,
se penchant de l'autre, s'accoudant à la table, se rejetant
tout de suite en arrière. Sur ce corps vigoureux dont les
mouvements semblaient être réglés par un rythme interne,
les vêtements formaient une sorte de seconde peau.

A l'arrivée de la femme et de l'enfant, Paul avait écarté
d'un geste ses amis, s'était levé, avait offert des sièges et
appelé le garçon. « Prendrez-vous des glaces? Elles sont
bonnes. » Il n'avait manifesté aucune surprise, aucune joie,
n'avait même pas souri. Il semblait qu'il eût à discuter
affaires avec la mère.

Il sortit et étala sur le marbre un étui en métal qui
s'ouvrait comme un portefeuille. Avant de saisir une cigarette et parce que dans le moment il répondait à une question de la femme, il plaça les mains d'un côté et de l'autre
de l'étui. Abel pensa à la danse incessante des mains de la
mère. Celles de Paul ne dansaient pas mais se déplaçaient
avec ensemble, sur le même rythme que le corps. La main
était brune, étroite, souple, avec des poils noirs sur le dos
et sur la première phalange des doigts.

Lentement, comme attirée par un aimant, une main de
la mère s'abaissa sur une main de l'homme et s'y posa
après un instant d'hésitation. « Votre chevalière est belle »,
et la femme pencha le buste, approcha le visage — sans
que Paul fît un mouvement — de l'épaisse bague d'or,
comme si elle allait poser les lèvres sur la main.

Le garçon apportant les glaces, la mère redressa le buste
et Paul saisit et alluma une cigarette.

Toutes les tables de cette terrasse de café et des deux
autres qui l'entouraient étaient occupées; sur le large trottoir circulait une épaisse foule, sur la chaussée plus large
encore roulaient des voitures en grand nombre, cependant
Abel toujours sensible aux couleurs, aux formes, au bruit,
à la chaleur qui se dégage d'un peuple en mouvement, ne
prêtait attention qu'à la mère et à Paul. Ils formaient un

îlot. Ils étaient un roc battu par la houle. Quelque chose d'important se nouait qui rendait l'homme et la femme indifférents à ce qui n'était pas eux-mêmes. La mère ne parlait pas davantage que les autres jours. Elle ne disait pas autre chose que ce qu'elle disait habituellement mais elle les disait autrement. Une sorte de tension donnait à sa voix des vibrations inaccoutumées. Des lumières que l'enfant ne connaissait pas et dont il ne comprenait pas la signification transformaient son regard.

Abel éprouvait une sorte de malaise et se sentait mis à l'écart.

La mère, qui toujours hésitait longuement avant de commander une consommation, avait accepté du premier coup la glace. Elle la mangeait lentement, en détachant un tout petit morceau après l'autre, du bout de la cuiller. Elle tenait la tête penchée et à demi tournée vers Paul qui, un coude sur la table, la pointe dure du menton posé sur le dos de la main droite, fumait. Il parlait mais Abel ne cherchait pas le sens des paroles. L'intérêt n'était pas dans les mots mais dans la manière dont ils étaient prononcés, dans le jeu des lèvres, dans les plis des lèvres, dans le mouvement des narines, dans le déplacement des lignes fines qui soulignaient les paupières. L'intérêt n'était pas davantage dans les réponses de la mère mais dans l'intensité du regard, pesant, insistant, pénétrant, avide, qui prenait possession de tout le corps de Paul. Il l'entourait, l'enveloppait, le serrait.

Avec un cynisme qui échappait à l'enfant habitué aux interrogations sans gêne des hommes de la campagne, Paul posait des questions précises. « Vous vivez seule? Vous n'avez pas d'ami? » La femme, toujours, regardait Paul d'une manière qui aurait pu intimider un autre homme que lui. Il prenait plaisir à être ainsi détaillé. Voyant le regard de la femme attaché à ses lèvres, il parlait plus lentement, il jouait avec ses propres lèvres, les faisait danser devant les yeux de la femme d'une telle manière qu'elle en pâlissait.

Son visage était allongé — comme son corps — bien charpenté, avec les os des arcades sourcilières, des pommettes et de la mâchoire apparents. Au-dessous du front bas et comme cassé au milieu, sous des sourcils sombres et fournis, l'œil gris foncé avait une expression un peu dure, atténuée cependant par les cils courts, mais très nombreux

et noirs, de la paupière inférieure. Son nez était long, droit,
remarquable par le dessin délié des narines. La bouche
charnue et asymétrique — abaissée à droite et relevée à
gauche — aurait paru lourde si la longue ligne qui entourait le visage, d'une oreille à l'autre, et donnait sa forme
au menton saillant et assez pointu, n'avait été tracée si
nettement, sans empâtement et sans sinuosité. Avec des
cheveux châtains, assez courts, drus, un peu raides, avec
des oreilles petites et collées contre la tête, le teint mat,
Paul séduisait Abel mais il ne lui plaisait pas. Mais il
l'inquiétait. L'enfant pensait qu'il aurait été préférable
de ne pas rencontrer Paul et qu'il serait bien de le quitter
là, pour ne plus jamais le voir.

De grosses gouttes d'eau s'écrasèrent sur l'asphalte et
tout à coup une puissante averse fit une trouée dans les
feuilles jaunes des platanes, dispersa la foule et jeta dans
la salle du café les consommateurs de la terrasse. Un instant abandonné, Abel, qui n'avait pas fui l'eau tout de
suite, rechercha la mère.

Debout, dans un coin du café, elle s'appuyait du dos à
la poitrine de Paul qui, plus grand de la moitié de la tête,
se penchait vers elle, le menton touchant son épaule, les
mains posées sur la taille.

Abel, les voyant, s'arrêta net comme s'il eût buté contre
un obstacle. Il lui parut impossible de faire un pas de plus
et de s'avancer vers la mère.

S'il avait tendu la main vers cette femme dont les traits,
tout en demeurant les mêmes, exprimaient un sentiment
qui transformait complètement le visage, l'aurait-elle
reconnu? Si, tout à coup, le jour de son arrivée à Marseille, allant dans les rues et se tournant il n'eût plus vu
la mère à son côté, il ne se serait pas senti si perdu.

Il s'était « fait » à Marseille; l'odeur, la couleur, le
bruit particuliers de la ville lui étaient devenus familiers;
il savait s'y orienter; il était entré en communication avec
ses habitants; il pouvait, comme au pays sauvage, aller
toujours plus loin, sûr de se retrouver; cependant, un instant, il éprouva une étrange impression : le visage de Marseille, comme celui de la mère, s'était transformé au point
qu'il ne le reconnaissait plus.

Le lendemain, Abel s'éveilla, la tête un peu lourde et la
langue épaisse. D'habitude, lorsqu'il ouvrait les yeux, la

chambre était encore obscure. Il attendait sans impatience qu'une raie lumineuse se dessinât et se développât tout autour de la pièce, à vingt centimètres du plafond. La chambre paraissait être une boîte dont le couvercle se soulevait peu à peu. En même temps, les murs s'éclaircissaient et, dans la partie haute, des ombres — ombres d'oiseaux, de fumées, d'êtres célestes invisibles aux yeux humains, se disait l'enfant — se déplaçaient rapidement dans un sens et dans l'autre, comme des passants qui se croisent sur un trottoir.

Ce matin il était plus tard que de coutume, car déjà le couvercle était soulevé et les reflets, semblables aux lumières et aux ombres d'un jet d'eau qui s'éparpille, jouaient devant les yeux de l'enfant.

Tous les matins, en les regardant, Abel pensait à sa vie. Il lui semblait être sur une falaise et il dominait « sa vallée », limitée au nord par le pays sauvage, au sud par la ligne de l'horizon tendue d'une pointe à l'autre de la rade de Marseille, vallée qui avait d'autres dimensions que physiques, assez spacieuse pour contenir tous les pays et les personnages bibliques, qui avait, encore, de la place pour la mer de Mathieu, qui, enfin, dans le temps, n'avait d'autres frontières que celles des souvenirs et de l'imagination de l'enfant.

Alors, Abel possédait un étrange pouvoir. L'éloignement ne réduisait pas sa vue; aucun pli de terrain ne la bornait; il n'avait pas à se déplacer; comme s'il avait été un dieu il attirait à lui tel coin de « sa vallée » qu'il voulait examiner de plus près, puis tel autre. Pour ainsi dire, il tenait dans le creux de la main ce petit morceau de sa vie et le regardait. Mais il ne lui suffisait pas de voir Mathieu étendu sur le carrelage de sa cuisine, ou d'assister à l'arrivée de la mère au pays sauvage, ou de se trouver avec Judas qui conduisait les soldats vers la Colline des Oliviers, il arrêtait la vie de ces personnages pas plus gros que les habitants du village qui n'était peut-être pas vrai, il les immobilisait, puis leur rendait le mouvement mais dirigeait ce mouvement, l'orientait dans le sens qui lui était agréable : Mathieu se levait, s'asseyait devant cet énorme feu allumé par Gilles et se mettait à parler de la mer; la femme prenait l'enfant dans les bras et lui disait : « Je viens vivre avec toi au pays sauvage »; Judas ne posait pas les lèvres sur la joue de Jésus.

Ce matin-là s'éveillant, la tête un peu lourde et la langue épaisse, les yeux fixés sur les ombres qui, lorsqu'elles atteignaient et dépassaient l'arrondi entre le mur et le plafond, brusquement s'allongeaient ou s'élargissaient, ne tendit pas loin le bras dans le temps ni dans l'espace. Il écarta seulement de la main l'obscurité des dernières heures, et il eut devant lui, l'un contre l'autre, la mère et Paul.

Abel s'était arrêté net devant eux qui ne bougeaient pas, de sorte que l'enfant, tenant ce petit groupe dans la main, n'eut pas besoin d'en suspendre la vie, même pendant une seule seconde. Il retrouva intact ce sentiment de détresse qu'il avait éprouvé.

Les trois personnages étaient dans le creux de sa main, isolés par une foule de gens indifférents, et, entre le café et le trottoir, était tendu un rideau de pluie. Abel, allongé dans son lit, était le maître de ces trois personnages. Il aurait pu en tirer les ficelles, leur faire prendre l'attitude qu'il désirait, les diriger à son gré.

Mais il se trouvait que la mère, rompant tout à coup l'immobilité du groupe, avait fait un pas vers Abel et lui avait tendu la main.

— Comment ferons-nous pour rentrer? avait-elle dit.

La voix de la mère, comme si elle avait été une goutte d'un liquide magique, avait rendu sa limpidité à l'atmosphère qui entourait Abel. L'odeur, la couleur, le bruit de la ville avaient retrouvé leur intensité et leur tonalité particulières.

Abel n'avait plus été perdu; il se réveillait d'un cauchemar.

— Attendez-moi une minute, avait dit Paul.

Si Abel avait été le maître des événements — comme il l'était le matin dans son lit — les heures qui avaient suivi auraient été un peu différentes. Paul ne serait pas revenu.

Il s'était montré presque tout de suite à la portière — puis ouvrant cette portière et courant vers le café — d'un coupé noir qui s'était arrêté à la bordure du trottoir.

— Venez, avait dit Paul. J'ai une voiture.

— Mais où allons-nous?

— A la plage.

— C'est fou. Avec ce qui tombe!

— La pluie va cesser.

Cette promenade à la mer, avec ce vent du sud-est chargé d'eau, Abel l'aurait inscrite dans sa rêverie.

Paul avait entraîné par le bras la femme qui des deux mains soulevait sa robe, et Abel avait suivi. Ils avaient traversé, sans pouvoir éviter d'être éclaboussés, le trottoir qui reflétait le ciel. Sous le capuchon du manteau on ne voyait que le nez et la moustache blanche du cocher qui regardait venir vers lui ces singuliers clients. Ils s'étaient jetés dans la voiture.

S'il l'avait pu, comme un artiste fait d'un dessin qui ne le satisfait pas, Abel aurait écarté le temps que le fiacre avait mis à gagner le Rond-Point du Prado.

La poussière de l'eau qui se brisait sur l'asphalte, contre la voiture, sur le cocher, sur les vitres ternies par la buée, enveloppait le coupé obscur. Raidi, immobile sur l'étroite banquette qui lui faisait tourner le dos à la route, Abel n'avait cessé de regarder, difficilement discernables dans la fumée de la cigarette de Paul, les deux ovales pâles en face de lui, qui s'approchaient l'un de l'autre, s'éloignaient, s'approchaient encore, se confondaient.

Le Rond-Point dépassé, le bruit de l'eau sur la boîte avait cessé, une lumière s'était allumée sur l'asphalte jaune, et l'homme avait abaissé les glaces.

A la Plage, il ne pleuvait plus. On s'était arrêté. Paul avait voulu descendre de la voiture, marcher un peu, et la femme, qui d'habitude craignait l'eau et le vent, avait accepté.

Abel avait été surpris par l'odeur et par le goût de la mer. Il ne savait pas que la mer possédait une odeur et un goût. Il ne les avait jamais sentis et Mathieu n'en avait pas parlé.

Il n'y avait personne autre sur la Plage que cet homme et cette femme qui se tenaient par le bras comme pour mieux résister au vent contre lequel ils marchaient, que cet enfant, le béret à la main, les cheveux fous, le visage haut, qui les précédait, et un fiacre dont le noir tournait au vert, dans le fond, avec son cocher complètement couvert d'un vieux manteau, qui étalait un sac sur les côtes usées du cheval triste.

A l'horizon, une raie de flammes rouges — toujours cet incendie qui ravageait la crête de la colline — séparait l'eau des nuages, et l'eau et les nuages s'écartaient comme les branches d'un compas, comme les pages d'un livre entr'ouvert. Abel, au-dessous des nuages, marchait vers la raie des flammes, se dirigeait vers la mer vert-de-gris, boueuse près de la côte, qui, soulevée par le coup de vent, se ruait, se brisait contre elle-même et entourait l'enfant de sa poussière.

Il regardait ses mains couvertes d'eau. Il essuyait de ses mains son visage ruisselant. De la langue, il cueillait les gouttes salées sur ses lèvres. « Ah! Que c'est bon! se disait-il. Qu'elle a bon goût! Qu'elle est fraîche! »

Il n'avait pas entendu la mère l'appeler. Elle avait dû courir, le joindre, le prendre par la main, l'entraîner vers le fiacre et, dans la voiture, elle l'avait fait asseoir contre elle, en face de Paul.

« Il aura pris froid. »

Ce qui avait suivi avait troublé Abel. Il avait conscience que les événements s'écartaient de la ligne qu'il leur aurait fixée. Ils s'en écartaient et la rejoignaient. C'était la présence de Paul — toujours là — qui avait troublé Abel. Pourtant...

Paul s'était occupé de lui. Il avait été gentil avec lui. Un peu avant d'atteindre le Vieux-Port, tendant le bras vers le soleil qui entre la couche basse des nuages et la colline violet fané se montrait sous la forme d'une énorme orange, il lui avait dit : « Regarde ça. »

Les toits et les façades des maisons du port, le pavé des quais, les ponts, les cheminées, les mâts, les coques des navires et l'eau elle-même, dont les couleurs avaient été avivées par la pluie, paraissaient avoir été vernies.

Paul, encore, avait fait tourner l'enfant vers l'est où, au sommet d'une rue étroite, en auréole au-dessus de deux maisons décrépites, un arc-en-ciel développait son double cercle magique.

Un peu plus tard, Abel avait bu du vin par petites gorgées, que Paul lui versait. Le palais en conservait encore le goût un peu sucré, mais de ce qui s'était passé ensuite l'enfant n'avait gardé qu'un souvenir confus. En s'efforçant de se le rappeler il éprouvait un malaise.

Le vin avait échauffé Abel, lui avait fait perdre un peu l'esprit, avait dénaturé tout ce qu'il avait entendu et vu. Il n'avait plus su ce qui était vrai et ce qui était faux, ce qui était bien et ce qui était mal.

Paul l'avait interrogé. Que voulait-il manger? Quel âge

avait-il? D'où venait-il? La mère avait parlé de l'enfance
d'Abel, avait raconté encore comment elle l'avait trouvé
à demi mort de faim et l'épisode du renard éventré et
crucifié par Gilles. Elle avait prononcé une fois de plus
les mots : saleté, sauvage, sale chien, couché avec les
bêtes.

Elle parlait avec un éclat, un brio, qui faisait se tourner
les clients du restaurant. Elle s'échauffait. Elle buvait d'un
trait les verres de vin que lui servait Paul. Elle ne mangeait pas mais dévorait. En chemisier rouge, le cou, le haut
de la gorge et les bras nus, l'épaisse chevelure noire en couronne, la bouche écarlate, les yeux élargis et assombris,
elle avait la beauté et l'éclat d'un dahlia rouge-sang.

Abel écoutait, répondait par monosyllabes et buvait,
quelques gouttes chaque fois. Il voyait la maison du pays
sauvage et, dans la maison, Gilles assis devant la cheminée, Brebis allongée sur les dalles, les chèvres dans le fond
qui regardaient le feu, et lui-même qui lisait la Bible à
haute voix. Encore, il voyait l'immense plateau, les ravins,
le village au bas de la falaise, la chapelle ruinée sur une
marche de laquelle il s'était assis pour attendre Mathieu,
et l'ancien marin marchait le long d'un minuscule sentier
dans la vallée noire.

Il avait eu tout cela devant les yeux dans le même
moment et, encore, la mère à sa gauche et Paul à sa droite.
C'était la mère qui évoquait le pays sauvage mais en le
déformant. Dans le cœur de l'enfant, le pays sauvage
s'était inscrit par de la lumière, de la chaleur, de la beauté,
et elle le rendait sombre, froid, laid.

Abel buvait, et le vin le troublait. Tout était donc mal
au pays sauvage? Le pays sauvage était donc le mal?
Mathieu parlait à Gilles de la mer. Il levait le bâton au-
dessus de la tête. « N'oublie pas. » Et Sultane, le poil collé
par la glace, qui était venue chercher du secours. Le grand
feu que Gilles avait allumé et le cadavre du navigateur
qui reprenait l'apparence de la vie. Tout était mal; la
mère l'affirmait.

Abel n'arrivait pas à comprendre. Il avait dormi avec
les bêtes, et de cela il avait éprouvé et conservé une sensation d'intimité, de solidarité animale, de sécurité, qu'il
traduisait par ces mots seulement : « C'était bon. » Mais
quand la mère disait : « Il dormait avec les bêtes », c'était
mal.

— Tu as assez bu comme ça, avait dit la mère. Il faut aller se coucher.

Il ne tenait plus sur ses jambes. La femme l'avait soutenu par la main jusqu'à la maison.

Abel ne parvenait pas à mettre de l'ordre dans la confusion de son esprit. Il ne lui était pas facile de distinguer nettement ce qui, la veille, lui avait été agréable de ce qui lui avait déplu. Une chose était certaine : la présence de Paul avait été la pincée de sel jetée par mégarde dans une crème, et la crème est immangeable.

Cet homme avait une influence sur la mère. Lorsque celle-ci s'était approchée de Paul au café, la fébrilité qu'elle n'avait pu cacher pendant les préparatifs et la course avait disparu. Pour cela, la femme n'était pas redevenue normale. Elle avait été comme l'héliotrope dont la fleur suit le soleil dans son mouvement. Toujours tournée vers Paul, s'approchant de lui, attirée par lui, le touchant, elle se détachait de tout ce qui n'était pas cet homme. Elle s'était détachée d'Abel. C'était cela que l'enfant avait perçu, et seulement perçu, et dont il avait souffert.

Cependant, au café, elle avait tendu la main à Abel et, encore, après l'arrêt à la Plage, elle l'avait pris contre elle. Mais, au restaurant, parlant du pays sauvage, elle l'avait diminué, sentait-il obscurément, et en présence de Paul qu'il n'aimait pas.

Etourdi par le vin, il avait mieux apprécié la sollicitude de la mère qui l'avait déshabillé, étendu dans le lit et couvert, avec des gestes affectueux, de douces paroles. « Il est chaud. Ce vin l'aura fatigué. » Pourquoi avait-il fallu que Paul, dans la chambre d'Abel, assis sur l'unique chaise, la cigarette aux lèvres, les jambes croisées, assistât à cette scène?

« Va-t-il demeurer dans notre vie? se demandait l'enfant. Allons-nous encore le rencontrer, aujourd'hui, ou demain, ou dans trois jours? Il pourrait ne plus se trouver sur notre chemin. Peut-être ne le verrons-nous plus, jamais. » Abel désirait si vivement la disparition de l'homme (rien ne lui paraissait impossible) qu'il ne songeait plus que la femme était allée vers cet homme, qu'elle était attirée par lui, qu'il avait oublié cette inquiétude que lui donnait les changements de la femme, la scène de la femme inconnue dressée devant lui, et jusqu'à son projet de retour au pays sauvage. Si Paul disparaissait aussi soudainement qu'il était apparu, tout serait bien.

A ce moment-là, il entendit juste au-dessus de sa tête, dans la chambre de la mère, un pied — un pied nu — se poser sur le carrelage, puis, tout de suite après, un second pied. Dans cette maison les bruits venant du bas, sauf ceux de l'escalier, étaient absorbés avant d'atteindre Abel. Il semblait que toute la partie basse de la maison, à l'exception de ce puits vers la porte d'entrée, fût muette, ou morte, ou frappée de paralysie. La partie basse ne vibrait pas, ne résonnait pas. La maison ne paraissait avoir d'autres habitants que la mère, Abel et les visiteurs. Mais le haut, la chambre de la femme, était une cloche d'argent, une harpe éolienne, une boîte à musique dont l'enfant connaissait chaque note, celle du verre heurtant le plateau, du bijou posé sur le marbre de la toilette, du collier d'or logé dans la bonbonnière de cristal, de l'allumette frottée contre une semelle de cuir, de l'eau coulant dans la cuvette.

Le cœur d'Abel marqua un arrêt et l'enfant fut certain que Paul était dans la chambre de la mère, que c'était son pied nu qui s'était appuyé — plus lourdement que ne l'aurait fait celui de la femme — sur le carrelage.

Deux ou trois secondes plus tard — et l'enfant avait suivi la marche des pieds sur le tapis d'abord, sur les tomettes ensuite — une main souleva l'espagnolette et repoussa les volets. Puis la mère parla... et Paul répondit. Ce qui se disait dans la chambre, jamais Abel ne l'avait compris. A l'enfant ne parvenait que la musique des voix, leur forme générale, leur ton, leur sonorité, leur volume, leur enveloppe. Les mots qui donnaient un sens à cette musique, se perdaient étouffés dans le labyrinthe des bois, des papiers, des rideaux, des vêtements, des mille objets posés sur les meubles, enfermés dans les tiroirs, suspendus au plafond.

Paul était là, à une heure où jamais encore l'enfant n'avait entendu un homme dans la chambre de la mère.

Abel, bouleversé, se mit à trembler légèrement. Maintenant, quelle allait être leur vie, sa vie? La mère, Paul et Abel n'allaient-ils plus se quitter? Paul se trouverait-il à toute heure entre la mère et l'enfant?

Il se leva et s'habilla. Au-dessus de lui, l'homme faisait les mêmes gestes. Paul avait soulevé une jambe, puis l'autre (Abel entendait le bruit du pied nu qui se reposait

sur la peau de renne et s'y appuyait plus lourdement,
tandis que l'autre pied se glissait dans la jambe du pantalon). Il s'était assis sur la chaise pour se chausser. Et
tandis que l'homme se rafraîchissait et se vêtait, Abel dont
l'émotion accentuait encore les revirements soudains de son
âge, nourrit l'espoir insensé que l'homme partait... partait
pour ne plus revenir.

Il alla à la porte de sa chambre et la ferma à clef, sans
réfléchir à ce qu'il faisait, dans un geste automatique de
défense, pour mettre entre lui et Paul un obstacle. Mais il
ôta la clef de la serrure, s'accroupit et dès que la porte de
la chambre de la mère s'ouvrît, plaça l'œil à la serrure.

Paul était un homme qui ne précipitait pas ses mouvements, qui descendait les escaliers lentement, qui ne soulevait un pied que lorsque l'autre avait trouvé sous lui un
appui solide. Paul était un homme qui prend ses précautions contre un danger possible.

Il se montra à Abel de l'autre côté de la porte comme on
voit les saints dans les églises. Le canon de la serrure
découpait dans l'escalier une sorte de niche dans laquelle
s'inscrivit Paul, la cigarette à la bouche, les yeux cachés
par le chapeau de feutre, l'imperméable roulé et jeté sur
l'épaule gauche. Dans la lumière pâle du vitrage qui éclairait la cage d'escalier, il s'arrêta le temps d'allumer la
cigarette, et la flamme sortit un instant de l'ombre du chapeau le long visage au regard dur.

Peu après, Abel grattait à la porte de la mère, l'ouvrit
sans attendre de réponse et s'avança vers le lit. Sans qu'il
le sût, il allait chercher sur le visage de la mère une certitude, quelle qu'elle fût.

« C'est toi? » dit-elle. La femme était blanche comme
jamais Abel ne l'avait vue. Elle semblait avoir été blessée,
avoir perdu tout son sang. Elle tira les bras nus de dessous les draps et posa les mains sur les yeux, les paumes
en dehors. « Le jour me fait mal. Tire les volets, veux-tu? »
Abel n'obéit pas tout de suite. La mère se refusait à délivrer l'enfant du doute. Elle lui dérobait son visage. Elle
le découvrit et pendant une longue minute, la femme et
l'enfant demeurèrent face à face.

Abel ne reconnut ni la mère, ni la femme étrangère que
parfois elle devenait. C'était encore autre chose, une autre
transformation qui fit penser l'enfant à Mathieu mort.
Les traits avaient été remodelés par une grande chose

intérieure, comme ils sont remodelés par cette grande
chose intérieure qu'est la mort. Les joues et les tempes
s'étaient creusées, les yeux s'étaient cernés si bas que la
tache s'étendait jusqu'aux ailes du nez. La bouche était
détendue, molle.

— Mère, dit Abel, ne te lèves-tu pas?

Les yeux de la femme n'avaient plus de forme. Ils étaient
une espèce d'eau noire et sans reflet au fond d'un puits que
la lumière n'atteint pas.

— Mère, dit encore Abel, veux-tu que j'aille chercher
du café?

La femme détourna la tête. « Non, Abel, laisse-moi.
Va-t'en. Fais ce que tu veux. Prends de l'argent dans mon
sac. Va-t'en. »

Abel comprit qu'il n'était pas chassé mais rendu à la
liberté, qu'à partir de cette heure il pourrait faire à Marseille ce qu'il voudrait, aller où bon lui semblerait, fré-
quenter qui lui plairait, sortir et rentrer à l'heure qui lui
conviendrait, que dorénavant il ne serait plus question
d'école.

Si, un jour précédent, la mère, même dans un de ces
mouvements où elle n'était plus la même femme, avait
prononcé les mêmes mots : « Fais ce que tu veux. Va-
t'en », Abel leur aurait donné une signification passagère,
se serait éloigné et retiré dans sa chambre pour une heure
ou deux. Mais regardant les yeux de la mère, il avait eu
l'intuition d'une rupture, d'un changement profond. En
même temps, il avait senti qu'il n'était pas écarté définitivement, pas mis en dehors de la vie de la mère, que sa
mère ne le rejetait pas, mais qu'il allait vivre avec elle
ainsi qu'il avait vécu avec Gilles. Et si Gilles, parfois, le
chargeait d'une mission (pas dans les premiers temps, plus
tard lorsqu'il avait pris l'habitude de lui parler) : « Fais
le tour des trappes, moi, je vais d'un autre côté », le plus
souvent il ne se souciait pas des courses de l'enfant.

La mère insista. « Prends de l'argent dans mon sac. »
Un peu raide, Abel fit demi-tour, s'approcha de l'armoire,
l'ouvrit, plongea la main dans le sac et en retira une poignée de sous. Puis, toujours avec une allure d'automate,
il se dirigea vers la fenêtre et en tira les volets.

Il était tout autant ébranlé et tout autant ébloui que
lorsque au pays sauvage la mère lui avait dit : « Je t'em-

mène. Tu vivras avec moi, à Marseille. » Son existence
était formée de grands plans : le pays sauvage, l'intimité
avec la mère, qui disparaissaient l'un après l'autre. Libre,
il allait être libre! Quelle serait cette liberté? Que lui
apporterait-elle?

Les volets tirés, il lui fallait longer le lit, et il n'osait pas
regarder la mère. Il avança lentement, et jamais route ne
lui avait paru aussi longue à parcourir que ces deux
mètres. Il atteignait la porte lorsque la mère lui dit :
« Embrasse-moi. » Il posa les lèvres sur le front de la
femme, et il savait bien que les bras ne le saisiraient pas
comme de coutume, qu'il ne serait pas attiré et pressé
contre le corps chaud et amolli par le sommeil; une femme
dont le visage est semblable à celui de Mathieu mort est
froide et se laisse embrasser.

Quelques minutes plus tard, Abel rentra chez le bistrot
où tous les matins il allait chercher le déjeuner. « Tu n'as
pas ton pot, aujourd'hui? » « Non, je n'ai pas le pot. »
« Ta mère est-elle malade? » « Non, elle n'est pas
malade. » « Que veux-tu? » « Un café-crème. » Le patron
emplit de café et de lait un long verre étroit et le posa
sur le zinc, devant Abel dont la tête dépassait juste le
comptoir. « Je veux aussi un croissant. »

Allant chez le bistrot, l'enfant s'était approché de ce
qui l'attirait. Il savait ce que la liberté lui apportait et
pourquoi sa tristesse n'était pas aussi grande qu'elle aurait
dû l'être, pourquoi, encore, ne pensant plus à la présence
de Paul et s'efforçant de ne plus voir les yeux de la mère,
il avait été ébloui.

Il mangea le croissant jusqu'à la dernière miette, jeta
quelques sous sur le comptoir, puis courut d'une traite jusqu'au quai, jusqu'au bord de l'eau.

Plus de cent fois, Abel était allé d'un bout à l'autre
du port, jamais il ne l'avait vu ainsi. Pour bien voir le
véritable visage des choses, il fallait qu'Abel fût seul. Un
contact, une présence, le troublaient. Lorsque la mère le
conduisait par la main, il éprouvait une retenue, une
contrainte. Lorsque au pays sauvage Abel accompagnait
Gilles dans ses courses, il ne voyait pas par ses propres
yeux, n'entendait pas par ses propres oreilles, mais par les
yeux et les oreilles de Gilles.

Souvent, aussi, Abel s'était trouvé seul sur le port. Mais

avec dans la tête l'écho des consignes : « Ne t'attarde pas.
Ne t'approche pas de l'eau. Ne parle pas aux enfants qui
t'interpellent. »

Tandis que, ce jour-là, la mère s'était effacée tout à
fait. « Fais ce que tu veux. Va-t'en. »

Abel s'assit à même la dalle, face au port. C'est une
position que la veille il n'aurait pas osé prendre ailleurs
que dans sa rue, sur le trottoir de sa propre maison. Mais
il était libre, n'est-ce pas ? La mère avait consenti qu'il
vécût à sa guise.

Il regarda l'eau entre ses pieds écartés ainsi qu'autrefois
il regardait le village au bas de la falaise. L'eau est belle,
vue ainsi, entre les souliers d'un jeune garçon qui tout à
coup est libre, surtout lorsque ce jeune garçon connaît
déjà cette eau par ouï-dire, en connaît l'ampleur, l'importance, la puissance, par les récits de Mathieu. C'est une
sorte de rendez-vous qu'il a avec cette eau, c'est un premier contact qui s'établit, une liaison qui commence.

Le garçon ne pense pas. Il regarde l'eau qui va et qui
vient, qui est transparente, à travers laquelle on voit le
fond verdâtre fait de vase, de pierres, d'assiettes cassées,
de coquilles d'huîtres. Mais c'est l'eau qu'il regarde, son
mouvement, sa vie, et lorsqu'il l'a aperçue pour la première fois, l'enfant a pensé que la mer était semblable
à un feu, qu'elle était un feu. Les yeux sur l'eau, sans le
penser, sans se le dire, il le croit encore. Il croit que la
mer est un immense brasier, et là, cette eau, qui va, qui
vient entre ses pieds, cette eau qui entoure les barques de
pêche (au fur et à mesure, le regard de l'enfant se déplace),
les soulève, les fait se cogner l'une contre l'autre, cette eau
que l'étrave d'un remorqueur repousse et roule sur elle-
même comme si elle était un drap, que l'hélice du
remorqueur fait neiger, qui s'étale comme un miroir au-
dessous de ce voilier, mais un miroir qui a des défauts, qui
est aussi un peu terni, de sorte que l'image du voilier n'est
pas nette mais déformée, mais étirée et sans limite précise,
que les couleurs de l'image sont fanées, moins vives que
celles du voilier, (Et il semble que le reflet est l'image
spectrale du navire.) cette eau qui, après le passage d'un
chaland, s'est creusée et aplatie formant comme une
digue au milieu du port, cette eau qui, ici, apparaît molle
et gluante comme de l'huile, qui, là, semble couverte
d'écailles argentées, cette eau sans couleur entre les pieds

de l'enfant, qui est rouge, vert sombre et noire dans les ombres des bâtiments, qui, du côté de la passe, a la couleur du ciel et, au fond du port, celles des maisons, est une flamme de ce brasier.

Au bout d'un long moment, Abel se mit debout, frotta de ses mains le fond de son pantalon et se dirigea, suivant les dalles du quai, très près de l'eau, vers le fond du port. Jeté hors de la maison par le cri de la mère, il ne s'était pas coiffé de son béret, ne s'était pas lavé le visage, n'avait pas peigné ses cheveux, ni boutonné sa chemise, ni lacé ses souliers. Qu'importait? Au pays sauvage, il sortait nu-tête, les cheveux en broussaille, le visage sale, la chemise ouverte. Maintenant, il était comme au pays sauvage.

Il posa le pied gauche sur une bille de bois et laça son soulier, puis il laça le soulier droit. Il s'assit sur la bille. Il se trouvait dans l'ombre d'une longue barque noire et rouge montée sur un échafaudage et étançonnée. A côté de lui, sur un feu de bois, un liquide épais et noir clapotait dans une marmite. Contre le flanc de la barque, une échelle était posée. Sur le pont de la barque, si haut qu'Abel levant la tête ne le voyait qu'à moitié, un vieil homme travaillait, le dos courbé.

Le soir de son arrivée au pays sauvage, Abel n'avait pas su tout de suite qu'il serait libre. D'ailleurs, ce jour-là, il ne connaissait pas encore la liberté. Partout où il avait vécu il avait subi des contraintes. Les femmes, qui successivement s'étaient chargées de lui, s'étaient toutes imposées par des consignes. « Ne te mouille pas les pieds. Ne salis pas tes vêtements. » Cela dit, les mots forment une corde nouée à la porte de la maison et à votre taille; quand la corde est tendue, on s'en revient.

Laissé seul avec Gilles, Abel avait attendu les consignes. Mais Gilles s'était contenté de le tâter comme un jeune chien et lui avait appris l'appel auquel il devait répondre. Un appel n'est pas une consigne mais un moyen de communication. Au pays sauvage, le ventre, le corps, le ciel commandaient, non pas Gilles. La faim devant, la nuit derrière, Abel rentrait à la maison où Gilles, déjà là, graissait ses souliers, puis les posait assez près du feu pour qu'ils sèchent et assez loin pour que le cuir ne se racornisse pas. Gilles ne lui avait pas dit : « Fais-en de même », mais, par la suite, lorsque Abel se mouillait les pieds, il graissait ses souliers et les plaçait à bonne distance du feu.

Le premier jour où la liberté avait commencé au pays sauvage, Abel, de même qu'il était là, au Quai du Port, les fesses sur une poutre, s'était assis devant la maison en ruine, sur une pierre. Gilles et la chienne étaient parties, les bêtes dispersées. Qu'allait faire Abel? Sur la droite, se creusait la profonde vallée qu'il avait franchie pour atteindre la maison, au delà de laquelle au sommet de la haute colline se trouvait le village d'où il venait. Devant lui, à dix mètres, il y avait le trou dans lequel il s'était jeté, plus tard, le jour où à la suite de Brebis il était parti à la rencontre de Mathieu. Ce ravin franchi par le regard, l'enfant avait devant lui une image coupée en deux par une diagonale, de gauche à droite, le ciel au-dessus de la diagonale, la terre au-dessous; il avait devant lui la croupe d'une colline grise qui descendait de gauche à droite, et, sur la droite, dans le fond, très loin, au delà de la croupe, se distinguait, comme dans un creux de main, une très vaste plaine. La muraille du plateau bornait la vue à gauche.

Abel, assis sur la terrasse devant la maison de Gilles, avait été un naufragé sur un rocher en un point de l'océan où les eaux se divisent. Dans quel courant allait-il se jeter? A la terrasse faite de grosses pierres enfoncées dans la terre, aboutissaient et se confondaient des sentes étroites, des pistes tracées par les pattes de Brebis et les sabots des chèvres, de larges chemins de roches roses, qui n'étaient que des passages d'eau à la saison des pluies. Lequel de ces chemins, de ces pistes, de ces sentes, suivrait-il?

Sur le Quai du Port, assis à côté et presque au-dessous d'une barquette qu'un vieil homme réparait, l'enfant se posait la même question. Il ne se trouvait pas à un carrefour. Il avait pris pied sur un îlot que les lames battaient. Il était moins ignorant qu'au pays sauvage; il connaissait la liberté; Marseille s'était un peu dévoilée; il voulait aller à la mer. Mais la mer était là, à côté de lui. Elle était devant lui, derrière lui. Elle était encore de l'autre côté du port. Il n'y avait pas de sentiers, pas de pistes tracées.

A quelques pas, un batelier, à petits coups d'avirons, maintenait la poupe de son embarcation contre le quai. Des femmes déjà avaient embarqué, s'asseyant l'une d'un côté, l'autre de l'autre, et, après s'être assises, elles avaient jeté un sou dans la casquette du marin posée sur le banc central. Abel, se décidant tout à coup, sauta dans la barquette, jeta son sou et s'accroupit au fond. Jamais la mère n'avait voulu qu'il traversât ainsi le port. Elle disait : « On attrape des poux dans ces bateaux. » Et, encore, parlant des marchandes de poisson qui les utilisaient : « Elles sentent mauvais. Jamais, elles ne se lavent. » Mais, maintenant, Paul était entré dans leur vie, Abel avait entendu le pied nu de Paul sur le carrelage, et la mère s'était écriée : « Fais ce que tu veux. »

Abel ne voyait pas les femmes, ne les entendait pas, et leur odeur était bonne, celle du poisson et de l'eau du port. Il pensait à Gilles et à Mathieu, à Mathieu surtout. Il pensait à tout ce que Mathieu avait dit de la mer, et les paroles de l'homme avaient créé dans le cerveau vierge de l'enfant des images fantastiques. L'eau, la masse d'eau dans son calme et ses tempêtes, le peuple de la mer, les navires, les ports, avaient pris une forme, une couleur, une intensité, qu'ils ont parfois dans les rêves. Abel avait conservé intacte cette vision, et la réalité s'adaptait à sa vision.

La mer ne pouvait pas être — et n'était pas — autre qu'elle s'était montrée à Abel les nuits où, agenouillé sur sa couche, près du feu, il avait écouté Mathieu.

Un matin, l'enfant était parti conduit par la chienne, à la rencontre de Mathieu, et Mathieu c'était la mer. Avant de prendre contact avec lui, Abel avait eu l'intuition que l'homme était chargé d'un secret, et ce secret c'était la mer. Après le repas du soir, les deux montagnards s'étaient déchaussés. (On est bien ainsi, les pieds à l'aise, près du feu, la toiture basse jetée au-dessus, comme une large couverture entre vous et l'obscurité, le froid, le vent, l'humidité de la nuit et toutes les choses inconnues qui sont dans la nuit) et Mathieu avait parlé de la mer. Alertés par la chienne, Gilles et Abel étaient partis vers Mathieu qu'ils avaient trouvé mort et soudé par le froid au dallage de la cuisine. Alors, avait commencé cette nuit extraordinaire. Gilles avait fait cet énorme feu, et Abel s'était trouvé — vraiment trouvé — dans la chaufferie d'un navire. Jusqu'au lever du soleil — et à la chaleur intense avait succédé un vent noir chargé de froid ainsi qu'il souffle en mer — Abel avait vécu — vraiment vécu — en plein océan.

Cette image, mystérieuse, fantastique, dramatique, de la

mer qui s'était formée ainsi dans son âme, Abel l'avait
apportée avec lui. Elle était si puissante qu'elle recouvrait
le vrai visage de la mer.

Le port traversé, Abel alla de l'avant, sans but mais
comme guidé, sans s'arrêter longtemps, sans éprouver
d'étonnement, se déplaçant dans le monde qui lui avait été
révélé par Mathieu. Au Quai de Rive-Neuve, un navire
manœuvrait pour accoster. Sur son gaillard d'avant, trois
matelots filaient par le chomard une amarre dont un batelier avait saisi la boucle. Déjà une ancre était mouillée
dont on mollissait la chaîne; à l'arrière une autre équipe
s'occupait à écarter un chaland qui aurait pu être dangereux pour l'hélice. Abel passa.

A quelques mètres, un remorqueur s'écartait, décollant
du quai trois mahonnes. Le filin d'acier s'était tendu entre
le petit vapeur et la première mahonne, puis entre la première et la deuxième, puis entre la deuxième et la troisième. A l'arrière de chaque bâtiment, faisant le même
geste, un homme appuyait de tout son poids sur la longue
barre. Abel marchait toujours.

De l'autre côté de la large chaussée, trois boutiques
s'ouvraient toutes grandes, l'une à la suite de l'autre; elles
aussi faisaient partie du port, c'est-à-dire de la mer. Dans la
première, on réparait un puissant moteur enlevé d'un
navire. Dans la deuxième, on façonnait les bordés d'une
barque de pêche qui avait été transportée là et placée sur
un échafaudage. Dans la troisième, étaient exposés, pour la
vente, des ancres, des grappins, des grelins, des fanaux,
des ballons d'osier, des cosses.

Abel retraversa la chaussée. Un étroit plancher long
d'une vingtaine de mètres, fait de radeaux, était posé sur
l'eau du port, de chaque côté duquel étaient amarrées par
la proue cinq ou six embarcations de pêche. Noires et
rouges, elles portaient un mât court, légèrement incliné, à
l'extrémité duquel, dans l'épaisseur du bois, se trouvait une
poulie. Une vergue plus longue que le mât et plus longue
que le bâtiment reposait sur le pont. Un crochet au bout
d'une drisse soulevait le filet que les pêcheurs assis sur les
bancs réparaient.

Sans jamais s'arrêter plus longtemps que quelques
minutes, sans rien examiner par le détail, Abel avançait,
s'enfonçant dans le monde de la mer. Il entendait la voix
de Mathieu : « Tu te souviens, quelle allure il avait, la

coque noire, ses deux tuyaux à bandes rouges! Tu te rappelles, les larges rues de chauffe? On avait de la place
pour envoyer le charbon dans la gueule du feu. »

Autrefois, la voix de Mathieu avait accompli ce miracle,
dont l'enfant avait été le témoin : sans en modifier les
traits, sans en effacer les rides, sans en remplir les creux,
elle avait rendu au visage de Gilles l'apparence qu'il avait
eue vingt ans plus tôt. Ce jour-là, sans déformer une ligne,
sans donner plus ou moins d'ampleur à une forme, sans
changer la nature des objets et des hommes, au delà du
monde réel elle bâtit un autre monde.

« Avec ses trois ponts, ses longues coursives. »

Lourdaud, asthmatique, ventru, le vapeur côtier s'amarrait. Donnant toute sa puissance, le remorqueur du port
se gîtait pour décoller du quai les trois mahonnes grises,
incapables de se soulever à la houle. Au delà du vapeur
côtier, du remorqueur, des mahonnes, des embarcations
de pêche qui jamais n'avaient perdu la terre de vue, au
delà des tartanes posées sur le quai et étançonnées, s'inscri-
vaient dans le ciel, dans l'eau du port, sur les murailles des
forts, sur les façades des maisons dans lesquelles on remettait à neuf les moteurs et les barques, les silhouettes de ces
navires fantômes aux noirs tuyaux, aux ponts balayés par
les paquets de mer, aux tôles en même temps rougies par
la chaleur et recouvertes de glace. Etranges navires,
étranges bêtes, étranges villes flottantes « autour desquelles l'eau montait bien au-dessus de nos têtes ».

« Tu te souviens. Quel marcheur, mais quel rouleur! »

Le vent qui soufflait du nord-ouest rendait légère et
fluide l'eau du port. Cependant... « Tu te rappelles, les
lourdes et longues lames grises de l'Atlantique du nord. »

Après deux heures de marche, non pas en ligne droite
mais brisée, après avoir fait trois fois le tour du bassin
de carénage, après avoir franchi l'eau sur un pont, longé
un mur dont le vent marin avait serti chaque pierre dans
une chape de sel, plongé dans chaque ondulation d'un
poussiéreux chemin défoncé, après avoir retrouvé devant
lui la mer qu'il avait laissée derrière, Abel s'assit sur un
rocher, face au large.

Il déchaussa ses pieds qui lui faisaient mal, mit ses
bas dans les poches et noua ensemble les lacets de ses souliers qu'il jeta sur une épaule. Il repartit. Les pieds des

hommes n'étaient pas parvenus à tracer une piste sur les
rochers. Là, les bêtes de la terre ne s'aventuraient pas,
l'herbe ne s'accrochait pas. Mais l'eau, faisant son mouvement de va-et-vient, lançait sa poussière, et sur la paroi
qu'elle touchait par moments et que la mousse marine
revêtait, une bête marine s'était logée.

Dans une maison au bord de l'eau, un homme vendit
des poissons frits et du pain à l'enfant qui, sautant d'une
roche à l'autre, n'hésitant plus à traverser un bras d'eau
qui aurait exigé un long détour pour être évité, marcha
pendant longtemps encore, jusqu'à ce qu'il atteignît cette
anse minuscule dans laquelle, le jour où pour la première
fois il avait vu la mer, un enfant se baignait.

Une pellicule d'eau vert amande recouvrait des pierres
plates gainées d'une mousse velouteuse. Abel posa ses souliers sur les galets, se déshabilla, avança vers l'eau, puis
dans l'eau jusqu'à ce qu'elle dépassât ses épaules. Brusquement, il y plongea la tête.

Quand il en fut capable il entendit des rires; sur les
galets, debout à côté de ses vêtements, deux jeunes femmes
le regardaient. Abel ressortit de l'eau du même pas qu'il
y était entré, se rhabilla, sans attendre que son corps
fût sec. Il plaça les souliers d'un côté et de l'autre de
l'épaule, regarda le soleil et prit la direction du port.
Une des femmes s'exclama : « Ah! celui-là. C'est un
numéro. »

Il atteignit le Vieux-Port à la nuit. Abel fit le tour de
la darse, marchant pieds nus, au bord de l'eau, sur les
larges dalles.

Le vent était tombé. C'était un calme soir de fin octobre,
avec un air léger, un peu frais, très chargé d'odeurs, ne
déformant pas les bruits. Abel tourna le dos au port,
franchit la première partie — très courte — de la rue
de l'Araignée, s'avança dans la seconde partie semblable
à un défilé ténébreux ouvert dans la montagne.

Seule, la blanche lumière de la lune qui touchait le haut
des maisons permettait de distinguer la fenêtre de la mère.
Abel entra sans faire gémir la porte, gravit les escaliers
sans bruit, passa devant sa chambre sans s'arrêter, écouta,
l'oreille posée contre la porte de la chambre de sa mère
et regarda par le trou de la serrure. « Elle n'y est pas, se
dit-il. Rentrera-t-elle tard? »

Il gagna sa chambre, lava ses pieds et son visage, se

coiffa, secoua la poussière de ses vêtements, nettoya ses souliers et se coucha.

Il avait voulu attendre éveillé le retour de la mère, mais il dormait lorsqu'elle s'approcha de son lit.

— Où es-tu allé? Allons. Lève-toi. Viens. Nous avons demandé... Nous t'avons acheté des gâteaux. « Est-il là? » « Qui donc? » « Paul. » « Non, nous avons vu ta fenêtre éclairée. Viens dans ma chambre. Nous mangerons les gâteaux. »

Elle l'enveloppa d'une couverture et, dans sa chambre, le fit asseoir sur la chaise-longue.

— Parle. Qu'as-tu fait, aujourd'hui?

Abel, un éclair au chocolat à la main, tournait la tête à droite et à gauche. Répondrait-il à la question de la mère. Mais tenait-elle à une réponse? Tenait-elle à savoir où Abel avait passé la journée? L'enfant n'en était pas si sûr. Il l'écoutait, et, dans ses phrases, la femme employait constamment le pronom nous : « Nous t'avons cherché... Nous avons pensé... Nous sommes allés. » Ce « nous », si souvent répété, était pour l'enfant aussi bouleversant que l'avait été le matin le bruit du pied nu se posant sur le carrelage. Ce « nous », revenant tous les trois ou quatre mots, imitait à s'y méprendre, pour l'oreille d'Abel, le bruit mou du pied nu.

« Pourquoi trembles-tu? » « Je ne tremble pas. » « Mais si, regarde ta main. Où es-tu allé? As-tu froid? » « Non, je n'ai pas froid. »

Abel reconnaissait ce léger mouvement de tout son corps qui faisait trembler le gâteau dans sa main. Il en avait été saisi le matin, lorsque Paul avait trahi sa présence.

Il tremblait de nouveau parce que Paul était là — il le sentait — invisible entre la mère et lui. Paul s'était emparé du corps et de l'esprit de la femme. Il était dans sa bouche. « Nous t'avons cherché... » Elle s'était habillée et parée pour lui. Elle avait passé la journée avec lui.

La femme croit être maîtresse de son attitude, de ses gestes, de ses paroles, mais l'enfant la sent liée. Il voit derrière elle Paul semblable à l'homme qui fait s'agiter et parler le guignol. Il voit la mère comme un guignol, n'étant plus qu'une tête de plâtre creuse, avec une longue robe, deux bras et deux mains de plâtre aussi, et Paul a passé sa longue main dans la robe. Il fait s'écarter les bras, les fait se réunir, se lever, s'abaisser. Il fait tourner la tête un peu à droite, un peu à gauche. Il la fait se pencher sur la poitrine et se rejeter en arrière. Paul parle par la bouche de la mère, par la bouche de la tête de plâtre creuse.

« Dis-moi. Où es-tu allé? » Pourquoi Abel répondrait-il? Il voit bien qu'en posant la question, la femme pense à autre chose. Il a vu un nuage dans les yeux de la mère, c'est que Paul est là.

En même temps, Abel redoutait l'arrivée de Paul. Est-il tard? Quelle heure est-il? Il saisit sur la poitrine de la mère la montre qu'elle portait suspendue au cou. Il regarda l'heure. La femme se trompa au geste. « As-tu sommeil? » Abel se demandait : « Est-il assez tard pour que la visite de Paul ne soit plus possible, cette nuit? Allons-nous être seuls jusqu'à demain matin? »

Il écoutait, et un bruit de pas sur le mauvais pavé, le faisait sursauter. « Ne te déshabilles-tu pas? Ne te couches-tu pas? »

— Oui, je vais me coucher, et toi il faut descendre. « Laisse-moi rester ici encore un peu. » La femme fit sauter le bouton-pression de la ceinture de la jupe, entr'ouvrit le corsage, dénoua le lacet du corset, poussa un soupir d'aise.

— Veux-tu que je te déchausse. Attends un peu.

Abel se dirigea vers la tête du lit pour allumer la lampe de chevet. Le bruit de la porte d'entrée se refermant l'arrêta un instant.

— Déchausse-moi, si tu veux.

C'était une chose que l'enfant aimait à faire. Il s'assit sur le tapis, et la femme, dans le fauteuil, dégrafée, desserrée, la jupe soulevée jusqu'aux genoux, les bras pendants, immobile et silencieuse, ressemblait maintenant à un guignol que la main du montreur a abandonné. Abel délaçait d'une main légère la haute bottine.

« Je suis allé à la mer. Je ne t'ai jamais parlé de Mathieu. » « Non, qui est Mathieu? » « Mathieu est mort. C'était un ami de Gilles. C'était un marin. » « Mais qu'est-ce que tu as fait à la mer? »

Abel, qui tirait avec précaution sur la bottine, ne répondit que lorsqu'il tint dans la main le pied tiède. « Je me suis mis dans l'eau. »

Sa main gauche soulevait l'autre pied et ses doigts mettaient à l'aise la jambe. Il baissait la tête. Il s'attendait à une exclamation, à un cri, encore à ce que le pied lui fût brusquement enlevé de la main, et le pied demeurait comme privé de vie. Il leva la tête.

Toute molle encore mais déjà les traits tendus, la mère écoutait. Abel entendit un pas — celui de Paul — dans l'escalier. Et le corps de la femme — le corps en satin du guignol, dans lequel la main du montreur vient de se glisser de nouveau — se redressa, la bouche s'entr'ouvrit, les paupières se soulevèrent et la tête lentement se tourna — pivota — vers la porte que des doigts effleuraient.

S'il en avait eu le désir, Abel aurait pu, au printemps, par le sentier taillé dans le roc, descendre jusqu'au village au bas de la falaise, en parcourir les rues et être de retour à la maison de Gilles avant la nuit. Il ne l'avait pas fait. Sortant de la maison de la mère, Abel pouvait aller vers le bas ou vers le haut de la rue de l'Araignée, vers le Vieux-Port après avoir traversé la rue de la Fête, ou vers la grand'rue. Pendant des mois, il s'était toujours dirigé vers le Vieux-Port.

Là, encore, il s'était heurté à des frontières (peut-être était-ce la corde qui se tendait) qui lui avaient paru infranchissables. Jamais avant le jour où la mère lui avait donné la liberté, il n'avait passé l'eau. Jamais, non plus, vers le sud-ouest, il n'était allé au delà du point où, dans le port, s'amorçait le canal Saint-Jean.

Au milieu du vieux pont-levis, il s'arrêtait comme au seuil d'une ville interdite. A gauche, un étroit passage fait de dalles et de pavés, se glissait entre la haute muraille du fort et l'eau. De l'autre côté, une large chaussée encerclait les maisons étagées de la vieille ville qui se terminait là, en étrave. Devant l'enfant, dans le canal, deux ou trois bricks-goélettes italiens chargeaient de la ferraille. A cent mètres, de gros cubes de pierres agglomérées, placés là pour briser les lames soulevées par le vent du sud, formaient un mur au-dessus duquel Abel apercevait les fumées et les vapeurs qui se dégageaient des navires ancrés dans le « grand port ». Il semblait qu'on ne pouvait aller au delà mais, souvent, un marinier sautait dans sa barque abritée dans le canal, dénouait l'amarre, remontait le grappin, s'éloignait, longeant le flanc des voiliers et disparaissait. Le chemin était ouvert. Jamais Abel ne l'avait pris.

Mais, dans les semaines, puis les mois, qui suivirent ce jour où Paul était entré dans leur vie, ce jour encore où la mère lui avait donné la liberté, Abel ne se fixa plus d'autres limites pour ses courses que le temps et la fatigue.

Les pluies furent abondantes pour les fêtes de la Toussaint et des Morts et pendant la première semaine de novembre. Puis, le temps se remit au beau. Une fois encore, la mère parla de l'école mais plus du tout comme elle en avait parlé en octobre, et il ne fut plus question de cette école que l'enfant avait fuie. Abel comprit tout de suite que ce n'était pas sérieux. C'était la mère qui en parlait, non la femme étrangère.

— Les enfants de ton âge vont à l'école, avait-elle dit. Ça t'occuperait.

— Je sais bien m'occuper moi-même.

— Qu'est-ce que tu fais?

Il ne livrait pas à la mère toutes ses découvertes.

Un matin, sortant de la maison, il avait tourné à droite et, peu après, s'était engagé dans cette grand'rue bordée de boutiques et grouillante de gens, dont il ne connaissait que la partie basse.

A cent mètres au-dessous du débouché de la rue de l'Araignée dans la grand'rue, formant comme la base avancée de l'énorme hôpital qui dominait le quartier, s'élargissait une place formée d'un côté par des maisons cossues, de l'autre par une grille au delà de laquelle, creusées au-dessous d'un clocher flanqué d'un maigre cyprès poussiéreux, s'ouvraient deux cryptes humides mais échauffées et parfumées par les flammes des cierges qui brûlaient au pied d'une Vierge. Abel ne s'y était pas attardé mais, étant revenu sur ses pas, il avait suivi à contre-courant les ruisseaux qui dévalaient de la butte. L'image taillée dans la pierre d'un dauphin crachant de l'eau dépassée, il avait atteint une façon de clairière entre les maisons d'où il avait dominé la houle rosée des toits de son quartier aperçus à travers une poussière de fumée semblable à une poussière d'embruns. Il s'était avancé de quelques pas dans une rue plus large et s'était arrêté, comme, parfois, autrefois, au pays sauvage, il s'arrêtait à l'amorce d'une sente qu'il n'avait jamais suivie.

Ce n'était pas que l'inconnu qui l'avait immobilisé, puis fait retourner sur ses pas, mais l'intuition qu'il se trouvait dans un quartier de Marseille qui était l' « opposé » de celui qu'il habitait lui-même. Encore, il n'était pas loin de croire — sans raison — que l'exploration de ce quartier lui apporterait — à lui, Abel — « quelque chose de grand, de beau, de réconfortant ». Bien entendu, tout cela se traduisait chez l'enfant seulement par une espèce de trouble.

Plusieurs jours de suite, Abel parcourut ce même chemin et s'arrêta au même endroit. Peut-être était-ce uniquement pour noter les contrastes entre ce quartier et le sien.

Parfois, ayant fait quelques pas dans cette rue qui conduisait il ne savait où, il était frappé de face par un vent froid qui ne s'engouffrait ni dans la grand'rue, ni dans les vingt ruelles qui s'y amorçaient. Mais si le vent d'est qui lance l'eau contre les dalles du quai du Port l'avait aidé à gravir la colline, là il se trouvait soudain dans le calme.

Comme une marée, la lumière du soleil, jusqu'à midi, remontait le pavé gluant du quartier d'Abel, sans en atteindre le sommet. Elle se retirait d'un coup, enveloppait la butte par la base, ainsi que le rayon d'un phare enveloppe une falaise, puis, le soir, s'engouffrait par l'autre extrémité dans cette rue, sombre le matin.

Très sensible au jeu des vents et de la lumière, Abel, certains jours, se dirigeait vers le sommet de la butte avec le seul but de trouver le soleil ou l'ombre, selon l'heure, de fuir le vent d'est ou de se faire caresser rudement par le mistral. Mais il fut vite lassé par ce jeu qui ne le trompait pas et, un matin, après avoir marqué l'arrêt, il prit son élan et parcourut la large rue à toute allure, de bout en bout, jusqu'à ce qu'il fît face à la cathédrale.

Embrassant du regard l'énorme corps de pierre avec ses tours, ses coupoles, ses puissantes assises, ses portes monumentales, ses colonnades, ses ferronneries, ses sculptures, ses ornements d'or, il n'avait pas douté que c'était « cela » qui l'avait attiré, dont la présence, qu'il ignorait, dans ce quartier, l'avait troublé. Il s'était demandé : « Qu'est-ce que c'est ? » Mais il n'avait pas osé aller plus avant.

Quelques jours plus tard, entendant les cloches sonner, voyant des femmes, des hommes, des « curés », entrer en foule dans la cathédrale, il s'était dit : « C'est une maison de Dieu. » Il en avait fait le tour, de loin, ne la quittant pas des yeux, comme s'il se fût agi d'un animal monstrueux.

Il s'était mis à errer, le matin, le soir, dans le lacis des rues et des ruelles de ce quartier nouveau, cueillant sans y prêter attention d'autres différences, d'autres contrastes.

Aucun des enfants qu'il y rencontrait, avec lesquels parfois il se liait pour un jeu d'une heure, ne fréquentait le bas quartier du port. Aucun d'eux ne connaissait la rue de la Fête. Abel était, semblait-il, le seul enfant à franchir cette frontière de la grand'rue, que les gens du quartier de la cathédrale suivaient, se gardant bien de s'en écarter et d'emprunter l'une de ces traverses qui conduisaient au port. Ces gens ne s'habillaient pas et ne parlaient pas comme les gens du quartier bas. Parmi eux, on ne voyait pas de femmes peintes, parfumées à l'excès, parées de faux bijoux et chaussées de bottines à talons très hauts, cambrés et pointus. Les femmes de la grand'rue, celles du haut quartier, celles de la cathédrale, pour la plupart petites et fortes, s'enveloppaient la taille d'un châle dont, les jours de grand vent, elles ramenaient une pointe sur la tête. Elles portaient de vrais bijoux d'or massif : anneaux, bagues, colliers et bracelets.

Dans la même période, plusieurs fois Abel franchit l'eau du port et gagna la plage de galets où déjà il s'était baigné. Debout dans l'eau, le regard au delà du bras rocheux qui fermait l'anse, il avait vu d'autres calanques qui découpaient le rivage, les lames du large, la côte rousse qui se déployait dans le fond et les îles. Et il avait décidé d'aller plus loin, le plus loin possible.

Le lendemain, après une course de deux heures, il avait pénétré et s'était trouvé le seul être humain dans un labyrinthe de grosses pierres nues, rongées par l'eau, le soleil et le vent. Autour de lui, un chaos rocheux; au-dessus de lui, le ciel. Il n'entendait que le coup de tonnerre de la lame qui s'assommait contre le rivage. Il s'était mis nu et avancé jusqu'à une cuvette assez profonde pour qu'il pût s'y loger, que l'eau emplissait au coup de lame et qu'en même temps les embruns recouvraient. Là, en quelques minutes, il avait reçu trois ou quatre coups de mer qui

l'avaient étouffé à demi et avaient rendu son corps violet.
La solitude était plus grandiose et aussi complète qu'au
pays sauvage; Abel l'avait fait sienne.

Mais, souvent, il retournait au quartier haut, le prenait pour ainsi dire à l'assaut et le traversait au trot, tête
baissée, jusqu'à ce qu'il se trouvât face à la cathédrale.
Au centre de la très grande place, enveloppé par les vents
d'où qu'ils soufflent, par le soleil quelle que soit l'heure,
dominant les profonds bassins du « grand port », avec les
navires dont il distinguait les détails, apercevant dans le
lointain à travers un ocre nuage de poussières et de
fumées, d'autres bassins aussi petits que les cases d'un
échiquier et d'autres navires qui n'étaient plus que des
taches de couleur, il s'immobilisait... et plus tard faisait
demi-tour.

Un jour, enfin, que la grande place nue, agrandie encore
par son ouverture sur le ciel et sur la mer, était déserte
et que le mistral soufflait, il était entré dans la cathédrale, mais pas tout de suite.

Il avait vu venir de loin, les pieds dans un nuage de
poussière, une vieille femme, menue, habillée de noir, la
tête couverte d'un foulard. Elle marchait un peu courbée,
à petits pas rapides, se dirigeant vers une entrée latérale de
l'édifice. Sous sa main, une porte découpée dans la grande
céda.

Abel s'élança à sa suite.

Il ne fut d'abord surpris que par la solitude et le
silence. Dans l'immense maison de Dieu (la vieille femme
en noir ayant disparu comme par magie) il se trouva
seul. Il s'avança béant d'admiration devant tant d'or, tant
de peintures, tant d'énormes colonnes, tant de lumières si
diverses qui agrandissaient les voûtes et donnaient de la
profondeur aux chapelles, tant de flèches de lumière qui,
l'entourant, l'auréolant, le rendaient lui-même semblable
à l'un de ces saints devant lesquels brûlaient des cierges.

Tout à coup, tandis qu'au centre de la croix que forme
l'église, il regardait le maître-autel, il se trouva entre quatre gigantesques statues sur le socle desquelles, pivotant
sur lui-même, il lut : « Matthieu, Marc, Luc et Jean. »

Matthieu, Marc, Luc et Jean, les Evangélistes, dont il
lisait les paroles dans la Bible, étaient là, grands et forts
comme jamais Abel n'avait vu un homme, qui de leurs
yeux de pierre regardaient l'enfant de haut en bas.

Abel resssentit une telle émotion de rencontrer là les
Evangélistes et de se trouver si petit, qu'éprouvant un
vertige, il ferma un instant les yeux. Son équilibre, son
sang-froid, le libre jeu de ses pensées retrouvés, il ne prêta
plus qu'une attention distraite aux richesses de l'édifice :
dentelles de pierre et de bois, festons de marbre, puissantes
et sveltes colonnades, dallages, mosaïques, coupoles d'or,
vitraux étincelants, fresques d'éclatantes couleurs. Elles
étaient là, pensa l'enfant, comme les couronnes de fleurs
et de perles déposées sur un tombeau, et cette maison de
Dieu était le tombeau de Matthieu, Marc, Luc et Jean.

Il fut surpris et ému mais pas tellement étonné. Il s'était
créé un monde un peu extra-naturel, qui s'organisait avec
ordre autour de lui et avec lui, un monde qui prenait de
l'extension lentement, qui formait un monument semblable
à cette cathédrale, avec autant de richesses, et qui s'appuyait sur de puissantes assises qui étaient la mère, le pays
sauvage, Gilles et Mathieu, la Bible et la mer.

Il avait découvert le tombeau des Evangélistes, Matthieu,
Marc, Luc et Jean, tous les quatre face à face dans la
mort. Grands comme ils l'avaient été dans la vie, car ils
étaient des hommes de la Bible. Froids, rigides, les yeux
ouverts.

Il les regarda l'un après l'autre avec attention. Il
regarda les robes de pierre plissées, les pieds nus de pierre,
les longs cheveux de pierre. Puis il scruta longuement leurs
visages, cherchant le regard dans les yeux de pierre, et il
trouva ce regard. Il le vit, éclairé par une lueur, fixé sur
lui.

Ce soir-là, rentré à la maison, Abel avait ouvert le Livre
avec plus de joie que de coutume, et tous les personnages
de la Bible prirent dans son esprit la haute taille, la pres-
tance, la coiffure, que le sculpteur avait données à
Matthieu, Marc, Luc et Jean.

Au mois de décembre et au mois de janvier, il avait
fait une série de mauvais temps et Abel était demeuré
souvent dans sa chambre, à lire. D'abord, ses lectures
n'avaient pas été différentes des précédentes, la Bible et
des journaux achetés par la mère, ou trouvés dans une
boutique, ou dans la rue, ou qui enveloppaient des fruits.
Il lisait tout, attentivement, de la première ligne à la dernière, même une page déchirée par le milieu, et passait

d'un article dont la fin manquait à un autre sans début.

La lecture d'un journal terminée, il le pliait avec soin et le plaçait sur la cheminée de sa chambre. Il lisait encore des brochures et les prospectus distribués dans la rue.

Pour la Bible, il n'avait pas eu besoin d'explications. Il ne trouvait pas anormal que des murs s'écroulent au son des trompettes, que les nuages s'écartent et que la face courroucée du Très-Haut apparaisse. Il n'avait pas demandé à Gilles de lui dire ce qu'est un typhon. Une étude sur la finance internationale ne lui paraissait pas plus obscure qu'une page de l'Apocalypse, et Abel possédait la certitude que tout cela serait un jour très clair pour lui.

Mais le champ de ses lectures s'agrandit considérablement par la connaissance qu'il fit d'un vieillard occupé à réparer des livres, aperçu derrière les vitres sales d'une boutique du quartier haut. De longs cheveux gris tombaient le long des joues hérissées de poils de l'homme qui, le nez chaussé de lunettes d'acier, cousait ensemble les cahiers d'un bouquin. A droite, à gauche du vieil homme, au-dessus de lui, derrière lui, dans le fond encore, les livres s'entassaient par centaines. Abel lui demanda s'il en vendait.

« Oui. Et quel livre veux-tu? » « Je ne sais pas. » « Si tu ne sais pas, comment veux-tu que je te vende un livre? As-tu de l'argent? » « J'ai dix sous. Vendez-moi un livre qui coûte dix sous. » Il ajouta très vite : « Un livre qui parle de la mer. »

Le vieux prit la pièce que l'enfant lui tendait, sortit sur le seuil de la boutique pour l'examiner, puis traînant les pieds chaussés de savates, disparut dans l'arrière-magasin où il demeura si longtemps qu'Abel crut ne le revoir jamais. Enfin, il revint avec un gros bouquin cartonné. « Voilà, dit-il. Le livre parle de la mer, et il y a des images. »

Rentré dans sa chambre, Abel plaça le livre sur sa chaise, près de la fenêtre, l'ouvrit et lut à la page de garde : *Découverte de l'Amérique par Christophe Colomb.*

Plus tard, pour le même prix, Abel acheta à ce marchand de nombreux autres livres.

Mais malgré le mauvais temps, il arrivait à Abel de faire de longues courses. Il marchait même sous la pluie si elle ne tombait pas trop serrée. Aux moments des

averses, il y avait toujours une porte, un couloir, un entre-
pôt, une bâche, un pont, un wagon de marchandises, voire
un tonneau pour l'abriter.

Au moins une fois par semaine, à moins qu'il ne fît
·vraiment très mauvais, il retournait à ce labyrinthe de
rocs polis et acérés par le vent du large où il lui était
arrivé de s'exposer aux coups de mer et aux embruns. Au
delà, il avait découvert une plage de galets resserrés entre
deux murailles rocheuses d'une dizaine de mètres de haut.
Etroite, elle était invisible du chemin qui conduit à l'extrémité de cette pointe de rochers qui s'avance à l'est du
golfe de Marseille, que l'eau vive ronge inlassablement
comme si elle était un os lancé à un jeune chien pour
qu'il s'y fasse les dents.

Pour atteindre la plage, Abel franchissait le labyrinthe
des rocs, passait par-dessus une barre, rocheuse encore,
enfin se laissait glisser le long d'un éboulis. La remontée
se faisait par l'une ou l'autre des murailles, en utilisant des
trous et des aspérités qui formaient des appuis si menus
que seul un pied nu pouvait s'y accrocher.

La muraille sud, moins élevée que l'autre et s'abaissant
brusquement du côté de l'eau laissait dans l'après-midi le
soleil s'étaler sur la plage. En décembre et en janvier, par
temps clair, la roche était chaude, et tiède la mince peau
d'eau qui recouvrait les galets.

Abel aimait ce trou dans la côte à cause de la solitude
qu'il y trouvait et de son eau qui lui paraissait plus cris-
talline et plus « dure » que celle du port et que celle dans
laquelle il s'était baigné non loin du port.

Pour atteindre la pointe rocheuse, il fallait marcher
pendant plusieurs heures, aller au delà de la ville, dans la
direction de la mer, semblait-il à Abel, et cette pointe
rocheuse s'avançait en mer. De sorte qu'Abel assis sur les
galets, tout au bord de l'eau, pensait être au large.

Cette eau était l'eau du large. Il la reniflait et la goû-
tait. Même par temps calme, elle clapotait, courait d'un
côté et de l'autre, s'élevait et s'abaissait, ondulait, changeait de forme et de couleur d'instant en instant et d'un
endroit à l'autre.

Comme le feu, cette eau était toujours en mouvement,
toujours en quête. Comme le feu, toujours semblable et
toujours différente, cette eau était une bête sauvage,
extrêmement sensible, sur le qui-vive, aux aguets, qui

cherche, qui fouille, qui renifle, qui a toujours la faim au
ventre. Y plongeant le pied nu, Abel avait l'impression de
l'introduire dans la gueule d'un animal.

Lorsque la mère le questionnait. « Où es-tu allé, aujour-
d'hui? Qu'as-tu fait? Ne t'es-tu pas mouillé? » L'enfant
répondait ou ne répondait pas, disait la vérité ou ne la
disait pas. Il avait compris que répondre ou ne pas répondre, dire la vérité ou mentir n'avaient pas d'importance.
Il s'était vite aperçu que tandis qu'elle posait des questions, la mère pensait à autre chose et, encore, qu'entendant la réponse qu'il lui faisait, elle avait oublié la question qu'elle avait posée.

Le jour où Abel avait acheté *Découverte de l'Amérique*, la mère, derrière l'enfant, s'était penchée sur le gros
bouquin. « Où as-tu trouvé ce livre? » « Je l'ai acheté
dix sous. » « Fais donc voir. » Il avait feuilleté le livre,
tournant avec lenteur chaque page, s'arrêtant pour laisser
le temps à la femme d'examiner en détail un dessin. Il
regardait la mère; les yeux sur l'image, elle ne le voyait
pas. Il y avait peu de moyens de retenir l'attention de
la femme, que l'enfant avait trouvés instinctivement : lui
parler d'elle, de son corps, de sa toilette; s'occuper d'elle,
lui tenir le miroir derrière la tête tandis qu'elle se coiffait,
la déchausser, lui tendre ses parfums, lui laisser le gâteau
qu'elle aimait particulièrement; la surprendre par une
question inattendue mais sur elle. Mais dès que Paul se
montrait, la femme échappait à l'enfant. Elle était semblable à l'eau qu'on ne peut retenir par aucune ruse.

Certains jours, la femme ne posait aucune question à
l'enfant, d'autres jours elle en posait trop. Parfois, elle
insistait pour que l'enfant sortît avec elle. Elle le parait
comme au début. « Je veux que tu sois beau. » Elle le
lavait, l'habillait, le coiffait, le parfumait. « Ce soir, nous
mangerons au restaurant et irons au cinéma. » L'enfant
se laissait faire, sans être dupe, et, tandis que le peigne
séparait les cheveux, il demandait, innocemment : « Paul
sera là? » « Oui. Paul sera là. » Mais il arrivait aussi à la
mère, après avoir préparé Abel pour une sortie, de
l'oublier.

Debout, dans sa chambre, le béret sur la tête, chaussé
de souliers vernis, se tenant immobile pour ne pas froisser
les « beaux vêtements », Abel entendait la porte de la

chambre de la mère claquer et le pène jouer dans la serrure. La femme riait ou ne riait pas, parlait ou ne parlait
pas. (Abel était devenu habile à suivre les changements de
l'humeur de la mère dans son rire, son silence et son
bavardage.) Les quatre bottines — celles de la mère et
celles de Paul — se posaient légèrement sur les marches,
et Abel s'avançait vers sa porte que la femme allait
ouvrir. Mais, sans marquer un arrêt sur le palier, même
d'une fraction de seconde, le couple poursuivait la des-
cente. Sous le choc de la lourde porte d'entrée, les murs
de la maison vibraient. Abel, à la fenêtre, l'œil entre deux
lattes d'un volet, le regardait s'éloigner. La femme ne se
retournait pas; elle avait oublié l'enfant qui quittait les
« beaux vêtements », les souliers vernis, s'habillait d'un costume que le soleil et l'eau avaient décoloré, se chaussait
de souliers qu'il ne cirait jamais mais qu'il séchait avec
soin et graissait, et partait.

En décembre, Abel sortit avec sa mère et Paul cinq ou six
fois et avec eux fêta la Noël. En janvier, les sorties furent
encore moins nombreuses. En février, elles furent rares. Il
arrivait que Paul s'occupât davantage d'Abel que ne s'en
occupait la mère. Cette attention — de la mère et de
Paul — que parfois on lui donnait et que le plus souvent
on lui refusait, déroutait l'enfant.

Ce jour où Abel avait acheté *Découverte de l'Amérique*
et quelques minutes après qu'il se fût aperçu de la distrac-
tion de la mère, Paul était arrivé et ayant vu — la porte
étant demeurée ouverte — la femme et l'enfant penchés
sur le livre, était entré dans la chambre d'Abel. La femme,
surprise, avait eu un élan vers l'homme, et Abel avait
pensé que la femme et Paul s'éloigneraient tout de suite.
Mais Paul, lui aussi, avait voulu voir le livre qui avait été
placé sur la cheminée, et la lampe avait été allumée. Page
à page, lisant par endroits quelques lignes du texte et
regardant avec attention chaque image, Paul avait feuilleté le récit. Abel avait compris que Paul avait été navigateur, car il connaissait l'Amérique, disait-il, pour y être
allé plusieurs fois. Mais dans les paroles de Paul, il n'y
avait pas eu un mot semblable à ceux qu'avait prononcés
Mathieu et qui avaient ému l'enfant. Paul s'était exclamé :
« Tu parles d'une navigation, à cette époque! » et :
« Regarde-moi ces rafiots. » Abel n'avait pas été trop surpris de voir la mère tout à coup s'intéresser au livre, et,

cette fois-ci, ses yeux, guidés par ceux de Paul, avaient vu les images.

Ils avaient ri d'une manière qui avait déplu à Abel. La mère avait interrogé : « Alors, tu es allé en Amérique ? » « Oui, plusieurs fois mais sur d'autres bailles que celles-ci. » Ils avaient encore ri. Bien sûr, Gilles et Mathieu ne riaient pas de la mer ni des navires. Paul avait interrogé l'enfant. « Où as-tu dégoté ce livre ? » « Il l'a acheté, avait répondu la mère, dix sous. » « Tu aimes lire ? »

Et Paul, pendant un bon quart d'heure, s'était intéressé à l'enfant, lui faisant découvrir une nouvelle manière de la mère, car, aussitôt, elle s'était mise à faire valoir Abel, à vanter ses qualités, à raconter mille choses sur l'enfant mais d'une façon tout autre que celle du jour où Paul était entré dans leur vie, à dire comment il avait appris à lire, comment il s'était vite adapté à la vie de Marseille. Pendant plus d'un quart d'heure, il n'avait été question que d'Abel, de telle sorte que celui-ci, n'en pouvant croire ses oreilles, avait douté de tout ce qu'il avait vu et entendu, avait douté de ses propres sentiments et de lui-même.

Entraînée par les louanges qu'elle faisait et comme pour pénétrer plus avant dans la vie intime de l'enfant, croyant avoir éveillé un intérêt pour celui-ci en Paul, la mère avait fouillé dans tous ces papiers qu'Abel entassait sur la cheminée, ouvrant les brochures, dépliant les journaux, passant les feuilles imprimées à Paul qui s'exclamait : « Tu lis ça ? Ça t'intéresse ces histoires ? » Abel avait répondu que tout l'intéressait. Alors, la mère avait parlé de la Bible et avait raconté — ce qui avait un peu troublé Abel — la visite de l'école et comment Abel avait examiné longuement « chacun des petits tableaux pendus aux murs ». « Il est inouï, ce gosse ! »

Cet intérêt que Paul ce jour-là, et d'autres, avait prêté à l'enfant l'avait troublé. Il lui avait fallu un long moment pour retrouver le calme qu'il perdait toujours en présence de l'homme. Il ressentait la crainte du chien caressé par le maître qu'il redoute. Mais, le plus souvent, Paul ignorait l'enfant et, parfois même, il le rudoyait un peu en paroles. Ainsi, ce jour où il surprit Abel qui examinait de près un journal anglais trouvé avec d'autres. « Tu ne vas pas me faire croire que tu connais l'anglais. »

Au mois de mars, Abel accompagna une seule fois le couple au restaurant et au cinéma. L'existence de ces trois êtres s'était ordonnée. Abel était sûr de trouver la mère seule tous les matins. Il allumait du feu dans la chambre, allait chercher le déjeuner et demeurait là un long moment ou seulement quelques minutes selon sa propre humeur et selon celle de la femme. L'enfant revenait ou ne revenait pas à midi. La mère l'interrogeait : « Ce soir, que mangeras-tu ? » « Oh ! Je mange. » C'était vrai. Il achetait sur le port des petits pains, de la farine roulée et frite, des morceaux d'omelette. « As-tu des sous ? Prends des sous. » La mère n'était pas avare de son argent.

Comme par le passé, elle recevait un ami dans l'après-midi et un autre dans la soirée, et rencontrait Paul le soir vers six heures. Parfois Abel les apercevait se dirigeant vers la ville ou assis à la terrasse d'un café. Il se cachait d'eux parce qu'il était mal habillé.

Toutes les nuits, Paul arrivait vers onze heures, quelques minutes après le départ du « monsieur » qui avait tenu compagnie à la mère, et il quittait la maison à minuit.

Abel ne dormait jamais au moment que le visiteur du soir quittait la mère. Bien que tous ses sens fussent en éveil, jamais il n'avait pu entendre à ce moment-là le bruit du pas de Paul dans la rue, ni celui de la clef glissée dans la serrure, ni celui de la porte se refermant, ni le gémissement d'un gond. Mais chaque soir — et la règle n'avait jamais été enfreinte depuis que cette espèce d'ordre dans le désordre apparent de la vie de la mère s'était établie — quelques minutes après le départ du visiteur, Abel assis sur son lit, percevait dans le bas de la maison, comme au fond d'un puits, le bruit feutré et répété produit par une légère bottine qui se posait sur une marche. Aussitôt un trouble physique s'emparait de l'enfant qui serrait les mains l'une dans l'autre pour réprimer le tremblement de son corps. Paul, éclairé par le rayon d'une lampe électrique, s'approchait, allait du bas vers le haut de la maison, pourtant le bruit de son pied ne prenait pas de l'ampleur. Il arrivait même que la porte de la chambre de la mère se refermât sans qu'Abel eût connu par une augmentation du bruit le passage de l'homme devant sa propre chambre.

C'était une arrivée silencieuse dans une maison obscure qui troublait l'enfant dans la nuit de sa chambre, qui ravivait le souvenir de son premier contact avec Paul, de la détresse qu'il avait éprouvée le matin où il avait su que l'homme avait passé la nuit dans la maison.

A l'arrivée de Paul, souvent la mère riait et parlait, mais, parfois aussi, elle demeurait silencieuse. Son rire, ses paroles, son silence étaient des pièces jetées sur un marbre et dont Abel jugeait de la qualité par le son. Il savait vite si, plus tard, lorsqu'il gratterait à la porte, la mère lui dirait : « Entre, petite souris » ou : « Va dormir. » Quant à Paul, il parlait peu et ne riait jamais. Il n'était pas comme les autres hommes que recevait la femme, qui poussaient des exclamations, chantaient et dansaient parfois et riaient fort. Paul, c'était le silence, un silence dans lequel il entraînait, semblait-il, la mère car, chaque nuit, un moment arrivait où l'oreille d'Abel si fine qu'elle fût, si exercée, si tendue, ne captait plus d'autres sons que ceux lointains du port et ceux rapprochés de la rue de la Fête. Parfois, l'enfant s'endormait assis sur son lit, le torse droit. Il se réveillait. « Est-il parti ? » se demandait-il. Le sommeil le prenait encore et, tout à coup, la porte de la chambre ouverte déversait un flot de sons : petits rires et paroles murmurées. L'enfant, jeté d'un bond contre sa porte, l'oreille à la serrure, se disait : « Elle l'embrasse. » Il guettait le rayon de lumière qui, comme un bâton d'aveugle, guidait Paul.

CHAPITRE IV

Le voilier semblabie à un fruit. — La bataille. — *L'Ambassa-deur.* — « Tu n'as pas de père. » — « Les portes de la mer te sont ouvertes. » — Départ de Paul...

Au début d'un après-midi de la fin du mois de mars, Abel quitta la mère, descendit la ruelle, traversa la rue de la Fête et atteignit le port. Il ne s'était pas fixé de but mais, peut-être, irait-il au cinéma si une image l'attirait; de toute manière il rentrerait tôt, pour lire, et mangerait dans sa chambre après avoir lui-même préparé son dîner, ce qu'il aimait à faire.

Il allait comme un bois flottant le long d'une côte, à la merci des petites vagues et des courants. Une affiche contre un mur l'attira par ses couleurs, devant laquelle il s'arrêta, puis un remous l'emporta, lui fit traverser la large chaussée et l'abandonna devant un pêcheur qui réparait un filet. Un autre remous le saisit auquel il ne résista pas.

Pensant à Gilles et à Brebis qui dans le moment, peut-être, étaient lancés sur la piste d'un renard (il entendait Gilles : « Va, Brebis, va. ») de la pointe du soulier il délogea d'entre deux pavés un bout de fer qu'il reconnut tout de suite, à cause du luisant et d'un trou, pour être un éclat de fer à cheval. Il le ramassa et le mit dans la poche avec le couteau de Gilles. Cette trouvaille suffit à dessiner devant ses yeux la silhouette du cavalier William Hart dont au cinéma il suivait les aventures.

Dix pas amenèrent l'enfant au bord de l'eau, plate, scintillante, seulement agitée d'un léger mouvement de surface, sur laquelle des navires déserts, sans relief, étaient immobilisés. Il se mit à la longer en direction du fond du port, ne la quittant pas de l'œil, ne s'étonnant pas que, ce jour-là, elle parut faite de petites écailles d'argent, cha-

cune inclinée différemment par rapport à ses voisines,
chacune reflétant ou absorbant la lumière à sa façon. Il
prêtait si bien l'oreille au bruit du frottement de l'eau
contre la dalle qu'il n'entendait plus le fracas de la rue, et
ce bruit, infime, répété, toujours le même, se transforma
dans l'esprit de l'enfant en celui produit par le pied de
Paul se posant la nuit sur les marches de l'escalier.

Une amarre en travers du quai fit lever la tête à Abel.

Un voilier dont il n'avait jamais vu le pareil s'était
glissé par l'arrière entre deux remorqueurs. Sa forme était
celle de ces barques méditerranéennes pointues aux extré-
mités et dont le ventre est plus large que le pont. Mais
il était cent fois plus grand, se disait l'enfant, que l'une de
ces barques.

Abel avait pu quelquefois regarder à loisir le pont d'un
remorqueur, avec ses escaliers de fer, son banc de quart,
son croc qui sert à fixer l'aussière, ses treuils, sa claire-
voie ouverte sur la machine, jamais encore le pont d'un
voilier. Mais cette énorme barque était si lourdement
chargée, si enfoncée dans l'eau, que le regard de l'enfant,
debout sur le quai, s'étendait librement de la poupe à
l'étrave.

Ce que l'on voyait tout de suite était l'épaisseur du bois
dont il était fait; on la remarquait surtout aux pavois qui
formaient autour et un peu au-dessus du pont une ceinture, non pas ronde mais allongée à l'avant et à l'arrière
et qui, de l'avant à l'arrière, s'incurvait. Pour que
l'étambot vertical qui était fait d'une seule pièce pût toucher le quai, le gouvernail avait été enlevé de ses fer-
rures, transporté et fixé sur le flanc du navire.

Le voilier portait à son tiers, en partant de l'étrave, un
seul mât, un peu incliné vers l'arrière. Sur l'antenne qui
est l'unique vergue, mais d'importance, de cette sorte de
bâtiment, amenée dans l'axe du navire et qui reposait
sur des bois en croix, une immense voile toute rapiécée
avait été jetée dont les bords étaient fixés au pavois. Le
pont était devenu ainsi, Abel se disait-il, le plancher d'une
maison dont la voile formait le toit à deux pentes.

La lumière du soleil de mars était si intense qu'il était
impossible de regarder l'eau, le ciel, les maisons, la plate
étendue des quais poussiéreux, sans abaisser à demi la
paupière. Mais cette voile tendue était un filtre qui
dépouillait la lumière de sa coruscation, qui encore, se

posait entre le vent et le navire et ne laissait passer qu'un
peu d'air, qui, enfin, arrêtait le fracas du port. Là, entre
la voile et le pont avait été isolé un petit espace, ni trop
sombre ni trop clair, ni éventé ni privé de brise, ni envahi
par le bruit ni silencieux.

La forme du bâtiment, en navette, était si agréable à
l'œil, si parfaite, les planches qui la composaient étaient
ajustées avec tant d'art et de précision, qu'Abel, regardant
le voilier, pensait à un fruit, à un énorme fruit tel que la
mer — la mer de Mathieu — peut en porter, qui, mûri
par le soleil de la mer, par le vent de la mer, se serait
entr'ouvert, montrant ses graines — comme la grenade —
encore soudées entre elles dans leur ensemble mais dont les
premières, celles de dessus, déjà se séparent des autres.

Le voilier était chargé d'oranges que des hommes pui-
saient dans un trou ouvert dans le pont. Plus rouges
qu'elles ne le sont, dans la pénombre de la voile tendue sur
l'antenne, et, ainsi, semblables davantage aux grains de
la grenade, les oranges roulaient entre les panneaux de la
cale disposés sur le pont, jusqu'à la poupe où des femmes
en emplissaient des couffes tressées en alfa. Jeunes, trapues,
solidement plantées sur des jambes épaisses qu'elles avaient
nues jusqu'aux genoux — la jupe étant relevée et nouée
à la taille — elles rivalisaient de vitesse avec les hommes
sans parvenir à épuiser le flot des fruits qui s'amonce-
laient autour d'elles. L'œil brillant, la lèvre rouge, le teint
mat, le cheveu noir, la chair humide, d'un coup des reins
elles soulevaient la couffe pleine et la chargeaient sur la
tête d'autres femmes qui, la jambe un peu fléchie, le cou
raide, le front écrasé, s'engageaient sur une planche jetée du
navire au quai, le pied nu tâtant de sa paume le bois, puis
se posant bien à plat, puis se collant comme une ventouse,
puis se détachant — et c'est le talon qui se soulève d'abord
— et s'avançaient ainsi jusqu'à une charrette dans laquelle,
d'un haussement de la tête et des épaules, elles vidaient
la couffe.

Depuis que son regard s'était posé sur le voilier — et
il ne l'avait pas vu de loin à cause de ce léger bruit de
l'eau contre le quai, qui l'avait fait penser à Paul — Abel
était demeuré immobile. Tout à coup, à cinq mètres de
lui, étaient apparus ce voilier en forme de fruit qui appartenait à la mer, et ces fruits qui appartenaient à la terre
mais qui venaient de la mer, d'au delà de la mer. Il y

avait eu encore devant lui, brusquement, des hommes et
des femmes dont le type et le langage lui étaient inconnus,
qui portaient des vêtements dont il n'avait jamais vu les
pareils par les formes et les couleurs. Les charrettes étaient
plus hautes et plus légères que celles du pays sauvage et de
Marseille, les chevaux plus fins, plus vifs, et leur harnache-
ment s'agrémentait de clochettes et de plaques de cuivre.

Là, sur quelques mètres carrés du quai du Vieux-Port,
à l'arrivée du voilier étranger, s'était formé pour quelques
heures un petit monde que l'enfant, comme il aurait fait
s'il eût aperçu dans l'eau, autour d'une proie, des poissons
de formes et de couleurs par lui jamais vues, s'efforçait de
deviner, de pénétrer, lorsqu'une orange échappée d'une
couffe roula à ses pieds.

Abel se baissa pour la saisir.

Un choc violent sur le côté droit de la poitrine le jeta
sur le pavé. Dans l'instant, Abel ne sut ce qui lui arrivait.
Peut-être avait-il été frappé par la foudre ou atteint par
un coup de feu. Il tomba sans avoir eu le temps d'amortir
la chute et sa tête heurta la pierre. Il fit un mouvement
pour se relever ne sachant toujours pas qui ou quoi l'avait
abattu. Il avait appuyé le bras gauche sur le sol, ramené
sous lui la jambe gauche, se trouvant ainsi à demi agenouillé, lorsqu'il fut rejeté à terre par des coups répétés
sur les jambes, les cuisses, la tête, et un corps pesait sur
le sien. Il était assailli... par qui, par quoi? Par une bête
sauvage? Mais une bête griffe et mord mais ne frappe
pas. Abel fit encore un effort pour se mettre debout, et,
pivotant un peu sur lui-même, il vit tout près de lui, à
deux pouces à peine de son visage, une tête ronde aux
cheveux noirs broussailleux, deux yeux sombres, une
bouche ouverte et un poing levé — un poing d'enfant —
qui tout de suite s'abattit sur sa propre bouche.

Abel ne s'était jamais battu, mais immédiatement ses
poings se serrèrent, ses muscles se bandèrent, et il frappa
des poings, des pieds, de la tête, pris de rage, portant
deux coups pour un qu'il recevait, les portant non pour se
défendre mais avec le dessein de faire mal, de blesser, de
se venger. Il parvint à se mettre sur le côté et à faire
rouler sur le pavé l'enfant qui l'avait renversé d'un coup
de tête, de telle sorte que, sauf les coups reçus par Abel,
les combattants se trouvèrent à égalité. Et là, sur le côté,
de son bras droit qui se trouvait libre, de son pied droit,

de son genou droit, il se mit à marteler son adversaire de toute sa force, le tenant à la gorge de la main gauche.

On criait, on riait autour de lui mais il n'entendait rien, attentif seulement aux coups qu'il portait et aux coups qu'il recevait. Bientôt ceux-ci faiblirent et Abel, saisissant à deux mains l'enfant qui l'avait assailli, se redressa à demi, tenant son adversaire sous lui, puis se laissant tomber sur lui, et de nouveau il levait et abattait le poing.

Abel allait frapper encore lorsque, de nouveau, il fut jeté sur la pierre. Ce coup-là, il ne pensa ni à la foudre ni à un coup de feu. Les loups chassent en bande, les enfants aussi. Il était attaqué par une bande d'enfants. Son premier mouvement fut de se protéger seulement contre les coups qui l'atteignaient dans le dos, la poitrine, le ventre, les reins, les jambes, le visage, derrière la tête. Il n'y parvint pas. Il voulut se débarrasser de ses adversaires en cognant. Mais lorsqu'il donnait un coup il en recevait dix. Mais ses coups portés de bas en haut n'avaient pas de force, et il était écrasé par le poids des assaillants.

Il s'efforça alors de glisser la main dans la poche et de saisir le couteau de Gilles. Il devait faire un demi-tour et se placer face au pavé, puis se mettre à genoux. Il y réussit parce que les trois enfants qui l'avaient attaqué se gênaient, parce qu'ils ne frappaient plus avec la même ardeur. Il se mit à genoux, le torse toujours penché sur le sol par le poids des garçons. Il enfonça la main dans la poche, tâta le morceau de fer à cheval ramassé un moment avant et saisit le couteau coincé entre la cuisse et l'aine. Il mit un moment à le dégager. Ce qui restait à faire était le plus difficile; il lui fallait ouvrir le couteau, et pour ce faire il avait besoin de ses deux mains. Il s'allongea sur le pavé tout à fait, les deux mains sous lui, comme écrasé par le poids des enfants, recevant encore un coup par-ci, un coup par-là. Il avait un peu creusé l'estomac, ménageant ainsi un petit espace entre lui et le sol, et d'un effort il détacha la lame du manche de corne.

Pas un instant, Abel n'avait perdu son sang-froid. Son esprit était demeuré lucide. Il avait toujours su comment se défendre et comment frapper. Au pire moment, lorsqu'il avait subi l'attaque des trois garçons, il avait cependant lancé le poing et le pied là où les coups devaient blesser davantage. Ouvrant le couteau, il avait l'intention de se dégager mais aussi de « punir ».

Il avait pris appui sur les coudes et les genoux. Il avait
un peu décollé le torse du sol, soulevant avec lui les enfants.
Il allait brusquement, se disait-il, fléchir du côté gauche
pour faire tomber un ou deux de ses adversaires. Alors,
lui-même, il se trouverait à demi retourné, son épaule
gauche appuyant sur le sol, et le bras droit, au bout duquel
était le couteau de Gilles, frapperait.

Avec peine, il fit glisser l'avant-bras gauche sur le pavé,
le ramenant vers lui, se privant ainsi de cet appui. Il
fléchit et tout à coup... les corps qui pesaient sur lui ne
pesèrent plus. Il put respirer. Tout à coup, il put ramener
les épaules en arrière. Il était libéré.

Il se mit debout péniblement et, debout, tituba comme
si le sol eût cédé sous lui, mais c'étaient ses jambes qui
cédaient ; c'était sa tête meurtrie qui l'entraînait en avant
et en arrière.

Il avait envie de vomir. Il n'y voyait plus de l'œil
gauche. De l'œil droit il y voyait mal comme au cinéma
lorsque les images sont troubles et que le public siffle.
Devant lui, un garçon qui lui parut grand, qui lui tournait
le dos, chassait à coups de pied ses agresseurs. Il voyait
encore des taches de couleur : le rouge des oranges, le bleu
des charrettes, le jaune des jupes des femmes.

Il entendait des cris, des rires. Il entendit : « Bande de
salopiots ! Vous vous êtes mis à trois pour lui tomber
dessus. Je vous ai bien vus. » Et les salopiots fuyaient
devant les coups comme les poissons devant le bâton qui
frappe l'eau.

Les enfants dispersés, le garçon dit à Abel : « Viens
avec moi. Tu as besoin de boire quelque chose. Ils t'ont
bien arrangé mais ça ne fait rien, tu t'es bien battu. Tu
n'as pas eu peur. » Il écarta les gens qui faisaient cercle
et ajouta : « Rentre ton couteau. J'ai vu quand tu l'as
ouvert. Si je ne les avais pas tirés de dessus ton dos à
grands coups de pied dans le cul, tu en éventrais un. »

Des femmes qui avaient assisté au combat les suivaient,
mais à distance, et elles virent Abel couvert de poussière,
l'œil gauche clos et boursouflé, un peu de sang aux lèvres,
des taches rouges sur le visage et sur les jambes, les mains
noires, les vêtements déchirés, fermer le couteau et le
mettre dans la poche. L'une dit : « Si ce n'est pas honteux,
à cet âge, il porte un couteau sur lui. On devrait « les »

enfermer dans une maison de correction. » Mais Abel
entendait seulement son compagnon : « C'est un couteau
de berger. En Corse, aussi, les bergers ont des couteaux
comme ça. Tu n'es pas Corse? » Abel secoua la tête. Il ne
savait pas ce que signifiait être Corse ou ne pas être Corse.

Ainsi causant, marchant sur ces mêmes dalles, mais
dans l'autre sens, au bas desquelles l'eau faisait ce petit
bruit que peu de temps avant l'enfant avait écouté, les
deux garçons arrivèrent au bas d'une planche appuyée
d'un bout sur le quai, de l'autre sur la haute poupe d'un
voilier.

« Monte à bord », dit celui qui avait secouru Abel.
« C'est ton bateau? » « C'est mon bateau. » « Tu es
marin? » « Je suis marin. » Et Abel s'engagea sur le planchon.

L'*Ambassadeur* était un bon voilier de cent vingt tonneaux, gréé en brick-goélette, c'est-à-dire que son mât de
misaine portait des voiles carrées, ce qui lui permettait de
faire une bonne route aux allures de largue, grand largue
et de vent arrière, et son mât d'artimon une grand'voile.
Même le capitaine-marin qui le commandait ne savait pas
exactement sur quelles routes de Méditerranée — ou entre
quelles côtes — il avait caboté avant d'être acheté par la
famille corse des Mattei et des Firpi et affecté à la ligne
Marseille-Propriano. Il était comme un chien perdu, ou
abandonné, que l'on a recueilli, et son nouveau maître, qui
l'aime, le tient par cette peau molle sous le cou, le regarde
dans les yeux et l'interroge : « Dis-moi où tu vivais et
avec qui tu vivais avant d'être ici. » Mais le chien garde
son secret.

L'*Ambassadeur* gardait le sien. Il s'accommodait de son
nouveau maître. Il s'accommodait de cette eau claire et
vive entre la France et la Corse et de l'ouest-quart-nord-
ouest qui est le mistral. Il était une bonne bête de mer,
sans finesse de forme, comme un chien de berger. Il navi-
guait mal au plus près, c'est-à-dire qu'entre Propriano et
Marseille lorsque le mistral soufflait il était obligé de tirer
de grandes bordées. Il ne serait venu à l'idée de personne,
le regardant, de le comparer à un fruit de la mer, comme
le navire chargé d'oranges. Mais il était plus costaud et
plus bagarreur.

On avait débarqué sa cargaison de charbon de bois qui

avait été pesée et vendue sur le quai, de sorte qu'il était
haut sur l'eau et qu'Abel dut peiner pour franchir le
planchon un peu trop court. On l'avait lavé et raclé, et il
était au repos, son capitaine ne se pressant pas à prendre
une cargaison pour l'île. Les voiles avaient été séchées et
déverguées, et il ne semblait pas que l'*Ambassadeur* dût
reprendre la mer un jour. Le marin aime le repos et la
flânerie et, dans ce temps-là, on n'était pas pressé comme
aujourd'hui. On n'était pas pris dans le « cercle infernal ».
On était riche. On vivait. Le charbon vendu, chaque
homme avait reçu sa part. Le capitaine, déposant les pièces
d'or l'une sur l'autre dans la main des matelots, avait dit :
« Reviens dans une semaine, dans deux, nous verrons
bien. » Mais les matelots revenaient tous les jours s'asseoir
un moment sur le pont. Habillés d'un bleu propre, coiffés
d'une casquette à carreaux, chaussés de souliers fins, un
mouchoir de soie noué autour du cou, ils regardaient le
ciel et parlaient de femmes.

Au haut du planchon, Abel s'arrêta avant d'enjamber
le pavois. Devant lui, comme une terrasse, un grand espace
de pont fait d'un bois si poncé que chaque veine et chaque
nœud saillaient, s'étendait jusqu'à une sorte de cabane
dont la partie supérieure était recouverte de toile, qui
s'enfonçait dans le voilier, qui était prise et entourée par
le pont sur trois faces. Devant la cabane — la cabine dans
laquelle le capitaine mangeait, dormait, faisait ses comptes,
ses calculs, portait le point sur la carte, tenait ses livres
et ses instruments — le pont était ouvert et, dans le trou,
s'enfonçait un escalier de bois de quatre marches qui permettait de descendre dans la cabane dans laquelle se tenait
un homme vêtu d'un épais costume de drap bleu, coiffé
d'une casquette de drap bleu à visière brodée, les mains
dans les poches, la pipe à la bouche, le regard sur Abel.
C'était le capitaine de l'*Ambassadeur*. Le bout du planchon
avait tremblé, et il regardait qui arrivait.
Abel était au haut du planchon et le capitaine dans la
cabine, en bas. Abel voyait le capitaine de haut en bas.
Il voyait le dessus de la casquette, juste sous la visière, les
yeux tournés vers en haut, puis les moustaches, les épaules,
la masse du corps en raccourci et, enfin, les pieds, et il
savait bien que c'est ainsi qu'il devait voir le maître du
voilier parce que Mathieu avait parlé de la mer que l'on

a autour de soi, de tous les côtés et parfois au-dessus de la tête. Il avait quitté Gilles sans trop de peine parce qu'il allait vers la mer, et maintenant, lui semblait-il, il avait atteint le but.

« Avance », lui dit le garçon qui avait gravi la planche derrière l'enfant et qui, les mains dans le dos, le poussait. « Qu'est-ce que tu nous amènes là ? » dit le capitaine sans trop s'étonner, car lorsque les marins rentrent de terre, souvent ils ont avec eux un chien blessé qu'ils ont recueilli ou une chatte trouvée avec ses petits entre deux pavés. Cette fois, c'était un enfant.

« C'est un gosse, répondit le garçon. Il y en a un qui l'a attaqué et, comme il se défendait, deux autres lui ont sauté sur le dos. » Les mains dans les poches, la pipe à la bouche, le capitaine monta sur le pont. « Il a un couteau, poursuivit le jeune marin désignant Abel, et quand il a vu qu'il avait le dessous il l'a sorti. Si je n'étais pas arrivé, il en éventrait un. » « Mais qui l'a attaqué ? » interrogea le capitaine. « Des salopiots du port. »

Le marin et le capitaine s'étaient placés côte à côte, à un mètre de l'enfant, et le regardaient. Abel était de petite taille mais large d'épaules et bien planté sur des jambes solides. Il avait les cheveux blonds et les yeux bleus. Le capitaine examinait chaque partie du visage et il n'y découvrait aucun signe de la vie tourmentée de l'enfant. Il n'y avait absolument aucune ride sous les paupières ni à la jointure des paupières. Le front, les tempes, les joues, le menton étaient lisses. Aucun pli ne déformait la bouche.

« Fais-lui boire un bon coup de rhum, dit le capitaine. Il est abîmé. » On fit asseoir Abel sur le pont, et le garçon lui fit avaler d'un coup un fort doigt de rhum dans un grand verre. « Nettoye-le un peu. Mets du vinaigre sur les plaies et du gros sel sur les coups. »

Le capitaine détaillait encore Abel, mais les yeux translucides étaient aussi impénétrables que ceux du chien perdu que l'on interroge. Tant d'hommes et de femmes étaient déjà passés dans sa vie que l'enfant ne s'étonnait pas que de nouveaux hommes y pénètrent, et ceux-ci étaient de l'espèce de Mathieu et de Gilles. Rien n'apparaissait dans le regard d'Abel, même pas le reflet du feu qui dans le moment dévorait son âme; il se trouvait à bord d'un navire, avec des hommes de mer.

Au bruit, un matelot arriva de l'avant. « Qu'est-ce qu'il

y a ? » « C'est un gosse qui s'est battu. Tiens, arrange ça. »
On lui passa le blouson et la culotte d'Abel.

« Que dira ta mère ? » interrogea le capitaine. Abel
baissa la tête. Il pensait à elle. Comment lui cacher les
meurtrissures du visage ? Quant à celles des jambes et des
mains, il aurait pu dire qu'il était tombé. « Ça se voit ? »
demanda-t-il. Le jeune marin qui tenait sur le front d'Abel
un linge trempé de vinaigre, répondit : « Ça se verra
encore plus demain » « Et ton père ? » interrogea le capitaine.

« Mon père ? » Alors, vraiment, le capitaine dont le
regard fixait les yeux de l'enfant vit s'ouvrir devant lui
un abîme. « Mon père ? répéta Abel. Je n'en ai pas. »
Jamais Abel n'avait pensé « qu'il aurait pu avoir un
père », que tous les enfants, ses camarades, avaient un
père et que lui il n'en avait pas. Il était si différent des
autres, ayant une mère comme les autres n'en possédaient
pas.

Dans la vie d'Abel, il y avait un trou énorme, qu'il
n'avait jamais vu : l'absence d'un père. « Je n'ai pas de
père », répéta-t-il.

Le capitaine dit, alors, parce qu'il était un homme qui,
depuis plus de vingt ans, vivait seul, la nuit, sur le pont
d'un navire au large : « Peut-être qu'il est mort, ton père,
quand tu étais tout petit. »

« Je n'ai jamais eu de père », répondit Abel, et il surprit
un regard entre le capitaine qui rebourrait sa pipe, le garçon qui appliquait du gros sel sur une jambe de l'enfant,
et le matelot qui, après les avoir secoués, recousait ses
vêtements.

« Où habites-tu ? » interrogea le jeune marin. « A la rue
de l'Araignée. » « Avec ta mère ? » « Oui. » Le capitaine
hésita un instant, puis : « Que fait-elle ta mère ? » « Rien. »

Un gros rire secoua le matelot penché sur le pantalon
d'Abel. « Elle a de la chance, fit-il. Moi, ne rien faire a
toujours été mon rêve. » Le capitaine fit mine de sourire,
puis : « Et tu en aurais tué un avec ton couteau ? » Il avait
posé la question avec négligence, un peu en blague. Pour
la seconde fois, le visage de l'enfant exprima un sentiment.
Le regard se durcit. « Oui, répondit Abel. Gilles a tué un
renard et l'a cloué sur le mur parce qu'un renard avait
ouvert le ventre de Mathieu. »

« Il a cloué un renard sur le mur ?... » dit le capitaine.

Il se tut. Il avait posé deux ou trois questions, écarté un peu de poussière, et il découvrait un monde.

On rhabilla Abel. On lui fit boire encore un bon coup de rhum. Le jeune marin dit : « Je vais t'accompagner », et le capitaine : « Tu reviendras ? »

— Oui, répondit Abel. Je reviendrai.

Côte à côte, sans un mot, le jeune marin et Abel traversèrent le quai du Port, dans sa largeur. Ils suivirent le trottoir, et le marin rompit le silence pour dire, un bras tendu : « Tu vois là-bas la mâture du navire chargé d'oranges ? » Pour avancer, ils devaient se glisser entre les groupes des hommes debout sur le trottoir, qui parlaient, discutaient, riaient ; ils devaient faire des détours pour éviter les chaises et les guéridons sur les terrasses des bars, et, parfois, marcher sur la chaussée.

« Je la vois », répondit Abel. Il la voyait en effet comme s'il n'y avait eu que ce mât penché et la longue antenne dans toute la partie du Vieux-Port qui s'étendait devant lui. Il la voyait au-dessus des centaines d'hommes et de femmes, au-dessus des voitures, des tramways, des fils aériens, entre les autres mâts, comme si ce mât et cette antenne eussent formé dans le ciel un signe qui n'eût eu un sens que pour lui.

— Je la vois, dit-il, et il se retourna, voulant à cette image associer celle de l'*Ambassadeur*. Le marin, qui surprit le mouvement de l'enfant, tourna lui aussi la tête et dit, parlant des mâts de son navire : « Ils sont plus costauds. »

— C'est ici que j'habite, fit Abel.

— Ici ?

Ils s'étaient arrêtés, tournant le dos à l'eau, à l'entrée de la rue de l'Araignée. Dix mètres plus loin la rue de la Fête la coupait, formant avec elle une croix. A l'intersection, un abcès puant dégorgeait son pus avec autour et dessus, comme des mouches sur la sanie, des grappes d'hommes et de femmes, plus marqués par l'expression du visage, les gestes, la parole, les vêtements, qu'ils l'auraient été par la couleur de la peau et la structure du corps s'ils avaient appartenu à une race africaine.

— Non, répondit Abel. Plus loin, là-haut. Tout là-haut. Du menton, il désigna, au delà des femmes qui riaient crapuleusement et des hommes figés dans une immobilité affectée, la partie haute de la rue.

— Tu passes par là?

— C'est mon chemin.

— Quel est ton nom?

— Abel. Et le tien.

— Jean-François. Tu reviendras?

— Je reviendrai.

La rue de la Fête franchie, Abel se retourna et leva un bras. Ainsi Mathieu, après avoir traversé la combe, avait agité son bâton. « N'oublie pas. » La main d'Abel disait : « Je reviendrai. »

La mère n'était pas rentrée. Abel en fut satisfait. Elle aurait vu tout de suite la marque des coups. Peut-être le lendemain — quoiqu'en eût dit le matelot — les marques seraient moins apparentes. Abel se laverait, s'arrangerait, se coifferait comme la mère aimait qu'il le fût. Il mettrait d'autres vêtements. Peut-être d'ici le lendemain « trouverait-il un mensonge » à dire à la mère pour expliquer les meurtrissures de son corps.

Il souffrait. Sa chair était douloureuse à chaque endroit où il avait reçu un coup. Il alla dans la cuisine pour se laver. Sur le potager, dans une assiette, un morceau de viande qu'il devait faire cuire pour son dîner, baignait dans un peu d'huile. Il n'avait pas faim. Il fit tomber ses vêtements, se plaça devant l'évier et tendit le bras pour ouvrir le robinet. Alors il se vit. Il y avait un peu plus bas que le robinet, fixé au mur par quatre clous, un morceau de miroir dans lequel il vit son visage. La paupière gauche était rouge, enflée et pendait un peu. L'œil droit avait été touché seulement sur le côté, et des veinules avaient éclaté, formant une sorte de réseau rosé à la commissure des paupières et jusque sur le haut de la pommette. La lèvre inférieure était un peu écrasée à droite et comme fardée d'un caillot de sang extravasé. Des taches sombres apparaissaient au front, au milieu de la joue gauche, au menton.

— Il faudra que je dise à la mère que je me suis battu, pensa Abel, sûr que le mensonge était impossible à trouver.

L'eau froide lui fit du bien, et, après avoir plié et posé sur le dossier de la chaise ses vêtements et après avoir éteint la lumière, il s'assit sur le lit.

— Je n'ai pas de père, se disait-il. Cette révélation l'affectait peu. Il s'étonnait surtout de n'y avoir jamais pensé. Au village, avant le pays sauvage, il avait eu un camarade qui se cachait lorsqu'il apercevait son père, à qui la mère disait : « Ce que tu viens de faire, ton père le saura. » Et l'enfant craignait la voix du père. Il pleurait lorsque la grosse main de son père le saisissait par le menton. Un autre disait souvent, si on le tourmentait : « Je le dirai à mon père. » Mais lui, Abel, il n'avait pas de père. Il avait parfois entendu la femme dire à l'homme : « Jeudi, à la foire, achète une paire de souliers à ton fils. Regarde-le. Il marche quasi pieds nus. » Et l'enfant dissimulait ses souliers troués sous la table pour que le père ne les vît pas.

Mais lui, Abel, se répétait l'enfant assis sur son lit, il n'avait pas de père. Lorsqu'il ne voulait pas manger ce qu'on lui servait, s'il s'était absenté trop longtemps, s'il avait déchiré sa culotte, on le menaçait par : « J'écrirai à ta mère. » On ne lui avait jamais parlé du père. Et les souliers, c'était toujours la mère qui les apportait ou les envoyait, avec d'autres choses.

Il n'avait pas de père. Avec une mère si belle, plus belle que la Vierge auprès de l'Enfant Jésus, il n'avait pas besoin de père. Au village, avant qu'elle entrât, il sentait son odeur; dès qu'elle poussait la porte, il entendait sa voix; elle s'asseyait, et il se posait devant elle pour la regarder. Avait-il besoin d'un père?

Toujours assis sur le lit mais se déplaçant un peu à cause des meurtrissures, Abel pensait à la mère lorsqu'il reconnut sa voix dans l'escalier.

La femme parlait fort et riait sans contrainte. Ainsi parlait-elle et riait-elle lorsqu'elle avait dîné au restaurant. Elle ne buvait pas trop mais assez pour se mettre en joie. Trois ou quatre verres de vin un peu chargé d'alcool et, après le café, une chartreuse, parfois deux, avec le goût de ses amours avec Paul, qui de la partie la plus intime d'elle lui remontait à la bouche, avec le frisson qu'elle éprouvait à être regardée, frôlée, touchée, désirée, avec le chant criard et nostalgique des musiciens ambulants, avec le désir d'elle sûr d'être bientôt satisfait, inscrit dans les yeux et sur les lèvres de son compagnon du soir, avec le coudoiement, le bruit des voix, les odeurs du port, du poisson écrasé par les pieds de la foule sur le pavé, des épices, de

tous ces mâles et de toutes ces femelles qui ne pensaient
qu'à l'accouplement de l'instant suivant, avec le goût miel-
leux de deux ou trois cigarettes qu'elle fumait avidement,
suffisaient à faire s'épanouir la femme, à faire se dilater sa
chair. Ses yeux s'agrandissaient et brillaient. La sorte de
meurtrissure qui les soulignait se creusait et s'assombrissait. Ses lèvres devenaient plus charnues. Les ailes du nez
palpitaient. Les lourds seins se gonflaient encore et se dur-
cissaient. Ses cheveux luisaient davantage. Une rosée parfumée exsudait de tous les pores élargis.

La femme parlait sans arrêt, plus vite, plus fort. Elle
riait. Elle parlait et riait comme chante l'oiseau saoulé par
le soleil et l'air printaniers.

Tandis que la mère gravissait l'escalier, sa voix et son
rire prirent plus d'ampleur, puis brusquement cessèrent.
Abel, immobile, écouta attentivement, s'efforçant d'identi-
fier par les bruits le compagnon de la mère.

Si l'homme, qui, ce soir-là, suivait la femme dans l'escalier obscur, était le « monsieur aux bras courts », il se
pourrait, se dit Abel, que la mère ouvrît la porte de la
chambre de l'enfant. Le « monsieur aux bras courts » pré-
tendait être l'« ami » d'Abel. Il l'appelait « le garçon sauvage ». Souvent, il lui parlait. Parfois, il l'interrogeait sur
« l'homme qui tuait les renards, les éventrait et les clouait
sur le mur de sa maison ». Mais Abel ne répondait pas.
« Tu serais bien capable, toi, avait dit une fois cet ami de
la mère, de m'ouvrir le ventre et de me... » Les lèvres d'Abel
s'étaient descellées. « Tu souris? »

Abel n'aurait pas frappé de son couteau ni le « monsieur
aux bras courts » ni les autres compagnons connus de la
mère, ni ceux qui hésitaient avant de poser le pied sur des
marches dont ils ignoraient les traîtrises et que la femme
guidait par la main. *Ils étaient tous des pantins.*

Abel savait que la mère s'en jouait. Il la voyait agir avec
eux. Toujours, sans y paraître (rien n'échappait à l'enfant),
elle les amenait là où elle voulait, leur faisait faire ce
qui lui plaisait. Vraiment, c'était un jeu, le jeu de la
mère.

Encore, il entendait la mère parler de ces hommes, soit
à elle-même et à haute voix, soit à Paul. Peut-être Gilles
jouait-il de la même manière avec Brebis. Par jeu, souvent, Gilles imposait sa volonté à Brebis. Pourtant Abel
comprenait que ce n'était pas tout à fait la même chose.

Gilles jouait avec Brebis *et Brebis jouait avec Gilles.* La chienne ne s'y trompait pas; lorsque l'homme la lançait sur une fausse piste, lorsqu'il essayait de lui faire manger quelque chose qu'elle n'aimait pas, la griffonne savait que c'était par jeu. Puis, Gilles se mettait à rire aux éclats; il prenait entre les mains la grosse tête, la secouait, la frottait en tous sens, s'amusait à ébouriffer les poils rudes, à en masquer les yeux. Alors, Brebis riait aussi.

Tandis que, si la mère jouait avec ses visiteurs, eux ne jouaient pas avec elle. Ils étaient des pantins. Ils étaient comme des ours en peluche. On leur fait tenir les bras en croix, on les assied dans un fauteuil, on leur fait tourner la tête à droite, puis à gauche. Ils restent là où on les met, et un ours en peluche ne rit jamais. Pourtant, arrivait un moment où la mère avait l'air de céder au désir de l'homme. (L'enfant savait bien que les visiteurs désiraient quelque chose.) Mais, *après*, la mère se moquait d'eux. Elle disait : « Qu'il est bête! » ou : « Celui-là, si je voulais, je le ferais venir ici en chemise et pieds nus. »

Elle n'avait jamais dit cela de Paul. De Paul, elle ne disait jamais de mal. Avec cet homme, cet homme seul, la partie était renversée. C'était Paul qui faisait son jeu de la femme. Si Abel était pris d'un tremblement lorsqu'il entendait le pas de Paul dans l'escalier, s'il en était jaloux, c'est qu'il avait compris cela, obscurément.

Abel, sans crainte d'être surpris, quittait souvent le lit pour, l'œil ou l'oreille à la serrure, reconnaître le compagnon de la mère. Ce soir-là, il exagéra son immobilité et étouffa son souffle, souhaitant que l'absence de tout bruit fît supposer à la mère qu'il dormait profondément et la retînt d'entrer dans la chambre, car, tout de suite, elle aurait vu le visage tuméfié. Il aurait fallu s'expliquer sans retard et en présence d'un étranger, en présence d'un homme qui aurait gêné le libre échange des ondes secrètes entre l'enfant et la mère, qui, seulement parce qu'il aurait été là, même immobile et silencieux, aurait déformé les paroles, altéré leurs sens et leurs vibrations.

Mais la mère et son compagnon ne marquèrent qu'un tout petit temps d'arrêt devant la chambre d'Abel qui perçut le bruit léger des ongles se heurtant au bouton de la serrure et le mouvement de ce bouton auquel un paquet avait été suspendu. Trois mètres plus haut, comme si déjà elle eût oublié l'enfant, la femme recommençait à parler.

Brusquement elle eut un rire un peu rauque, un peu animal et une exclamation : « Taisez-vous. »

Peu après, ouvrant sur le lit le paquet décroché du bouton, Abel à sa manière, une fois encore, établissait des différences entre le pays sauvage et Marseille et entre Gilles et la mère. Jamais il ne se disait que le pays sauvage et Gilles étaient mieux que Marseille et la mère. Le mot qui convenait ne lui venait pas à l'esprit. S'il l'eût trouvé, il se serait dit qu'au pays sauvage et avec Gilles, tout était plus *simple* qu'à Marseille et avec la mère. Et tout lui paraissait plus simple au pays sauvage, parce que tout s'accordait mieux avec sa nature. Ainsi, si la bataille s'était produite au pays sauvage, Gilles aurait soigné Abel, puis aurait décroché son fusil (du moins Abel le pensait-il dans le moment) et serait parti à la recherche des « salopiots » qui avaient attaqué Abel. Peut-être en aurait-il cloué un à la porte, à moins que... Mais quoi qu'eût fait Gilles, l'affaire se serait passée sans longues explications, sans cris et sans reproches. Tandis qu'avec la mère...

L'enfant mordit dans l'un des gâteaux apportés par la femme. Elle en avait choisi trois qu'il aimait particulièrement. Ainsi savait-il qu'à un moment du moins de cette fin d'après-midi, peut-être à l'instant même où le capitaine-marin lui posait la question sur le père, la mère avait pensé à lui. Le lien entre la mère et l'enfant n'était jamais rompu. Abel pressentait que ce lien n'avait jamais été rompu, même dans le passé après qu'elle lui eût refusé le sein, lorsqu'elle s'était séparée de lui. Elle était arrivée à temps pour le sauver. « Tu étais déjà un petit cadavre. » Combien de fois l'avait-il vue ici et là, dans un de ces villages dont il avait perdu le souvenir! Il y avait un lien entre eux que l'enfant sentait, un lien qui était fait de la substance même de la femme, de sa chair, qui était fait, encore, de la chair de l'enfant. Il semblait que la mère fût une araignée, et au bout du fil ténu et qui n'avait jamais cassé, que la femme sortait d'elle, se trouvait l'enfant. Elle s'éloignait dégorgeant son fil que, plusieurs mois plus tard, ayant fait demi-tour, elle suivait. Ainsi elle était arrivée au pays sauvage.

Dans la chambre au-dessus, le rire de la mère, la voix de l'homme, le claquement des bottines — et il y avait celles de la femme et celles de l'homme — le tintement

des verres, parfois une exclamation plus vive, parfois un
coup sourd, formaient une musique familière à l'enfant.
Mais quel en était le sens? Quel était le sens du jeu que
la femme jouait avec les hommes, sauf avec Paul?

Abel savait bien qu'après un tel jeu il ne lui était pas
possible d'entrer dans la chambre de la femme (si celle-ci
répondait à l'appel par le « entre petite souris ») et de
dire quelque chose d'aussi sérieux que : « A un homme
qui m'interrogeait, j'ai répondu que je n'avais jamais eu
de père », et il m'a dit : « Peut-être est-il mort quand tu
étais tout petit. » Chaque fois que l'enfant, parlant de sa
vie, avait abordé un sujet sérieux — non pas qu'il eût
l'intention de parler sérieusement — la femme n'avait pas
compris. L'enfant était trop simple. Peut-être aurait-il
fallu qu'il fût compliqué. Peut-être aurait-il fallu qu'il
fût semblable à la mère. Alors, il aurait trouvé l'ouverture. Alors, ayant les mêmes goûts, les mêmes habitudes,
le même langage, la femme et l'enfant auraient-ils pu se
communiquer leurs sentiments profonds.

Non, se dit Abel pliant le papier glacé des gâteaux,
faisant glisser dans le creux de la main les miettes de pâte
sucrée, puis les lappant, puis se recouchant et recherchant
dans le lit la position où il ressentait le moins les coups,
non il ne devait pas répéter à la mère la question du capitaine du voilier : « Et ton père? » Cela n'avait pas
d'importance. Mais être monté à bord de l'*Ambassadeur*
en avait.

Au-dessus, la musique avait changé de tonalité et de
rythme. Des bruits avaient disparu, d'autres sons étaient
perceptibles. Aux voix, aux rires, aux exclamations, avaient
succédé des murmures et des silences.

Quand Jean-François, après lui avoir répondu : « C'est
mon bateau », avait ajouté : « Je suis marin », Abel avait
tout à coup oublié l'attaque des enfants et la bataille. Il
n'avait plus souffert. Son bouleversement, sa colère, le
désir de faire mal et de blesser grièvement avaient disparu. Tout ce qui était arrivé dans la journée — la vision
même du navire semblable à un fruit — avait été effacé
mieux que par un bistouri qui fouille la chair mais grave
son passage. Il semblait qu'Abel et Jean-François se fussent trouvés sur le quai, face à face, comme tirés du néant
par la baguette d'un magicien. « C'est mon bateau. Je
suis marin. »

« Je suis l'ange du Seigneur », aurait dit Jean-François
qu'Abel n'aurait pas été plus émerveillé. « Monte à bord. »
Gravissant le planchon — la mauvaise planche de bois —
Abel avait suivi une voie lumineuse qui, les nuages s'étant
écartés, avait glissé jusqu'à lui.

Lorsqu'il avait entendu Mathieu parler de la mer, lorsque, tout à coup, il s'était trouvé devant elle, lorsqu'il
lisait la grande aventure de Christophe Colomb, lorsqu'il
s'accoudait au parapet du pont sur le Canal Saint-Jean,
même lorsqu'il se tenait dans l'anse secrète en face de
l'eau du large, Abel n'avait fait que tourner autour de la
mer. Depuis qu'il était libre, comme errant autour d'une
ville magique dont les murs invisibles et impalpables sont
infranchissables, il cherchait par où y pénétrer.

« Monte à bord », avait dit le garçon. L'Ange de la
Bible dit : « Les portes du Ciel te sont ouvertes. » « Monte
à bord. Les portes de la Mer te sont ouvertes. »

Depuis longtemps il attendait cette parole.

A l'oreille d'Abel parvenu au haut de la planche, dominant le pont du voilier, regardant le capitaine qui se tenait
dans la cabine, la voix de Mathieu avait éclaté comme
une fanfare : « Tu te souviens... » L'enfant était demeuré
immobile, comme changé en statue, pendant une seconde...
jusqu'à ce que l'homme habillé de bleu bougeât et dît :
« Qu'est-ce que tu *nous* amènes ? » Abel avait bien compris.
« Qu'est-ce que tu *nous* amènes ? » *Parce qu'ici c'est la mer.*

Le garçon, le capitaine et Abel s'étaient assis sur un
caillebotis qui formait banc. Ici, c'est la mer. Ce navire
à bord duquel Abel se trouvait, c'est la mer, s'était-il dit.
Tandis qu'on le pansait, qu'on lui faisait boire du rhum,
qu'on l'interrogeait — et ces hommes avaient le droit de
lui poser des questions — Abel avait « éprouvé » la certitude d'être *définitivement* admis dans ce monde nouveau.
Il n'était pas là de passage. Il n'était pas là dans le
moment pour ne plus y être dans le moment suivant. Non.
Il était comme Mathieu, comme Gilles, comme Christophe
Colomb, un homme de la mer. Peut-être n'était-il venu à
Marseille que pour cela.

Les pavois étaient si élevés qu'au-dessus d'eux, de tout
côté, l'enfant ne voyait que le ciel. La terre — la ville —
avait disparu. Les bruits de la ville, eux-mêmes, n'atteignaient pas ces marins. Ils étaient isolés, comme au large.
Ils étaient dans cette solitude que les paroles de Mathieu

laissaient deviner. Ils étaient aussi isolés que les chauffeurs qui alimentent le feu éternel, qui ont l'eau autour et au-dessus d'eux. Ici, c'est la mer, avait pensé l'enfant.

Au bruit d'un pas à quelques mètres de la porte de sa chambre, Abel sursauta. Il comprit tout de suite que ses souvenirs s'étaient transformés en rêve et que, malgré les douleurs, il avait dormi. Aussi rapidement il reconnut le bruit du pas de Paul.

Paul montait l'escalier — il était maintenant sur le palier, juste devant la porte de l'enfant et, déjà, un pied se posait sur la première des marches qui conduisaient à l'étage au-dessus. Paul arrivait.

Abel ne pouvait réprimer ses frissons. Il était séparé de l'homme par une porte, par l'obscurité, par le silence de la nuit. Il ne le voyait pas, ne sentait pas son odeur, n'était pas touché par son regard. Il entendait seulement le bruit de son pied et, encore, le bruit du cuir qui se pliait, et, encore, ce bruissement à peine perceptible d'un corps en mouvement et qui se frotte aux tissus qui l'enveloppent, et, tout de suite, comme si l'aiguillon d'un serpent se fût enfoncé brutalement dans sa chair, il tremblait. Il y avait dans le corps de Paul quelque chose de troublant, une force diabolique qui avait attiré la mère, à laquelle l'enfant avait été sensible, qui l'avait séduit, lui aussi, un instant et qui, en même temps, l'avait inquiété. Elle semblait être une onde qui émanait de la voix de l'homme, de son regard, de ses gestes, de son corps même immobile, même invisible.

Assis sur le pont de l'*Ambassadeur*, avec les hommes du voilier, Abel n'avait pas pensé à Paul. Il aurait pu croire le charme rompu. Il avait été admis, s'était-il dit, dans le monde de la mer, cependant Paul était là de nouveau, gravissant les escaliers et frappait à la porte de la mère. (Pourquoi, se dit Abel, surpris, entendant le doigt de l'homme contre le bois, la mère n'a-t-elle pas ouvert la porte, pourquoi n'a-t-elle pas attendu Paul sur le pas de la porte comme tous les soirs? Est-elle malade?) « Tu reviendras? » avait interrogé le capitaine, et, quelques heures plus tard, il tremblait parce que Paul était entré dans la maison et que sa seule présence empuantissait l'air.

Le lendemain ou huit jours plus tard, quand il le vou-

drait, Abel remonterait sur le pont de l'*Ambassadeur*,
cependant toutes les nuits il guetterait le bruit du pas de
Paul. Toutes les nuits ils seraient deux à guetter ce bruit,
lui dans son lit, la mère debout derrière sa porte qu'elle
ouvrait avant que l'homme n'arrivât sur le palier. (Pourquoi ce soir l'a-t-elle laissé frapper?) Toutes les nuits, il
tremblerait et écouterait au-dessus ce va-et-vient de
l'homme qui ne s'asseyait pas tout de suite, qui se déplaçait entre la cheminée et la fenêtre, qui parlait, lui debout,
à la mère en toilette de nuit, assise sur le lit.

Et ce bruit régulier et si léger du pas de l'homme, à
l'enfant qui s'éveillait, dont le tremblement avait à peine
cessé, fit voir l'eau du port toujours agitée, montant de
quatre doigts et descendant de quatre doigts contre la
dalle du quai. Tout à coup, Abel se retrouva sur le port et
vit devant lui le bateau semblable à un fruit et chargé de
fruits, et l'orange rouler jusqu'à ses pieds. Tout à coup, il
fut jeté à terre. Avait-il été frappé par la foudre?

Lorsque Gilles avait tué une bête sauvage, il étendait le
corps sur la terrasse, s'asseyait devant, allumait sa pipe et
le regardait. Il ne disait rien mais Abel savait ce qu'il
pensait. « J'avais vu ses traces et je le guettais depuis trois
semaines. J'aurais pu le tuer il y a huit jours mais j'étais
mal placé et je ne voulais pas l'abîmer. Il se méfiait. Il
m'avait senti. Il avait creusé une autre sortie à son terrier et ne se servait plus des mêmes pistes. J'ai retrouvé
ses traces, et ce matin, je l'ai eu. » Gilles s'accotait contre
la maison, tirait sur sa pipe et à l'aide du couteau décrot-
tait ses souliers.

« Il y en a un qui s'est jeté sur moi, pensait Abel, et il
m'a renversé. Quand j'ai pu frapper... » Il voyait l'enfant
devant lui comme le cadavre de la bête sauvage sur la
terrasse devant Gilles, et il n'était pas plus ému que le
chasseur.

A ce moment où l'esprit d'Abel était de nouveau entre
la songerie et le rêve, dans la chambre au-dessus la voix
de la mère se fit entendre de telle manière que l'enfant
s'assit sur le lit.

Les mots que prononçait la mère, l'un après l'autre, l'un
détaché de l'autre, mais se suivant avec rapidité, claquaient sèchement. Le silence autour des mots, autour de
la voix de la mère, était tel qu'on aurait pu croire la
femme seule dans sa chambre, mais, aussi, dans la maison,

mais, aussi, dans la ville, dans le monde même. Dans ce
silence, le bruit des mots n'éveillait aucun écho; rien ne
résonnait, rien ne vibrait.

« Qu'est-ce que c'est ? » se demanda Abel. Que se passe-
t-il ? Que dit-elle ? Toute l'attention dont il était capable il
la mit dans son ouïe. Sans que sa volonté intervienne,
mais instinctivement, il refoula au fond de lui tous ses
souvenirs. Il oublia même la présence de Paul. Tous ses
organes avaient ralenti leur mouvement. Il ne fut qu'une
oreille.

Jamais la mère n'avait parlé ainsi, avec une telle auto-
rité, avec une telle véhémence, même lorsque la femme
inconnue avait pris possession d'elle. Il fallait qu'Abel
fût le fils de cette femme pour en reconnaître la voix. Lui
qui comprenait le sens d'une phrase à peine murmurée
par la mère, il ne parvenait pas, tant la tonalité était
changée, à saisir un seul de ces mots clamés. Si rien n'étouffait la voix, quelque chose, peut-être la colère, peut-être la
distance, peut-être d'être arrêtée par des murs et de ne
pouvoir s'étendre — ou tout cela ensemble — donnait aux
mots un son égal.

Tout à coup, Abel comprit que la mère adressait des
reproches à Paul et il fut envahi d'un espoir fou. Il crut
que la mère se libérait. Il n'y avait rien, croyait-il, qui
liât la femme à l'homme. Il n'y avait du moins aucun lien
du genre de celui qui unissait la femme à l'enfant, et Paul
allait partir et jamais plus ne reviendrait.

Pendant quelques minutes, Abel se sentit libéré lui-
même. Il fut certain qu'il n'aurait plus à guetter le pas de
l'homme, et sa certitude fut telle que si Paul fût passé
devant la chambre, l'enfant n'aurait pas tremblé.

Ce débit rapide de mots d'une tonalité unique cessa
brusquement, et après un silence d'une dizaine de secondes,
la voix de la mère changea et tous les pores de l'enfant se
dilatèrent. Le premier mot, comme une dissonance trop
hardie et brutalement jouée, arracha à Abel un cri étouffé,
et les mots se succédèrent mais sur un rythme et sur un
ton combien différents, sur une gamme plus basse et combien
plus étendue. On aurait cru entendre les plaintes inin-
terrompues d'une bête blessée, d'une louve qui agonise. A
genoux, un peu accroupi sur le lit, les bras tendus, les
mains posées sur le drap d'un côté et de l'autre du corps,
le visage face au plafond obscur, l'enfant fut le louveteau

de cette louve. Chaque son, majeur et mineur, bref et long,
clair et sourd, aigu et grave, l'atteignait, le pénétrait, le
blessait. Abel, la bouche et les yeux ouverts, ruisselait de
sueur. Par moments, la voix était si rauque, si gutturale,
qu'il ressentait une brûlure au cœur, comme si l'on eût
introduit dans sa poitrine une barre de fer rougie au feu.

Il avait le regard fixé sur l'homme (et malgré le plafond
le voyait) que la femme implorait, maudissait et implorait
encore. Il souhaitait qu'à l'instant cet homme fût anéanti,
que la foudre du Ciel (la Bible lui avait appris ce qu'est
la foudre du Ciel) le brûlât et, le brûlant, lui fît subir en
une seconde une torture inouïe. Il ne le craignait plus *mais
le haïssait*. La douleur et la haine lui déformaient le visage,
le faisaient grimacer. Ses traits avaient dans le moment la
forme même des traits de la mère dans la chambre au-dessus. Sa bouche se tordait ainsi que celle de la femme. Mais
ses yeux ne pleuraient pas et son regard était dur comme
du silex.

Et, brusquement, ce fut, dans la chambre de la femme,
le silence mais absolu, à faire douter l'esprit le plus sain
qu'un homme et une femme se trouvaient dans cette chambre, qu'un instant plus tôt cette femme gémissait comme
une bête agonisante. Avant les sanglots, il n'y a pas plus
de silence autour d'un être qui à l'instant expire. Abel
demeura comme frappé par une balle, se tenant dans
l'obscurité toujours dans la même position, toujours le
regard levé vers le plafond, mais la sueur ne ruisselant plus
sur le corps, comme s'il avait été seul au monde, comme si
le passé et l'avenir n'eussent pas existé, jusqu'à ce que cla-
quât, net, brutal, volontaire, le talon de Paul se dirigeant
vers la porte. Et dans le dos de Paul, la porte claqua,
elle aussi, aussi brutalement. Jamais dans l'escalier le pas
de l'homme n'avait résonné avec autant de fermeté, et
une ou deux minutes plus tard, la lourde porte d'entrée
tirée avec force fit trembler la maison.

Comme si, par ce dernier bruit, le charme qui immobilisait Abel eût cessé, Abel se laissa glisser de son lit,
gravit l'escalier aussi légèrement que s'il n'avait été qu'une
âme, et s'accroupit à la porte de la mère. Il n'osa pas y
gratter.

Le front appuyé contre le bois, il pensait qu'il dormirait
là lorsque la mère elle-même l'appela. « Entre, petite
souris. »

Couchée, vêtue d'une fine chemise, les bras et le haut de la gorge nus, les cheveux épars, les lèvres rouges mais rougies par le sang, les joues pâles avec les traces des larmes sur la crème, la peau du dessous des yeux très bistre, la femme souleva le torse.

Dans la cheminée, de la braise rougeoyait, et la fumée de tabac formait un nuage bleuté au-dessus de la lampe de chevet. Des bouts de cigarette étaient écrasés dans les cendriers, et dans deux verres posés sur la cheminée, à côté d'une bouteille de cognac, il y avait encore de l'alcool. Mais Abel qui dans le moment avait tout oublié : la bataille, les traces des coups qu'il portait, sa rencontre avec le marin, sa visite à bord du voilier, son admission dans le monde de la mer, la question du capitaine : « Et ton père? » ne regardait que la femme.

Dans le visage qu'elle lui offrait, il s'attendait à voir les traces des souffrances qui lui avaient arraché ces plaintes de bête et dont lui-même était encore tout bouleversé. Dans les yeux un peu dans l'ombre mais dont il voyait l'éclat, fixés sur lui, il cherchait la confirmation de son espoir. Son propre regard interrogeait la mère. « N'est-ce pas que Paul ne viendra plus? N'est-ce pas que tu es libérée? Que nous sommes libérés? »

Il savait que la femme ne lui parlerait pas de ce qui s'était passé dans la chambre quelques minutes plus tôt. Abel n'était pas habitué à ce qu'on lui fît des confidences. Personne, jamais, ne lui avait fait des confidences. Personne, jamais, ne lui avait donné la raison de quoi que ce fût. On lui avait dit : « Habille-toi. Il faut faire ta valise. Tu t'en vas. » Mais pourquoi devait-il partir? Etait-ce pour longtemps? Pour toujours?

Il regardait la mère, l'interrogeait du regard, et cependant il aurait pu se faire que par un geste, une exclamation, un cri, un juron, une moquerie, des larmes, un rire, elle répondît à la question muette. La mère qui sans parler s'était trahie le jour où elle avait rencontré Paul, aurait pu de la même manière montrer sa délivrance.

Elle soutenait le torse d'un coude posé sur l'oreiller, fixant sur l'enfant un regard sans lumière, qui ne répondait pas, qui ne révélait rien, qui ne semblait pas avoir de racine dans le corps, qui aurait pu appartenir à n'importe quelle créature humaine, et le silence dura si longtemps qu'Abel, décontenancé, dit : « Je vais mettre une bûche sur la braise. »

— Approche-toi. Qu'est-ce que tu as ?

D'un mouvement, la femme rejeta le drap, sortit les jambes du lit, s'assit sur le lit et saisit l'enfant entre ses cuisses. Abel eut une défaillance. En lui tout s'écroulait comme s'il allait mourir, comme s'il mourait. Il ne saurait rien ; la mère avait un secret, son secret, et elle ne se livrait pas. En même temps, l'odeur violente de la mère le faisait souffrir aussi cruellement que les plaintes, peu avant.

La femme posait les doigts sur les meurtrissures du visage. « Qu'est-ce que tu as ? » Abel fut sur le point de répondre : « Ton odeur ? »

— Qui t'a fait ça ?

— Je me suis battu.

— Avec qui ?

— Avec des salopiots du port.

— Des salopiots. Qu'est-ce que tu dis ? C'est toi qui parles ainsi ?

— Non, ce n'est pas moi. C'est le marin qui m'a secouru et qui m'a conduit sur le voilier. C'est lui qui a dit : des salopiots.

Tout amolli, comme si tout à coup il n'eût plus eu d'os ni de muscles, comme s'il fût redevenu l'enfançon que, douze ans plus tôt, la femme avait mis au monde, il se laissa aller contre la chair de la mère dont il sentait la tiédeur ici et la fraîcheur là, la dureté et la mollesse, dont il essuyait de la joue la rosée.

— Explique-toi.

Le ton, l'inflexion très modulée de la voix, la résonance de cette voix dans la poitrine, la caresse plus poussée que de coutume du corps qui l'enveloppait, apprenaient à Abel, mieux qu'une confidence, que la mère était émue. Mais quelle chose la bouleversait ? se demanda l'enfant un peu moins troublé lui-même. Le départ de Paul ou les coups que lui-même avait reçus ? A écouter les questions de la femme, à voir ses mains, qui, après avoir doucement palpé les contusions du visage, des mains, des jambes, écartaient la chemise, il pouvait croire qu'elle tremblait seulement du danger qu'il avait couru. Et, peu à peu, il se laissa prendre par la douceur et l'insistance de la voix, par l'attouchement câlin, peu à peu il écarta Paul, non pas

de lui mais de la mère. La femme le trompait comme elle
trompait tous les hommes, même Paul qu'elle aimait.

— Tu souffres? Tu as de la fièvre? Raconte-moi.

Comme s'il était facile de raconter lorsque la femme et
l'enfant ne vivent pas de la même vie! Abel fut si complètement abusé qu'oubliant cette voix qui d'abord l'avait
fait asseoir sur le lit, qui, peu après, l'avait comme
dépouillé de sa peau, se demanda comment il devait pré-
senter la bataille à la mère, ce qu'il devait lui en dire et
ce qu'il devait lui taire. La veille, ou deux heures plus tôt,
si la mère, montant l'escalier, eût ouvert la porte de sa
chambre, Abel ne se serait pas posé d'autres questions.

Il lui fallait, se disait-il, raconter à la mère ce qui s'était
passé dans l'après-midi, *mais pas tout à fait tout.* Il devait
lui dire et il le lui dit : « Je suis sorti. Je suis allé au
bord de l'eau. J'ai vu un bateau. » Surtout, il ne devait
pas parler de lui, ne pas faire part de ses émotions, de
ses sensations. « Je suis allé au bord de l'eau. J'ai vu un
bateau », cela la femme le comprenait mais elle aurait
cessé de le caresser, surprise, interdite, s'il eût dit :
« Allant vers le navire, je marchais tout le long du quai
et, après la bataille, je marchais encore le long du quai,
en sens inverse. Je regardais l'eau, je l'écoutais, et ce petit
bruit qu'elle fait contre la pierre m'a fait penser au bruit
du pas de Paul, la nuit, dans l'escalier. Le pas de Paul,
dans l'escalier, toutes les nuits, me tient assis sur le lit, et
je vous écoute, j'écoute ton rire et ta voix. »

Ce qui intéressait la mère, pensait Abel, c'était de savoir
pourquoi il s'était battu, s'il avait, lui, attaqué les enfants
ou si les enfants l'avaient attaqué. Il dit : « Une orange
a roulé sur le pavé jusqu'à mes pieds et je me suis baissé
pour la ramasser. Alors un gosse m'a sauté sur le dos. »

— Mais pourquoi voulais-tu ramasser cette orange?
Est-ce que je ne te donne pas des sous pour en acheter
autant que tu veux?

Il se rapprocha du corps, un instant écarté. Il se fit
plus souple. Lui peu douillet, il gémit un peu sous la pression des doigts de la mère.

— Tu sais, je n'ai pas eu peur. J'ai tapé dessus tant que
j'ai pu. Seulement, deux autres... Il se tut.

La mère le trompait et il trompait la mère. A temps, sur
ses lèvres, il avait arrêté le flot des paroles : « J'ai ouvert
le couteau de Gilles et je me serais bien débarrassé de

ceux-là aussi. » Un instant plus tôt, il n'avait pas dit : « Ce navire semblable à un fruit, lui-même chargé de fruits, ces femmes et ces hommes étrangers, ces attelages que je ne connaissais pas, m'ont fait penser à la mer de Gilles et de Mathieu, et je me suis baissé pour ramasser l'orange non pour la manger, mais pour la tenir entre les mains parce qu'elle venait de ce bateau... »

Il avait eu peur d'être éloigné de cette chair tiède, d'entendre la voix changée: « Comment, tu portes sur toi le couteau de Gilles? Quoi? Que dis-tu? Un navire semblable à un fruit? Tenir l'orange entre les mains? »

Il trompait la mère mais il ne se trompait pas.

L'enfant et la mère voyaient-ils avec les mêmes yeux, entendaient-ils avec les mêmes oreilles? Il arrivait qu'une amie dît à la femme : « On voit bien qu'il est ton fils. Il a ton regard, et aussi ton nez, et aussi ta bouche. » Ce n'était que l'extérieur. La femme n'avait-elle donné à l'enfant que sa chair? Avant de s'en délivrer, comme un fruit de sa graine, n'avait-elle pas marqué l'enfant d'une autre marque que charnelle? Tout ce qui faisait vraiment Abel lui avait-il été apporté par l'homme qui, un soir, avait pris la femme dans ses bras et fécondée? Ou bien s'était-il produit dans la femme une évolution telle qu'elle aurait regardé comme une étrangère l'enfant qu'elle-même avait été?

Abel, si bien enveloppé par ce corps qu'il paraissait y adhérer encore, savait ce qu'il devait dire et ce qu'il devait taire. Il aurait trouvé les mots pour, sans déformer la vérité, raconter à Gilles, auquel des liens de chair ne l'attachaient pas, comment, supportant le poids et les coups de trois adversaires, il avait pu saisir le couteau et l'ouvrir.

Avec « sa » mère il devait toujours tourner autour de la vérité, se demander comment il devait aborder cette vérité, et de cette vérité, un peu déformée déjà, il ne devait révéler que certains aspects. A cette condition, il était près de la mère, il était admis à la regarder, à écouter ses soliloques, il était caressé.

Par amour il faisait des concessions.

La femme pansait Abel, le caressait, l'interrogeait. L'idée ne lui venait pas que celui-ci, entrant dans sa chambre, avait cherché dans son visage une trace de la souffrance, dans ses yeux une indication pour l'avenir, que pour Abel la présence de Paul faisait encore vibrer l'air de la pièce, que l'odeur de Paul adhérait encore à la chaise qu'il avait heurté, à la laine du tapis, aux cheveux de la femme.

Malgré les traces des larmes, les yeux creusés, la peau bistrée, le visage de la femme était un masque énigmatique. Elle avait pris l'enfant contre elle et le soignait. Elle voulait savoir pourquoi il s'était battu et avec qui, quel était ce marin qui l'avait secouru, quel était ce bateau où il avait été conduit, les questions que lui avait posées le capitaine. Elle le consolait. Pourtant, jamais la mère n'avait été si lointaine. Jamais elle ne s'était laissée moins deviner. Depuis le matin où elle avait présenté à l'enfant un visage de morte, elle avait suivi un chemin qui l'avait éloignée d'Abel. Comment, tout à coup, la mère et l'enfant auraient-ils pu se retrouver?

Abel dit : « Tu sais bien ces garçons du port qui nous ont lancé une saleté dans la voiture? Ce sont eux qui m'ont attaqué. »

— Tu n'iras plus sur le port.

La femme se leva et se vêtit d'un peignoir. Elle attisa les braises.

— Non, laisse-moi faire, s'écria l'enfant. Tu sais bien que j'aime le feu », et il plaça sur les charbons ardents quelques débris de bois.

— Si tu te voyais, dit la femme avec une espèce de rire rauque dans la voix.

Abel se redressa, surpris de cette note inattendue, et il regarda sur son corps nu le reflet des flammes.

— Tu es drôle.

— Maintenant, je puis aller sur le port. Ils ne m'attaqueront plus, et, baissé de nouveau, les jambes, les cuisses et le ventre rougis, les yeux à demi fermés, il donnait du bois à dévorer aux flammes comme il aurait tendu un os moelleux à Brebis.

Le feu le faisait penser à la mer, et il se disait : « Ce navire est la mer de Mathieu. J'ai entendu l'Ange de la Bible : « Les portes de la mer te sont ouvertes. Il m'a semblé que je n'étais venu du pays sauvage ici que pour monter à bord de ce navire. »

— Pourquoi ne t'attaqueront-ils plus?

— Je les ai battus, moi aussi, et le marin leur a tapé dessus à coups de pied et à coups de poing. Le capitaine du navire m'a fait boire du rhum et Jean-François m'a mis du vinaigre et du gros sel sur les coups.

— Du vinaigre et du gros sel !

Avec une épaisse serviette mouillée d'eau fraîche, la mère lui lava le corps. « Tu n'as pas froid ? » « Oh ! non. Regarde le feu. »

Il était plus de minuit. Les rumeurs de la rue de la Fête avaient cessé. Dans le lointain, un ivrogne beuglait. S'il n'y avait eu le souvenir obsédant des lamentations de la mère, s'il n'y avait eu dans la chambre ces subtiles traces du passage de Paul qu'il dépistait tel un limier, l'enfant se serait senti bien. Mais l'avenir ! Et la haine qu'il éprouvait pour Paul !

— Du vinaigre et du gros sel ! répéta la mère qui tamponnait les contusions avec un gant imbibé d'eau de Cologne. Ça te brûle ? Attends, je vais y mettre de la crème.

Elle enveloppa l'enfant dans un de ses manteaux.

— As-tu mangé les gâteaux que je t'ai apportés ?

Elle l'assit sur la chaise-longue.

— Ne bouge pas. Je vais préparer des grogs.

CHAPITRE V

Le masque sur le visage de la mère. — Connaissance de l'*Ambassadeur*. — Départ du navire. — La grande fête de Pâques. — Retour de Paul.

Le lendemain, Abel s'éveillant retrouva dans son esprit la question qui l'avait obsédé du moment où il était entré la nuit précédente dans la chambre de la mère au moment où il s'était endormi. La mère était-elle libérée de Paul ou ne l'était-elle pas? Il semblait que la terre se fût arrêtée de tourner à l'instant où Abel avait fermé les yeux, et, les paupières de l'enfant se soulevant, la terre reprenait son mouvement; la mère était-elle libérée de Paul ou ne l'était-elle pas?

Pendant des mois, il avait vu la mère toujours égale, le lendemain semblable à ce qu'elle avait été la veille. Uniforme comme Gilles. Le ciel changeait, le vent changeait, il faisait froid et il faisait chaud, Gilles se levait plus ou moins tôt, s'habillait plus ou moins chaudement, se défendait contre la pluie, donnait davantage de bois à dévorer au feu. Mais le visage de Gilles ne changeait pas, sauf au cours de ces nuits, où il avait écouté Mathieu parlant de la mer.

Il en avait été ainsi pour la mère, pendant des mois. La vie avait été semblable à un livre dont on tourne les pages; d'une page à l'autre les phrases sont différentes mais le lecteur est toujours le même. La mère chantait, riait, était de bonne ou de mauvaise humeur, mais son regard, que l'enfant observait, avait été le même jusqu'au jour où la femme avait eu l'œil un peu fou, et, peu après, Paul était entré dans leur vie. Semblablement, l'eau du ruisseau qui s'étalait en mare derrière la maison de Gilles n'avait plus, un matin, reflété le ciel, c'est qu'il avait plu et de la boue était en suspension dans l'eau.

Mais quelques jours plus tard, le regard de la mère avait pris une autre forme, et pris deux fois une autre forme en quelques heures. Au café d'abord, Paul étant là, le lendemain ensuite, Paul ayant quitté la chambre. Et cette nuit, après les reproches et les plaintes, ce regard nouveau encore, ce regard qui cent fois s'était posé sur Abel sans se livrer!

En chemise, Abel monta chez la mère. Tout de suite, elle répondit à son appel, et, dès qu'il fut entré, dit : « N'ouvre pas encore les volets. Je veux me reposer. J'ai mal à la tête. » L'enfant s'approcha du lit. « Veux-tu que j'allume du feu? » Au milieu de la blancheur de l'oreiller, les cheveux faisaient tache. Il cherchait à distinguer les traits du visage. Il s'approcha pour poser les lèvres sur le front et ainsi, plus près, se disait-il, il verrait si les yeux étaient ouverts ou fermés.

« Veux-tu que j'allume la lampe? » « Non. Non. J'ai mal à la tête. » Il craignit d'entendre les mots qui, un matin, l'avaient chassé et lui avaient donné la liberté. Mais la voix était douce, bonne, ce n'était pas la voix de la femme comblée, de la femelle repue d'amour. Il s'approcha encore davantage et, tout à coup, il fut enfoui dans la chaleur, dans la mollesse et dans l'odeur du corps de la mère. Il retint un cri de douleur.

— Eh bien, allume le feu. N'est-ce pas qu'il fait froid?

Froissant le papier, plaçant dessus les baguettes de bois blanc, Abel se dit, pensant à la voix de la mère, à ce regard qu'il n'avait pu voir, à la tendresse que la femme lui avait manifestée, que, sans doute, se taisant sur les plaintes surprises dans la nuit, il s'y était mal pris, la veille. Il devait interroger; peut-être ainsi apprendrait-il ce dont l'ignorance le torturait. Accroupi devant la cheminée, ayant plus d'assurance à cause du lit et de l'édredon un peu en tas entre la mère et lui, il dit, faisant craquer l'allumette : « Tu as mal à la tête, mère? »

Cette fatigue de la mère le gênait. Souvent, le matin, la femme se montrait bavarde. Souvent, même s'il faisait froid, même si le vent soufflait ou la pluie tombait, enveloppée dans un peignoir, l'enfant contre elle, elle s'accoudait à la fenêtre, les vitres ouvertes et les contrevents à demi tirés, et, observant la rue quasi déserte, la cigarette aux lèvres, elle parlait de l'un, de l'autre, du froid, du vent, de la pluie, du ciel clair, du ciel nuageux, des bruits qui avaient troublé son sommeil, des rêves qu'elle avait faits. Parfois, elle racontait ce que lui avait dit le visiteur nocturne, ou la coiffeuse, ou la modiste, ou la lingère. Elle parlait pour elle mais, aussi, elle interrogeait Abel sur ce qu'il avait fait la veille, sur ce qu'il avait mangé, sur ses rencontres, sur le film qu'il avait vu, sur le livre qu'il lisait.

Peut-être, ce matin-là, ses propos auraient-ils laissé deviner à Abel si elle était ou non libérée de Paul, mais elle répondit :

— Oui. J'ai mal à la tête ; je te l'ai déjà dit deux fois.

— Peut-être avais-tu déjà mal à la tête, hier soir ? Peut-être était-ce parce que tu avais mal à la tête hier soir que je t'ai entendu te plaindre ?

Le pétillement du bois meubla seul le silence qui dura quelques secondes, et Abel n'osa pas se redresser.

— Qu'est-ce que tu dis ? Tu m'as entendue hier soir ? Viens ici.

— Attends. Il faut que je mette du bois sur le feu.

Il plaça deux rondins sur les chenets, abaissa à demi la crémaillère, puis se mit debout et s'avança vers le lit. Il aurait voulu sa démarche et son attitude tout à fait naturelles, libres, comme s'il n'eût pas attaché grande importance à son propos.

Il était trop franc pour le pouvoir. Il savait mal mentir de face, même sans parler. Seulement il savait ruser, et, dans cette occasion, vraiment, la ruse n'était pas possible. Il avança vers le lit, gauchement, les mains derrière le dos, balançant un peu les épaules, comme un enfant surpris à mal faire.

— Tu m'as entendue, hier soir ?

— Oui.

— A quel moment ?

— Quand... Paul... était là.

— Tu savais donc que Paul était là ?

De surprise, l'enfant demeura quelques secondes la bouche ouverte avant de répondre. Il ne lui paraissait pas possible que la mère ignorât que toutes les nuits il guettait le pas de Paul et qu'il tremblait.

— Je m'étais réveillé.

Le reflet des flammes ricochait du mallonnage au plafond et du plafond au visage de la mère. Il jouait sur ce visage comme joue parfois sur les feuilles ou sur le tronc d'un arbre le reflet d'une eau, de sorte qu'un masque encore, comme dans la nuit, un masque léger et mobile, semblait être posé sur les yeux et la bouche de la femme.

— Et je t'ai entendue... Attends il faut relever la crémaillère.

Il fit un bond jusqu'à la cheminée, et ce mouvement brusque, cette double détente, le débarrassa de sa contrainte.

— Tu m'as entendue? Qu'est-ce que je disais?

— Je ne sais pas. Tu gémissais, tu plaignais. Je croyais que tu étais malade.

La mère souleva le torse et, d'un ton plus haut, un peu aigu, interrogea.

— Tu entends ce qui se dit ici? Non? Non? Bien sûr? (Abel répondait en remuant la tête.) Pourquoi alors m'as-tu dit que... Paul était ici?

Abel se troubla et rougit, mais par bonheur il tournait le dos à la fenêtre et au feu.

— Je l'avais entendu dans l'escalier.

— Mais pourquoi ne dormais-tu pas?

— Je m'étais battu et j'avais mal.

Sans doute la mère malgré son émotion n'était-elle pas trop curieuse de savoir si Abel, au-dessous, distinguait suffisamment les paroles qui se prononçaient dans sa chambre pour en comprendre le sens. La certitude que la distance, les obstacles, la différence de niveau, ne déformaient pas au point de les rendre incompréhensibles les propos de ses amants, leurs jeux, le bruit de leurs caresses et de ses propres caresses, l'aurait gênée. Il lui aurait fallu changer quelque chose à sa manière de vivre, trouver une autre chambre à Abel. Elle préférait le doute qui est femelle, qui se plie au désir de son maître. Aussi s'empara-t-elle de la dérobade d'Abel, pour son usage.

— Avance-toi. Fais voir comment tu es, ce matin.

— Veux-tu que j'ouvre?

— Eh bien, oui, ouvre. L'air me fera du bien.

La lumière coulait horizontalement sur les tuiles rondes briquées par la subtile poussière du vent marin, s'accrochait et s'éparpillait à chaque saillant, à chaque arête, comme fait l'eau du torrent sur les cailloux. Les contrevents ouverts, elle s'engouffra dans la chambre.

— Regarde, mère. Il fait beau. Le soleil.

Enveloppée dans un peignoir, la femme s'approcha.

— Ne ferme pas les vitres. Oh! Il fait bon avec ce soleil et ce feu.

Les longs cheveux noirs encadrant le visage ovale, un peu fort, bien charnu, tombant sur les épaules, ceignant le cou en tour, sans rides, le teint mat, l'œil noir brillant, la main petite et grasse, la soie du peignoir tendue sur les puissantes hanches et sur les cuisses en fuseau comme les colonnes d'un temple, une suave odeur de femme brune soignée se dégageant de sa chair, elle était belle... mais énigmatique pour Abel qui la contemplait.

En elle, dans la fraîcheur et dans la meurtrissure de sa peau, dans les lumières et dans les ombres de ses yeux, dans sa tristesse et dans sa joie, dans ses paroles et dans ses silences, dans ses gestes et dans son immobilité, dans ce qu'il y avait d'habituel et d'anormal dans ses gestes et dans sa démarche, dans l'ordre et le désordre de la chambre, l'enfant cherchait un indice. Son regard fouillant le lit, les tiroirs ouverts (tout à coup il se souvint que c'était pour lui, Abel, pour le soigner et le panser, que la mère dans la nuit avait sorti des flacons et du linge de la toilette et de la commode), glissant sur le marbre de la cheminée avec ses verres maculés, sur le plateau de la table ovale avec ses bouts de cigarette écrasés dans les cendriers, s'attardant aux vêtements suspendus derrière la porte (et parfois il y avait un manteau de Paul), Abel chassait à la trace, mais la piste était brouillée.

— Fais voir tes coups.

La mère, comme dans la nuit, le dépouilla de sa chemise. « Tu n'as pas froid? » « Non. »

— Raconte-moi encore ce qui s'est passé.

Tandis que la mère le lavait, le tamponnait, le frictionnait, de nouveau Abel raconta la bataille, l'intervention du marin, sa réception à bord du voilier par le capitaine, toujours avec la même prudence. Mais la mère parlait plus qu'il ne parlait. (Comment parvenir à deviner la mère, à la pénétrer, à découvrir son secret? se demandait Abel à sa manière. Dans la nuit elle gémissait, un instant plus tôt elle avait peur de la lumière, maintenant il semble qu'elle n'ait pas plus grand souci que moi.)

La femme possédait à un point qui étonnait l'enfant le don de faire jaillir de nouveaux mots des mots déjà prononcés. Sa parole était semblable à un jet d'eau, sans cesse pareille et sans cesse renouvelée. La femme, qui n'avait rien

vu de la bataille, l'inventait. Elle parlait des enfants qui
avaient attaqué Abel comme si elle les avait vus. « Les
petits sauvages. Ils auraient pu t'ouvrir le crâne, te casser
les reins. Et ces femmes! Sont-elles bêtes! Elles riaient,
elles criaient, mais pas une... »

Abel se moquait bien des petits sauvages et des femmes
qui avaient ri et crié. Il voulait savoir si Paul reviendrait
dans cette maison ou n'y reviendrait pas, et rien ne le lui
apprenait.

— Tu es sale. Tu as les cheveux trop longs. Je te con-
duirai au bain et chez le coiffeur. Et cet après-midi nous
irons voir ton marin et ton bateau.

— N'as-tu pas faim, mère? Ne veux-tu pas que j'aille
chercher le café?

— Oui. Vas-y. Ça me fera du bien de manger.

Au pays sauvage, lorsqu'il se trouvait devant Gilles et
que celui-ci sans parler le regardait, Abel éprouvait l'impression de ne plus s'appartenir. Il se sentait comme nu et,
encore, il lui semblait que Gilles lisait dans ses yeux et sur
son front ses pensées les plus intimes. Il existait même
entre l'homme et l'enfant une communication, du moins
Abel le croyait-il, qui ne se faisait pas par le regard mais
par le contact de la chair. Ainsi, Gilles et Abel marchant
côte à côte et Gilles serrant dans sa main le poignet
d'Abel, l'enfant sentait sortir de lui-même et passer de son
corps dans celui de l'homme tout ce qu'il ressentait
dans le moment. Il était souvent arrivé dans cette situa-
tion que Gilles répondît par la voix à une pensée de
l'enfant.

Gilles était un homme qui pouvait rester assis sur une
pierre pendant deux heures et même trois, et pendant ces
deux heures, ou ces trois heures, il regardait le ciel, la
terre, les plantes, les arbres et toutes les bêtes de la terre,
des arbres et du ciel. Il examinait le ciel, la terre, les
plantes, les arbres, absolument comme le médecin examine
le corps du patient qu'on lui présente. Il regardait la couleur du ciel, au nord, au sud, à l'est, à l'ouest, au zénith.
Il examinait la forme, l'étendue, la densité, la couleur des
nuages et des bancs de brume. Le corps du malade en
quelques minutes ne change pas, mais en trois heures un
ciel fait une maladie et en guérit.

Après avoir du regard palpé le ciel, et son regard est

comme les doigts du médecin qui appuyent sur la chair
molle du patient, Gilles voit une fine poussière jaune pâle
adhérer à la graisse dont il a enduit ses souliers. Cette
poussière est tombée depuis que Gilles s'est assis. D'où?
L'homme lève les yeux et dans la branche d'un arbrisseau,
au-dessus de sa tête, il voit un trou rond d'un demi-centi-
mètre de diamètre, comme fait à l'emporte-pièce. Il laisse
son regard posé sur le trou, et au bout de quelques secondes
un peu de sciure tombe de ce trou, puis un peu plus, puis
davantage encore, enfin se montre l'extrémité de deux ailes
et l'arrière-train d'une bête. Bon. Il y a là une guêpe qui
creuse son nid.

C'est une question de simplicité. Il faut être bête parmi
les bêtes, plante parmi les plantes, nuage parmi les nuages.
Gilles n'a pas besoin de clôture pour enfermer ses chèvres,
ses brebis et ses poules. Il les appelle et elles viennent. Il
glisse une main sous le corps d'une poule malade, la soulève, la pose entre ses cuisses et lui entr'ouvre le bec; la
poule soignée regagne seule son perchoir.

La mère ne s'est jamais assise pendant deux heures, trois
heures, sur une pierre dans la campagne. Si elle regarde le
ciel avant de quitter la maison, c'est pour savoir si elle
doit ou non prendre son parapluie, et souvent elle se
trompe. Des guêpes elle sait qu'elles piquent.

Gilles s'étend, rayonne, et il a le sentiment qu'il n'est
qu'une toute petite chose au monde, que son souffle n'a pas
plus d'importance que celui d'un écureuil, son activité pour
se nourrir et se chauffer pas plus d'importance que celle
de la guêpe qui creuse le trou où elle déposera ses œufs.
La femme s'est rétrécie, s'est ramassée sur elle-même. Ce
qui compte pour elle, c'est son corps, la beauté, la souplesse, la chaleur, le parfum de son corps, c'est l'attrait
que son corps exerce sur les hommes, c'est le désir que
sa chair et son regard allument. Elle connaît l'art de fein-
dre d'aimer, l'art de faire l'amour, l'art de caresser, l'art
de tromper. Elle va dans la vie comme une aveugle et une
sourde, mais combien il était facile de la tromper, elle-
même!

Abel en était confondu. Si elle eût vécu au pays sauvage, elle serait vite morte, pensait-il. Au pays sauvage,
seul ce sentiment que possédait Gilles d'être lié avec tout
ce qui vit — bêtes, plantes, arbres, vent et ciel — sauvait.
Brebis, les chèvres, les moutons, les renards, les lièvres, les

pies, les écureuils, les serpents, tous les animaux possédaient cet instinct de dépendance les uns des autres.

Le soir, le feu allumé, le petit bétail parqué dans le fond de la vaste salle, il arrivait souvent à Gilles de prononcer un nom, et la bête nommée levait la tête et la tournait vers le maître qui lui posait une question ou lui faisait un reproche.

Combien de fois Abel avait-il été réveillé par le bruit de la porte s'ouvrant pour livrer passage à Gilles qui s'en allait dans la nuit, le fusil à l'épaule, parce qu'un petit fauve était passé près de la maison. Ce n'était pas n'importe quel fauve mais un certain que Gilles le lendemain désignait avec précision. Il semblait que, même endormi, Gilles fût en communication avec tout ce qui vivait à une lieue autour de la maison.

Mais la mère, isolée, serait morte, pensait l'enfant. Il ne pouvait savoir que pour vivre dans une ville, que pour vivre entre hommes dans une ville, il faut aussi posséder cet instinct de dépendance.

Mais Abel était confondu de la facilité avec laquelle il trompait la mère. Pendant toute la matinée, il avait joué avec elle. Il s'était prêté à ses fantaisies. Il était allé au bain, chez le coiffeur qui lui avait taillé les cheveux au goût de la mère, qui lui avait savonné et parfumé la tête. Il avait attendu patiemment que la mère fût aussi baignée, parfumée, coiffée. Seul, Gilles aurait pu découvrir la dissimulation dans l'œil de l'enfant. Il se serait dit, ainsi qu'il se le disait parfois de Brebis ou d'une chèvre : « Il a une idée de derrière la tête. Qu'est-ce qu'il mijote ? »

Abel avait deux idées qui montraient leur éclat au fond des yeux : découvrir les conséquences des reproches adressés à Paul dans la nuit et ne pas mener la mère à l'*Ambassadeur*. La mère se cachait bien, ne se livrait pas. Se baignant, baignant l'enfant, se faisant coiffer, faisant coiffer l'enfant, elle s'était montrée aussi naturelle, aussi vive, aussi sans souci que de coutume, à faire douter Abel de ce qu'il avait entendu et vu dans la nuit. Et pourquoi cette volonté répétée si souvent de se faire conduire par Abel à l'*Ambassadeur* ?

Abel, lui, ne voulait pas l'y conduire. Il était sûr qu'elle ne comprendrait pas, que devant cette coque de bois poncée par l'eau, devant ces mâts nus, cette aérienne toile

des mâts, se trouvant en face de ces marins aussi purs
que le montagnard, elle serait surprise tout autant que
devant la maison de Gilles, que certainement elle pronon-
cerait des mots, une phrase, qui détonneraient. Intérieure-
ment, il se refusait à être son guide. Ne pouvant se
soustraire, il était décidé à détourner la mère de l'*Ambassadeur*. La manière d'y parvenir ne le tourmentait pas; la
mère était si facile à tromper.

Elle l'avait habillé à son gré. Depuis longtemps, Abel
n'avait eu une mise si soignée. Il portait un costume bleu
sans tache, un léger pardessus de gabardine, des souliers
en chevreau reluisants, un béret marin neuf posé sur les
cheveux soigneusement partagés. Il aurait eu honte d'être
vu ainsi vêtu par l'Ange qui lui avait ouvert les portes de
la mer.

— Tu as un œil au beurre noir. On croira que je t'ai
battu, lui avait dit la femme, et ils étaient partis.

Il faisait beau. Arrivant sur le port, la femme et l'enfant
furent éblouis par le soleil, par la grande lumière du ciel,
par la grande lumière de l'eau que gonflait le flux printanier, par la foule, par la voix, le rire, le cri, l'exubérance
de la foule que les radiations mystérieuses du renouveau
exaltaient.

— Conduis-moi, dit la mère.

Les soucis de l'enfant avaient disparu, la porte franchie.
Depuis longtemps il n'était plus sorti ainsi avec la mère.
Cela seulement ne signifiait-il pas que quelque chose était
changé? Sentir à travers la légère peau du gant la main
de la mère tenir la sienne, jouer un peu avec ses doigts,
voir le pied de la mère finement chaussé se poser sur le
pavé avec une légèreté qui faisait penser à la danse, entendre tout contre son oreille le crépitement de la soie, pencher
un peu la tête pour avoir la joue caressée par le renard
jeté sur les épaules de la femme et, à ce moment, respirer
à fond parce qu'à cette fourrure est collée l'odeur de la
mère, constituaient une jouissance complète dont Abel
avait été privé depuis plusieurs semaines. Abel montrait
de la complaisance à accepter comme une réponse favo-
rable à la question qui le tourmentait ce plaisir que la
mère lui donnait.

— Conduis-moi, maintenant, répéta la mère.

— Nous allons d'abord vers le bateau chargé d'oranges.

Abel vit tout de suite que le mât du navire semblable

à un fruit n'était plus là, que le signe inscrit la veille dans
le ciel par le mât et l'antenne avait disparu.

— Si tu veux, dit la mère.

Abel se mit à parler. Il savait, déjà, que la parole est
l'un des artifices dont se sert celui qui veut tromper, et il
parlait, lorsqu'il le voulait, facilement. Il avait un débit
rapide comme tout enfant qui se sent en confiance. Il
aurait pu parler de la mer mais c'était un sujet dangereux
auquel il se serait pris lui-même et qui aurait pu l'amener
à se trahir, à raconter ses longues courses dans les rochers
chaotiquement amassés que l'eau recouvrait souvent et
dans lesquels il s'exposait aux embruns, jusqu'à l'anse difficilement accessible où il demeurait des heures à regarder
le jeu des lames. Et, encore, c'était un sujet qui aurait
médiocrement intéressé la femme.

Se tournant vers les maisons, il montra les grandes
images qui encadraient les entrées des cinémas et il se mit
à raconter un film qu'il avait vu deux ou trois jours plus
tôt. Il racontait bien, mais surtout il voyait bien (le pays
sauvage lui avait appris à voir) les détails que la mère
souvent ne remarquait pas. Dans la grande image, il voyait
la petite. Racontant, il s'interrompait et posait une question.

— Elle avait dans les cheveux, de chaque côté de la
tête, aux oreilles, une grosse fleur blanche. Pourquoi avait-
elle ces fleurs?

— De qui parles-tu?

— De la femme. Tu l'as vue. De celle qui est brune,
grande, belle, de celle qui te ressemble. Tu sais bien.

Ils allaient ainsi, au bord de l'eau. Abel racontant, ques-
tionnant, la femme prise cependant par le verbiage de
l'enfant, écoutant, répondant, expliquant à sa façon, et
tout à coup Abel s'exclama : « Il n'est plus là. Il est
parti ».

— Qui?

— Le bateau chargé d'oranges. Et Abel montra des
fruits ouverts que l'eau cognait contre un ponton. « Tu
vois, il était là. »

— Et l'autre bateau où est-il?

— Par là, et, sans vergogne, Abel éloigna la femme de
l'*Ambassadeur*.

Il lui fallut peu de temps pour comprendre que la femme ne tenait plus autant qu'elle l'avait dit à voir ce bateau sur lequel Abel était monté et à parler au marin qui l'avait secouru.

— Y serons-nous bientôt?

— Je crois qu'il est plus loin.

— Peut-être ne le reconnais-tu plus ou peut-être est-il parti, lui aussi, répondit la femme avec une indifférence dans la voix qui surprit l'enfant.

Ils avançaient, la femme n'interrogeant plus et Abel se taisant. Pas un nuage dans le ciel léger, aucun voile de brume printanière n'obscurcissaient le soleil, un instant. La main de la mère s'était faite moins souple, son pied ne dansait plus. Elle approchait du centre de la ville, et le mouvement plus intense de la foule l'attirait.

— Je me suis sans doute trompé, dit Abel. Il doit être vers la sortie du port.

Il sentait un danger et, dans le moment, il était prêt à conduire la mère à l'*Ambassadeur* et à se montrer aux marins habillé et pomponné comme un caniche de luxe.

— Allons goûter. Nous reviendrons.

Dans une crèmerie, de l'autre côté de l'eau, avec le port devant eux, ils mangèrent des gâteaux, puis la mère entraîna l'enfant vers le centre de la ville.

Il ne fallut pas longtemps à Abel pour comprendre.

Pourquoi la mère se désintéressait-elle tout à coup de l'*Ambassadeur*? Elle en avait parlé toute la matinée. Montrant les coups qu'Abel avait reçus, elle avait à sa manière raconté la bataille à la caissière des « bains », au coiffeur. Quittant la maison, elle avait dit : « Allons maintenant voir ce bateau. » Et c'était fini! Pourquoi? Abel s'interrogeait. Mais il craignait de répondre à sa question. La mère n'était plus avec lui. Elle lui donnait la main; l'enfant n'était plus un compagnon mais une charge. Il aurait pu abandonner cette main, s'attarder un instant devant une vitrine, puis disparaître, la mère ne s'en serait pas aperçue tout de suite.

Il ne parlait plus, sûr de ne plus être écouté. Et la mère, qui connaissait encore mieux que l'enfant le pouvoir des paroles, ne prenait pas la peine de le leurrer. Elle marchait, silencieuse, comme seule, s'arrêtant souvent devant des boutiques, faisant des détours pour passer devant celles qu'elle connaissait et où elle était connue, rebroussant parfois chemin.

A un moment, Abel rencontra dans un miroir le regard de la femme dont l'attention paraissait absorbée par de lourds bracelets orientaux. Depuis qu'il était entré dans la chambre de la mère, ses propres yeux avaient toujours rencontré une sorte de voile qui masquait le visage de la mère. Cette glace étroite, posée en arrière des bijoux, dans le fond de la vitrine, lui présentait les yeux de la mère comme détachés du corps, du visage même, avec, seulement, pour les encadrer, les sourcils et les cils et, tout autour, une bande de chair; on aurait dit un loup de chair. Et dans ces yeux qui ne le regardaient pas, qui, pas davantage, ne regardaient les bracelets, Abel lut un tel souci unique qu'il lui sembla y voir la silhouette de Paul. C'était donc cela? Il s'en doutait bien un peu; la mère l'entraînait dans la ville avec un but, et ce but était de rencontrer Paul ou de se faire voir par lui.

La femme reprit la marche brusquement. « Où va-t-elle me conduire, maintenant? » Peu après, ils entrèrent dans un « grand magasin », et une telle visite était toujours pour Abel un émerveillement. Pendant des heures, au milieu des tapis, des meubles, des vêtements, des soieries, des flacons, des livres, des lustres, tout cela et bien d'autres choses par centaines et milliers, il ne se lassait pas de marcher. Ce jour-là, il était précédé et suivi par Paul, par Paul qu'il ne voyait nulle part et partout : se faufilant entre deux comptoirs, disparaissant derrière un miroir ovale, derrière les glaces d'un ascenseur en marche, appuyé à la balustrade d'un étage supérieur. Abel eut un instant de lâcheté. Il pensa à ce projet de fuite élaboré à l'époque où le regard de la mère avait changé, et ce ne fut pas l'amour qui l'empêcha de se glisser entre deux meubles et de disparaître, ni son entrée dans le monde de la mer, comme il disait, mais la haine, la haine pour Paul. Il voulait être là où se trouvait Paul.

Ils quittèrent le « grand magasin », et, peu après, Abel devina que la femme tournait autour de quelque chose, qu'elle était attirée et qu'elle ne cédait que peu à peu à cette attraction. Ainsi font les grives lorsqu'on imite leur cri; elles ne viennent pas directement, se posent d'abord à vingt mètres à droite, puis à dix mètres à gauche, et tout à coup elles se précipitent sur le coup de feu.

La femme tournait autour de Paul. Elle suivait une rue, en prenait une autre parallèle et semblait revenir sur ses pas. Mais Abel savait bien maintenant où elle allait.

Lorsqu'ils abordèrent le Cours, les boutiques et les cafés allumaient leurs lampes. D'un côté les hautes maisons faisaient écran à la lumière du soleil couchant qui incendiait les toitures d'en face, mais, sous le jeune feuillage des platanes centenaires, une zone de pénombre s'épaississait dans laquelle, trois fois, d'un pas irrégulier, s'attardant là où la clarté des lampes était moins vive, la femme et l'enfant parcoururent le Cours. Sans pudeur pour l'enfant qu'elle avait un jour conduit vers Paul à cet endroit même, la femme s'arrêtait sur le trottoir pour à son aise dévisager les hommes assis aux terrasses des cafés, de l'autre côté de la chaussée.

Abel était rouge de honte. Il ne comprenait pas. Il était dépassé. Mais il rageait. Il avait envie de pleurer, de crier, de déchirer ses vêtements, de se rouler dans la poussière, puis de courir au port et de monter à bord de l'*Ambassadeur*. Là, il le sentait, existait une pureté, la pureté de la mer et du pays sauvage.

Enfin, la mère « s'arracha » au Cours, et, de nouveau, elle fut changée. De nouveau, elle fit attention à l'enfant, parla, l'interrogea. « Nous irons voir ton bateau demain. As-tu faim ? Nous mangerons au restaurant. Veux-tu, après, aller au cinéma ? »

Ils dînèrent au restaurant du port, et la femme mangea et but aussi joyeusement que de coutume. Elle commanda les plats qu'Abel aimait. Elle engagea la conversation avec un « monsieur » seul. Elle s'était épanouie, et dans ses yeux brillants, élargis, mobiles, Abel chercha en vain la petite image de Paul.

Brusquement elle dit : « Nous irons au cinéma, demain. »

Elle quitta Abel sur le pas de la porte. « Monte te coucher. » Une heure plus tard, elle guidait dans l'escalier un homme dont le pied n'était pas sûr. Elle riait. Elle disait : « Vous venez quelquefois à ce restaurant ? Je ne vous y ai jamais vu. »

Abel lisait la Bible et il se demandait : « Paul viendra-t-il ou ne viendra-t-il pas ? »

Il n'était pas venu.

Le lendemain, vers les dix heures, Abel, appuyé contre une « bette » renversée sur le quai, se trouvait devant l'*Ambassadeur*. Ce qui fait partie de notre vie, ce qui pendant quelques heures, quelques jours ou quelques années nous appartient, il faut le regarder avec attention. Il faut s'en graver l'image dans la tête, en absorber l'odeur et le goût et, s'il s'agit d'un être humain, le connaître si bien que le nom seul fasse surgir devant nous tout de suite les traits, la silhouette, la mobilité de ces traits et de cette silhouette, la voix dans toutes ses expressions, le regard en tant que reflet des sentiments, car la véritable possession n'est pas extérieure mais intérieure.

Abel regardait l'*Ambassadeur* et peut-être plus tard, si sa vie était longue, assis devant un feu, parlerait-il de ce voilier à un compagnon.

Arrivant sur le quai, il s'était avancé jusqu'à se trouver à côté du planchon, en face même du couronnement dans lequel le nom du navire était gravé. Pas à pas, il s'était reculé, appuyant sur la gauche, jusqu'à ce qu'il se heurtât à l'embarcation et qu'il aperçût par la hanche droite et dans toute sa longueur le bâtiment placé l'avant au large et l'arrière à quai.

C'était un vieux navire fait de larges planches dont les nœuds et les fibres soulevaient la mince couche de peinture gris-bleu écaillée. Il était sans grâce et sans forme, ayant été taillé uniquement pour résister aux lames. Mais la lumière double du ciel et de l'eau qui l'enveloppait, le caressait, le frottait, le transformait, lui donnant une élégance qu'il n'avait jamais eue, arrondissant ses angles trop marqués, accompagnant la ligne générale, la déliant, l'étirant. Pour paraître beaux, les mâts n'avaient pas besoin du secours de la lumière. Décapés par le frottement des cordages et de l'air, poncés, comme nus, épais, solides, jaillissant du pont à une belle hauteur, ils faisaient de ces planches un bâtiment marin.

D'où il s'était placé, Abel apercevait une partie du pont du gaillard et, au delà, le beaupré court et se relevant brusquement, les chaînes d'une ancre mouillée et une ancre d'un vieux modèle peinte au minium, saisie au-dessus de la proue par des garants. L'enfant ne pouvait donner un nom à rien et ce qu'il voyait n'avait pas de sens. Il ne cherchait pas à comprendre mais s'efforçait seulement de bien voir pour conserver l'image dans son esprit.

Regardant le navire minutieusement, partie par partie,
il aperçut dans l'eau à quelques mètres du quai le cadavre
d'un chat que le léger ressac cognait à la coque du voilier.
Il était aplati (sans doute la bête avait-elle été écrasée
et jetée dans le port) et son flanc était ouvert. Le mouvement de l'eau, son pouvoir de désagrégation, agrandissaient
la blessure, écartaient les chairs et en arrachaient des lambeaux. La bête était morte depuis longtemps déjà et à
cette heure son cadavre même se dissolvait.

Les yeux sur le cadavre du chat, Abel se retrouva tout
à coup devant celui de Mathieu, et seulement parce que
Mathieu était mort, tout ce qui lui avait appartenu s'était
défait. Le rayonnement de l'homme vivant avait cessé, les
chèvres avaient fui, mais, rassemblées par Gilles, on devinait dans leurs yeux et dans leur comportement qu'elles
n'avaient plus de maître, qu'elles étaient déliées. La table
dans laquelle les avant-bras de l'homme avaient creusé
leur place, le lit qui gardait la forme du corps, la grande
armoire au bois poli par l'attouchement des doigts, des
milliers et des milliers de fois répété, qui vont en saisir le
bouton, les ustensiles de cuisine dont l'eau a limé les
arêtes, les armes et les outils remodelés par les mains qui
les ont maniés, lorsque Gilles et Abel avaient pénétré dans
la maison, avaient, eux aussi, cessé de vivre. La maison,
coquille marine toute remplie par la rumeur de l'homme
qui l'habite, que la parole, les battements du cœur, les
soupirs, les rires, le bruit du pas font vibrer, qui est encore
une boule de cristal que les pensées et les rêves de l'homme
vivant font tinter, était devenue immobile et muette. Elle
était devenue un tas de pierres.

Autour du cadavre de Mathieu, tout s'était disjoint, dis-
socié.

Les yeux sur le corps du chat, Abel entrevoyait, comme
à travers un nuage de brume, cet étrange pouvoir de libération de la mort, lorsqu'une main posée sur son épaule
le fit sursauter.

— Tu es venu. Nous t'attendions hier. Monte à bord.

Une seconde fois, le marin avait prononcé la parole qui
ouvrait les portes de la mer. Sans doute se produisit-il
en Abel une transformation, sans doute, en lui, les paroles
de Mathieu enrichies par la richesse naturelle de l'enfant
prirent-elles le pas sur les autres souvenirs. Mais la nature
des choses et des hommes changea, sembla-t-il. Le navire

vu du quai et le navire, Abel se trouvant à bord, étaient
différents. Peut-être était-ce simplement parce que du
quai l'enfant était détaché de lui et parce qu'à bord il
était pris par lui. Du quai, c'était un bâtiment dont on
voyait les lignes, les formes, la matière. Du pont, c'était
un être vivant.

Tout ce qui tomba sous le regard de l'enfant et dont il
ne savait ni le nom ni l'usage avait une fonction, concou-
rait à un but. Abel pensa au navire en mer, au navire en
marche. Alors, il vivait comme un homme. Tout ce qu'il
voyait : cordages, vergues, voiles, mâts, gouvernail, la
coque même, en mer se mettait en mouvement comme les
bras et les cuisses d'un homme, comme ses yeux et son
esprit. Le navire était un être vivant, non pas monstrueux,
mais d'un autre monde, du monde de Mathieu. Et
lorsque Abel se tourna vers la terre, il la vit, elle aussi, tout
à fait différente. Il la vit avec des yeux de marin et, aussi,
cependant, avec ses yeux d'enfant. Les valeurs n'étaient
plus les mêmes, sauf une, invariable, qui était comme
l'axe autour duquel toutes les autres se déplaçaient : la
mère.

— Voici Abel, dit Jean-François au capitaine.

Sur le côté gauche de la dunette et tout le long du
navire, entre le pavois et les cales, des voiles étaient étendues que quatre matelots réparaient. L'un d'eux, celui qui
avait pris soin des vêtements de l'enfant, assis sur le pont,
les jambes étendues et un peu écartées, la main droite à
demi gantée de cuir, poussait une forte aiguille dans la
toile. Il appela l'enfant d'un signe. Puis : « Est-ce que tu
ne t'es plus battu ? » Abel secoua la tête. « Et ta mère
ne t'a pas battu ? »

— Jamais ma mère ne m'a battu. Jamais personne ne
m'a battu. »

Le matelot se tourna vers ses camarades assis eux aussi
sur le pont, la main gantée de la paumelle de cuir et se mit
à leur parler en corse. Tous étaient jeunes, mais à Abel
ils ne paraissaient pas jeunes ; c'étaient des hommes. Ils
portaient des chandails de laine bleus, des pantalons bleus
et ils étaient coiffés d'une casquette de drap bleu, aussi,
avec la visière d'étoffe brodée. Ils étaient bruns et pas rasés
de frais.

Entendant le récit du matelot, ils riaient, et l'un souleva

la tête et dit : « C'est bien. Il faut te défendre. Assieds-toi avec nous. Il fait bon ici, au soleil et à l'abri du vent. »

Ce travail qu'ils faisaient, c'était encore autre chose qui rendait la mer si différente de la terre. Lorsque Abel voyait Gilles choisir un morceau de bois, il savait vite si c'était pour le jeter au feu ou pour le tailler, et lorsque Gilles taillait un bois il ne fallait pas longtemps à Abel pour deviner à quel usage l'homme le destinait : remplacer le manche d'un outil, en faire un piquet ou la barre d'appui d'un piège. Chaque geste de Gilles dans l'instant se prolongeait, même si Abel parfois se trompait. A bord du voilier, l'enfant n'apercevait pas la suite des gestes, la vue lui manquait. Cette simple besogne, coudre un morceau de toile à un autre morceau de toile, participait au mystère de la mer.

Les matelots parlaient, sans lever les yeux, tissant avec des mots étrangers pour l'enfant un récit du même ordre, et sans doute aussi beau, que ceux de Mathieu, certains soirs. Ils étaient vraiment de la même espèce que Gilles et Mathieu, avec une finesse dans le visage, le corps, les mains, qu'Abel n'avait remarquée chez aucun paysan, si différents aussi des hommes de la ville par le calme de leur voix et de leurs mouvements, si différents de Paul, se disait Abel. Et pensant à Paul, il se demanda si vraiment celui-ci, à une certaine époque, avait appartenu au monde de la mer, comme il l'avait affirmé.

Jean-François, qui dès que l'enfant était arrivé à bord s'était dirigé vers l'avant et avait disparu dans un trou rectangulaire, revint alors et s'assit aussi sur le pont en face d'Abel. C'était un garçon de dix-sept à dix-huit ans, de petite taille, mince, souple, avec un visage d'une grande pureté de lignes, des traits sans aucun défaut, sans aucun empâtement, mais virils. Son corps menu s'équilibrait admirablement. Il avait une tête ovale et petite, mais, aussi, de petites mains et de petits pieds. A ce corps si bien proportionné qu'on aurait pu croire qu'il avait cessé de grandir, le regard donnait son caractère. Jean-François avait de petits yeux extrêmement mobiles. Entre les paupières peu fendues, l'œil n'était qu'un éclat de lumière sombre, sans cesse se déplaçant. Il était une sorte de feu follet qui s'allumait, dansait, se déplaçait, s'éteignait, s'allumait de nouveau. Le regard était aigu, plein de malice et de ruse.

Abel, lui, possédait un regard qui ne révélait pas sa personnalité ou ne la révélait qu'en partie, un regard calme, pondéré, qui se fixait longuement sur chacun et sur chaque chose, qui prenait possession, mais qui ne se laissait pas pénétrer ou qui ne se laissait pénétrer qu'à certains moments. Lorsque Abel se trouvait avec des inconnus ou avec quelqu'un qu'il n'aimait pas, ce regard, bleu, s'épaississait, devenait quasi opaque mais en un seul sens. Il devenait un créneau derrière lequel l'enfant épiait. Plusieurs fois, Abel avait pensé à cette deuxième visite qu'il ferait à l'*Ambassadeur*. Il y avait pensé tandis que, la veille, conduisant la mère, il s'efforçait de l'égarer en lui racontant les images d'un film, au restaurant pendant que la femme causait avec ce « monsieur » qui plus tard, Abel n'en doutait pas, avait rendu visite à la mère. Il y avait pensé, encore, avec plus de précision, guettant le bruit du pas de Paul... qui n'était pas venu.

La Bible avec ses « pays », ses villes, ses villages, ses montagnes, ses fleuves, ses hommes, était un monde autre, avait-il semblé à Abel, que celui dans lequel il vivait. Mais les sentiers y étaient tracés, les routes faites et dallées de mots, de phrases, qu'il suffisait de suivre, et l'on avançait sans fatigue, sans erreur, toujours avec la joie de la découverte, avec émotion et parfois avec angoisse.

Montant à bord de l'*Ambassadeur*, Abel avait franchi les portes de la mer mais il était demeuré sur le seuil, ébloui, les yeux fixés sur ces hommes et sur ce navire. Là, il n'y avait pas de mots tracés sur une feuille de papier. Les portes étaient ouvertes, mais comment avancer? Comment connaître ce monde, s'était dit l'enfant, autrement que par la parole?

Pensant à cette deuxième visite, à toutes celles qui suivraient, Abel avait pris la résolution de parler, d'interroger. Quelles questions poser?

Lorsque Jean-François se fut assis devant lui, Abel hésita pendant quelques minutes et il se laissa observer, puis il interrogea.

« Comment s'appellent-ils? » Parce que — n'est-ce pas? — c'est le nom qu'il faut d'abord savoir. La Bible commence toujours par le nom : *Et un homme appelé Zachée...*

— Comment s'appellent-ils?

Jean-François dont l'esprit était aussi fin que le visage

et dont la parole était déliée, sourit d'un sourire des yeux que l'enfant n'aperçut pas et parla.

— Celui-ci qui est assis à mon côté et que tu connais déjà, qui avant-hier a cousu tes vêtements, s'appelle Pierre d'abord, puis Mattéi comme moi, car il est mon cousin... Surpris par la gravité de l'enfant dont le regard était sans expression, dont aucun trait du visage ne bougeait, dont le corps était absolument immobile, il s'interrompit pour poser une question : « Sais-tu ce qu'est un cousin ? »

— Oui. Jean était le cousin de Jésus.

Les quatre matelots, d'un seul mouvement, tournèrent la tête vers Abel. Non, jamais, ils n'avaient vu un « phénomène » pareil. Mais le subtil Jean-François poursuivit sans montrer son étonnement.

— Il est le fils du frère de mon père. Il est né à Propriano, en Corse. Tous ici, sur ce navire, sont nés à Propriano, sauf celui-là, là-bas, à l'avant, et le bras du marin désigna un matelot sur le gaillard. Celui-là se nomme Paul Peretti, il est né à Bonifacio, en Corse. Sais-tu où est la Corse ?

— Non. C'est loin ?

— Ce n'est pas loin et c'est loin. Quand nous partons d'ici, nous traversons un peu de mer et nous arrivons en Corse. Ce n'est pas loin parce que le vent le plus souvent est au nord-ouest ou au nord. Mais pour venir de Corse ici c'est loin, parce que le vent encore est au nord-ouest ou au nord. Tu comprends ?

Abel ne comprenait pas tout à fait. Mais il connaissait la force du vent qui s'oppose à la marche et l'aide. Au reste, qu'importait ? Abel avait-il compris lorsque Mathieu avait parlé du feu qui ne s'éteignait jamais dans les navires, des longues lames grises, de la brume. C'était pareil. Jean-François comme Mathieu était marin. Les mots dans la bouche de l'un et de l'autre possédaient le même son, le même pouvoir d'évocation.

Abel répondit seulement : « Raconte. »

Jean-François n'avait jamais « raconté ». Qu'aurait-il pu apprendre sur la mer et les navires aux garçons qu'il fréquentait à Propriano et à Marseille ; ils en savaient autant que lui. Il appartenait à un milieu où on avait le respect des aînés que l'on admirait et « écoutait ».

Jusqu'alors Jean-François avait écouté. Il était empli de

ce qu'il avait entendu et vu sur mer entre Marseille et Propriano. Il avait devant lui un enfant qui lui plaisait par sa bravoure, sa franchise, sa naïveté. Ce visage sérieux, ouvert et secret, ce regard clair, lumineux mais impénétrable, cette attention, ce désir de savoir, cette ferveur, le séduisaient.

Il se mit à raconter, sans plus se soucier de savoir si Abel comprenait ou ne comprenait pas. Sa parole — il en avait l'intuition — était un feu dont les flammes laisseraient des marques profondes dans l'âme de l'enfant. Il parlait si bien, sans chercher les mots, sans s'arrêter à court d'inspiration, les yeux fixés sur Abel, comme s'il était une mère qui allaite son enfant, qui fait passer sa propre substance dans le corps de l'enfant, que ses camarades souvent tournaient le visage vers lui.

— Cette nuit-là, disait-il, qui était la nuit de Noël, nous rentrions de France, venant de Propriano. Le mistral soufflait fort, la mer était grosse, mon oncle...

Abel, le torse bien droit, la nuque raide, sa paupière même ne clignant pas, était pâle. Les paroles de Mathieu s'adressaient à Gilles. Les écoutant, il avait été comme l'homme qui se désaltère au fleuve qui court à la mer. L'eau vivante qui s'échappait des lèvres de Jean-François était pour lui, Abel, pour lui seulement. Elle le baignait, pénétrait en lui par toutes les cellules de sa peau, pénétrait en lui intimement, courait dans ses veines, faisait battre son cœur, emplissait ses poumons et l'exaltait.

— Qu'est-ce que tu lui racontes donc?

Abel ferma les yeux ainsi qu'il les avait fermés au moment que, se baissant pour saisir l'orange, un « salopiot » lui était tombé dessus. Les rouvrant, il vit, un peu sur le côté, le capitaine de l'*Ambassadeur*.

— Celui-ci est mon père, dit Jean-François.

Abel pâlit encore davantage. Combien de fois avait-il vu ensemble un père et son fils! Mais ces pères et ces fils réunis, Abel les avait vus avant de connaître le pays sauvage, avant de connaître la mer, avant de chercher dans les yeux de la mère sa joie et sa peine, avant d'être jaloux de Paul et de le haïr.

Il avait devant lui un père et un fils qui communiaient par le regard, qui échangeaient leur amour et leur tendresse par le regard. Jean-François avait levé les yeux vers le capitaine, et le père souriait encore de joie d'avoir

entendu son fils s'exprimer si librement, d'avoir surpris son
fils faisant à cet enfant la charité de ses connaissances.
Le sensible Abel vibrait, traversé par ces ondes qui liaient
le père et le fils.

Un homme apporta sur le pont deux pains, du vin, du
lard, du fromage de chèvre, et les matelots coupaient de
larges tranches de pain, partageaient le lard, le fromage,
le saucisson.

— Mange, toi aussi, dit le capitaine.

Et Abel, sérieux, ne remarquant pas le sourire qu'alluma
son geste dans les yeux des marins, tira de la poche le
couteau de Gilles et l'ouvrit.

— Prends du fromage, si tu l'aimes, dit Jean-François.

Gilles et Mathieu mangeaient de la même manière les
mêmes mets, se disait l'enfant. La mer et le pays sauvage
se rejoignaient encore par la simplicité.

Le soir, aucun homme ne rendit visite à la mère qui
garda l'enfant dans sa chambre.

— Où es-tu allé, aujourd'hui?

— Sur l'*Ambassadeur*.

— Tu l'as donc trouvé? Qu'est-ce qu'ils t'ont dit?

Abel parla un peu des uns et des autres, sans rien révéler
de ses sentiments profonds, et il se posait des questions.
« Qu'a-t-elle fait aujourd'hui? Est-elle retournée sur le
Cours? A-t-elle vu Paul? »

Un peu avant onze heures, la femme renvoya Abel. Pendant longtemps, il entendit le pas de la mère qui allait de
la fenêtre à la porte, qui par moments entr'ouvrait la
porte. « Elle l'attend, se disait Abel. Viendra-t-il? » Il ne
s'endormit que très tard, longtemps après que la mère,
lassée, se fut allongée sur le lit.

Pendant six jours consécutifs, Abel passa ses journées
à bord du voilier. Il avait eu la surprise, à sa troisième
visite, de trouver le brick-goélette appuyé contre le quai,
par la hanche droite. Des caliornes avaient été installées
dans le grément et les matelots hissaient à bord des poutrelles de fer qui glissaient sur un plan incliné.

— Nous nous préparons à partir, lui dit Jean-François.
Tu vois, on charge.

Abel était admis à bord. Jamais personne ne lui disait :
« Retire-toi de là, tu nous gênes. » Il arrivait qu'on le

saisît par les épaules pour le faire changer de place. On lui disait : « Attrape ce « bout ». Tiens-le ferme. Recule-toi un peu. » Il obéissait. On l'appelait. « Abel, viens ici. » On lui donnait un ordre. « Cours au magasin, à l'avant. Demande une épissoire au maître. » Il disait : « Vous êtes le maître? Peretti demande une épissoire. » On riait. Le capitaine lui avait proposé : « Tu ne veux pas venir avec nous? Tu seras le mousse. Sais-tu ce que c'est qu'un mousse? » « Non. » « Veux-tu venir? » « Non. Je reste avec ma mère. »

Trois hommes travaillaient dans la mâture. Ils avaient mis les vergues en place. Ils disposaient les manœuvres. L'un appela Abel. « Monte ici. » « Par où? » Un matelot fit voir à Abel comment il devait s'y prendre. Il monta aux haubans, se glissa par le « trou de chat » et s'assit sur la hune. « Viens jusqu'ici. » Il répondit qu'il n'irait pas. « Tu as le vertige? Tu n'es jamais monté dans un arbre? » « Ce n'est pas pareil. » « Si tu veux devenir un marin il faudra grimper jusqu'au haut du mât et venir jusqu'ici. » L'homme, pour montrer à l'enfant, alla jusqu'au bout de la vergue. « J'irai, répondit Abel, mais pas aujourd'hui. »

Jean-François nettoyait la baleinière mise à l'eau contre le flanc du voilier. Abel quitta ses souliers et ses chaussettes sur le pont, releva le bas de son pantalon et se laissa glisser par un filin le long de la coque. « Qu'est-ce que tu fais? » « Je l'ai emplie d'eau pour faire gonfler le bois. Mainte-nant je la vide. » « Je t'aide? »

Abel fit la chaîne pour l'embarquement du matériel et des vivres. Il donna la main à celui qui mettait de l'ordre dans le magasin. Le capitaine répéta son offre, et c'était sérieux. « Viens avec nous, Abel, demande à ta mère. » « Je voudrais, mais pas encore, plus tard. »

Un matin, Jean-François posa les mains sur les épaules de l'enfant et le regarda droit dans les yeux. « Tu es bien content, Abel. »

S'éveillant, l'enfant s'était dit : « Il y a six nuits que Paul n'est pas venu. Peut-être ne viendra-t-il plus, jamais. »

— Tu es bien content, Abel, répéta Jean-François. As-tu demandé à ta mère de te laisser partir?

Abel parlait à sa mère de l'*Ambassadeur*, des hommes de l'*Ambassadeur*. Il lui racontait de quelle manière il les aidait. Il voulait la faire rire. Il voulait lui faire oublier

Paul. Il aurait voulu que, le soir, la mère cessât ce va-et-vient qui durait plus d'une heure, ne se tînt plus derrière la porte, ne l'entre-bâillât plus. Il était content cependant; Paul n'était pas venu depuis six nuits.

— Non, répondit-il. Je ne lui ai pas demandé. Il ajouta : « Quel jour partez-vous? »

— Nous ne savons pas. C'est le vent qui décide. Peut-être demain, peut-être après-demain. Tu vois le capitaine? (Jean-François disait toujours : le capitaine et jamais : mon père, mais dans l'esprit d'Abel les deux mots se confondaient.) Tu vois le capitaine? Il regarde le ciel, les nuages dans le ciel. Le vent est dans le ciel. Peut-être partirons-nous demain. Peut-être partirons-nous après-demain. Viens avec nous.

Abel pensait à Gilles assis sur le rocher semblable à un crâne d'homme, qui, lui aussi, cherchait le vent dans le ciel.

Le pont était propre, les cales fermées, des poutrelles de fer bien fixées, les voiles étaient en place aux vergues, les manœuvres disposées, un filin amarrait le gouvernail pour qu'il ne jouât pas. « Tu viens? » répéta Jean-François qui avait descendu les quatre marches de l'escalier de bois et se tenait à l'entrée du roof, à l'endroit même où, pour la première fois, Abel avait vu le capitaine. Il ajouta : « Tout est paré. Il n'y a qu'à remonter l'ancre et à larguer les amarres. »

Il entraîna Abel dans la cabine.

Faite de lattes de bois d'une main de largeur, elle était longue de deux mètres, large de trois, haute de deux. En entrant, à droite, se trouvait à mi-hauteur la couchette du capitaine avec, au-dessous, trois tiroirs. Un rideau de toile à voile fendu en son milieu, qui courait sur une barre, la cachait. Abel l'écarta. Au-dessus de la couchette, contre la cloison, étaient accroché un fusil et fixées la photographie d'une femme et une carte postale.

Montrant la photographie, Jean-François dit :

— C'est la femme du capitaine. Et après un court silence : « C'est ma mère, mais ici, à bord, on dit : la femme du capitaine. Et ça (son doigt appuyait sur la carte postale) c'est Propriano, en Corse, où nous allons. On voit notre maison, sur le port.

— Et ta mère... Mais tout de suite Abel se reprit : « Et

la femme du capitaine, elle est à Propriano, dans cette maison ? »

— Oui. Toutes « nos » femmes sont à Propriano.

— Toi aussi, tu as une femme ?

Jean-François rit, puis sur un ton grave qui le vieillit :

— Oh ! moi, c'est une bonne amie.

— Est-ce que vous tuez des bêtes en mer ?

— Pourquoi demandes-tu cela ?

— A cause du fusil.

— Il y a toujours un fusil à bord des navires, au-dessus de la couchette du capitaine. Une nuit, je l'ai vu (le capitaine). Il est sorti d'ici, le fusil à la main, et il a tiré sur la passerelle d'un « vapeur » qui avait manqué de peu de nous couper en deux... Jean-François ajouta, deux secondes plus tard, avec le plus profond mépris : « C'était un Anglais. »

Abel ne posa pas la question que sans doute un autre enfant aurait laissé échapper : « Et alors ? » Les mots chargés de mystère : passerelle, coupé en deux, vapeur, Anglais, l'avaient une fois de plus rendu muet. Une fois de plus, des images imprécises mais chargées d'un hallucinant pouvoir d'émerveillement, s'étaient mises en mouvement dans son esprit.

— Regarde. Il y a aussi un revolver. As-tu vu déjà un revolver ?

Contre la cloison qui faisait face à la couchette, se trouvait un bureau, un bureau de bois brut fait de belles planches par le charpentier du bord, et Jean-François après en avoir déplacé le tiroir, saisit un revolver à barillet de fort calibre. Il y avait encore dans le tiroir plusieurs poignées de balles.

Jean-François faisait tourner le barillet, ôtait les balles, les replaçait, appuyait le doigt sur la gâchette. Ses traits s'étaient durcis. Son œil ne souriait plus. La casquette légèrement penchée, un foulard rouge noué autour du cou, l'arme à la main, il avait l'air « voyou ».

— Quand je vais à terre, le soir, pour voir les femmes (il fit de la tête un mouvement vers le quai, vers la rue de la Fête), toujours je le porte sur moi, dans la poche droite, et j'ai la main dessus.

L'expression du visage changea subitement. En un instant, Jean-François redevint le gosse qu'il était. Si le capitaine, son père, l'eût surpris, il aurait compris que le jeune marin sortant le soir, le revolver dans la poche, jouait (mais jouait dangereusement) à l'homme.

Les traits s'étaient détendus, le sourire éclairait les yeux, il disait : « Tu vois, ça, c'est le cran d'arrêt, quand on le place là, le coup ne part pas. Veux-tu essayer? Tu as peur? »

Abel ne connaissait pas la peur. Il ne sursautait pas quand Gilles, à un pas de lui, tirait, et il avait entendu claquer plus d'un coup de feu dans la rue de la Fête.

Il prit l'arme dans la main.

Le vendredi, dans l'après-midi, Jean-François dit à Abel :

— Demain, au lever du soleil, nous serons en mer. Le capitaine nous a demandé d'être tous rentrés cette nuit, à minuit.

Les matelots donnaient du mou aux amarres et viraient au guindeau à barres. Lentement, l'*Ambassadeur* reprit la position — l'avant au large, l'arrière à quai — dans laquelle Abel l'avait vu la première fois.

Un peu ému, il crut un instant qu'il partait lui-même.

— Vous partez?

— Non. On se met en place. A minuit on quittera le port à la remorque de la baleinière. On « nagera » pour se dégager de la terre et jusqu'au lever du vent. Le vent du nord se lève avec le soleil. Le capitaine dit que ce sera du nord.

— Quand revenez-vous?

— Dans cinq semaines. Tu compteras les semaines sur tes doigts.

La baleinière s'appuyait contre la joue gauche du brick-goélette, et la remorque était disposée sur le gaillard.

— Au revoir, cria du quai Abel. Dans cinq semaines.

Le lendemain du départ de l'*Ambassadeur*, Abel passa toute la journée dans sa chambre, dans la chambre de la mère et autour de la maison, mais se trouvant sur le trottoir, devant le bistro où il se fournissait en café au lait et en croissants, il ne se tourna pas vers le quai, là où la veille était encore amarré le voilier.

« Ils sont partis cette nuit et seront de retour dans cinq semaines. »

Cinq multiplié par sept font trente-cinq. Dans un barreau de sa chaise, il avait fait une encoche avec le couteau de Gilles. Quand il y aurait trente-cinq encoches, l'*Ambassadeur* serait de nouveau là.

Il déposa sur la table les cafés au lait et les croissants.

— Ne vas-tu pas voir tes amis? lui demanda la mère.

— Ils sont partis.

— Ils sont partis et tu n'es pas triste?

Abel « mourait de sommeil ». Depuis huit nuits, il dormait peu et mal. Depuis huit nuits, il attendait Paul, et Paul ne venait pas. Le visiteur de la mère parti, Abel, ensommeillé, accoudé à la pierre de la fenêtre, derrière les contrevents, guettait dans la rue le bruit du pas de l'homme et cet autre bruit que l'homme faisait avec la clef contre la bague, et Paul n'était pas venu. Plus tard, Abel couché se réveillait et se disait : « Peut-être est-il arrivé pendant que je dormais », et il écoutait jusqu'à ce que de nouveau il s'endormît.

Abel « mourait de sommeil » mais il était content : Paul n'était pas venu depuis huit nuits.

La veille, la mère n'était pas allée et venue dans la chambre et n'en avait pas entr'ouvert la porte, la mère n'avait pas attendu Paul. Et ce matin, le visage de la mère était « beau ». Il était lumineux, le regard était clair, l'œil à peine cerné, la chair rose et fraîche. La mère n'avait plus de masque sur le visage. La mère avait oublié Paul, se disait l'enfant. C'était comme lorsque le regard de Brebis redevenait clair. La femme était assise en face d'Abel, et son corps n'était pas las mais souple, plein de vie. La femme buvait et mangeait avec avidité. Elle avait faim. Ses dents qui mordaient dans la pâte fraîche brillaient. Elle parlait.

— Ils reviendront dans cinq semaines, répondit Abel. J'ai fait une entaille dans le barreau de la chaise.

— Qu'est-ce que tu dis?

— Le vent s'est levé. Il se lève avec le soleil. Ils ont « nagé » toute la nuit et le vent s'est levé...

— C'est le printemps qui te travaille. Sais-tu que demain c'est Pâques?

Abel demeura silencieux. Comme soudain un souffle de vent se lève et ride l'eau, quelques mots s'étaient levés dans son esprit : *La fête de Pâque et des pains sans levain devait être célébrée deux jours après.*

— Pâque. La Pâque, s'écria-t-il tout à coup.

— Oui. Pâques. Pourquoi dis-tu La Pâque?

Sans attendre la réponse, la femme fit face à la toilette et dénoua ses cheveux. Abel, la regardant, pensait : « Demain, j'irai voir Matthieu, Marc, Luc et Jean. »

Il quitta la maison un peu tard, se dirigeant tout de suite vers la grand'rue, et déjà elle était pleine d'une foule d'hommes, de femmes et d'enfants, habillés de beaux vêtements de couleurs, qui n'étaient pas du quartier, qui, gravissant la rue, formaient comme une procession. Sur la place du dauphin qui crache de l'eau et dans la rue plus large qui conduit à la cathédrale, la foule était plus épaisse encore, et l'enfant se chantait : *La Pâque approchant, il y avait dans Jérusalem un grand rassemblement de monde.*

A l'endroit où, pour la première fois, il s'était trouvé face à la cathédrale, il s'arrêta. Il avait vu l'immense place déserte. Quelques jours plus tard, il avait vu sur cette immense place déserte une seule femme menue et noire, les pieds enveloppés d'un nuage de poussière, comme posée sur un nuage, ainsi que parfois dans les tableaux on représente une sainte, et le bras de cette faible femme lui avait ouvert la porte du tombeau de Matthieu, Marc, Luc et Jean.

La place, ce jour de Pâques, grouillait avec la même abondance, la même intensité, le même éclat, que le chalut remonté à bord et qui, éventré, laisse s'écouler sur le pont ses entrailles vivantes de poissons. Quelques milliers d'hommes, de femmes et d'enfants se serraient pour pénétrer dans l'église par les trois monumentales portes grand'ouvertes. Des centaines d'autres se dirigeaient vers la porte latérale. Nombreuses étaient les femmes du quartier, vêtues de noir. Mille fois plus nombreuses étaient les « dames de la ville », parfumées, chapeautées de fleurs et vêtues de robes de couleurs vives. Les hommes s'étaient coiffés de chapeaux de paille et beaucoup portaient des pantalons clairs. Des jeunes « curés », le surplis sur le bras, le bonnet carré sur la tête, la soutane courte, de gros souliers cloutés aux pieds, couraient, conduisant des enfants par dizaines. Par les rues étroites, par des escaliers, par un large chemin qui surgissait du sol, par une chaussée pavée plus large encore qui venait de la mer, plusieurs milliers de fidèles arrivaient encore, et le tonnerre des cloches étouffait le bruit confus de cette foule.

Abel se laissa saisir et entraîner par elle comme la feuille de papier par la rotative. Un quart d'heure plus tard, entré dans l'église par une petite porte, il se trouvait dans une profonde salle à demi obscure, au milieu d'une centaine d'enfants.

Au début de l'après-midi, le voyant ouvrir la porte de la chambre, un peu tremblant, essoufflé, le visage rouge, les pupilles dilatées, la mère l'interrogea : « Qu'est-ce que tu as? » Habillée pour sortir, elle parachevait sa beauté. Avec l'extrémité du peigne, elle rebouclait une mèche, du coin d'un fin mouchoir rétrécissait d'une ligne le rouge de la lèvre inférieure, mettait encore un peu de parfum sous les bras, soufflait sur la houppe et se repoudrait le menton. De belle humeur, elle se souriait dans le miroir.

— Mère. Si tu savais ce qui m'est arrivé?

— Moi, j'ai un gosse à qui il arrive toujours quelque chose! Tu t'es battu, encore?

— Non, mère. Je suis allé à la fête de Pâque.

— A la fête de Pâques? Où ça?

— A la grande église, là-bas, de l'autre côté de la colline. (Pour Abel, c'était la colline, comme au pays sauvage.)

— A la cathédrale?

Il se mit à raconter : la foule dans les rues, sur la place, et comment pris par cette foule, comme une épave par les vagues, il s'était trouvé au milieu d'enfants.

— Tu comprends, ils s'habillaient. Il y avait tout autour de la salle, suspendus à des porte-manteaux, de petites robes violettes, des « choses » en toile fine et un peu transparentes. On aurait dit des chemises mais courtes, comme les tiennes. Chaque enfant prenait une robe et se la passait. On les boutonne par devant depuis le cou jusqu'aux pieds, avec beaucoup de petits boutons en étoffe comme la robe. Puis, par-dessus, on met cette espèce de chemise. Puis on se coiffe d'un petit chapeau sans bord, qu'on pose sur la tête un peu en arrière. J'ai cru que tout le monde s'habillait comme ça...

— Qu'est-ce que tu dis? Tu t'es habillé en curé?

La femme s'était mise à rire comme jamais Abel ne l'avait vue rire. Elle s'étouffait. Elle en pleurait.

Abel faisait de la tête : oui, oui.

— J'ai mis la robe. J'ai passé la chemise. Je me suis

coiffé du petit chapeau. Alors, il est arrivé un curé, un
vrai, un grand, un jeune, qui m'a dit : « Qu'est-ce que
tu fais là, toi? » Je lui ai répondu : « Rien. » « Tu es déjà
venu ici? » « Non, jamais. » « Comment tu t'appelles? »
« Abel. » « Et puis? » « Abel. » « Tu es baptisé? » « Je ne
sais pas... »

— Eh, oui, tu es baptisé.

— Le curé riait. Il a dit : « C'est Pâques aujourd'hui.
Si tu es chrétien, le bon Dieu te reconnaîtra. St tu ne l'es
pas, il t'appellera à lui. Tu regarderas les autres et tu feras
comme eux. Ils se mettront à genoux, et toi aussi. Ils bais-
seront la tête, et toi aussi. Tu as compris? Viens. »

« Nous sommes entrés dans l'église, deux par deux, les
mains comme ça. (Il joignait les mains.) Moi, j'étais le
dernier avec un autre, et le curé était derrière nous.

Comme si elle eût été atteinte, enveloppée et pénétrée
par l'une de ces flèches lumineuses qui donnaient l'apparence de la vie aux visages de pierre des Évangélistes,
comme si une de ces flèches eût un instant illuminé son
cœur, la femme cessa de rire. Elle vit son enfant vêtu
d'une soutane violette et d'un surplis, coiffé de la petite
calotte, le visage sérieux, le regard clair, les mains jointes,
entrer dans l'immense église, aux épais murs de pierre et
de marbre et aux puissantes colonnes, qu'une éclatante
musique faisait vibrer.

— Alors? interrogea-t-elle.

Mais, tout de suite après sa question, rejetant le torse
en arrière, secouée de nouveau par un rire inextinguible,
elle s'écria :

— Oh! non. C'est trop drôle. Toi, Abel, en petit curé!

— Alors, poursuivit Abel, nous sommes entrés, puis mis
à genoux, tous les enfants, les uns à côté des autres. Je
n'ai jamais rien vu de si beau. Il y avait des milliers et
des milliers de lumières, des tapis sur le sol et pendus
aux murs. Tout était or, violet et rouge, et il y avait je
ne sais combien de curés, habillés d'or, de rouge et de
violet, aussi. La musique jouait, des enfants chantaient.
Si tu n'as pas entendu cette musique et ces chants, tu ne
peux pas savoir. Il y a des tuyaux d'argent, des dizaines,
des gros, des longs, des minces, des petits, et la musique
sort de ces tuyaux. Tout tremblait, les murs, les lustres,
mes lèvres, mon cœur, tout tremblait.

« Nous étions à genoux et, en face de nous, un homme

à cheveux blancs, avec un manteau de soie violet, avec un
chapeau pointu, qui tenait une grande canne en or, était
assis sur un trône, sous une espèce de tente.

— C'était l'évêque.

— Qu'est-ce que c'est : l'évêque?

— C'est le pape d'ici.

— Ah! fit l'enfant.

Il se mit à raconter la cérémonie à laquelle il avait
assisté. Il faisait des gestes. Il se mettait debout, s'asseyait,
se relevait, s'agenouillait, mimait les enfants qui encen-
saient et les trois prêtres sur les marches de l'autel, les
servants qui présentaient les burettes, versaient le vin
dans le calice, déplaçaient le grand livre et agitaient les clochettes.

— Que tu es drôle! Que tu es drôle! gloussait la mère.

— Ils étaient douze curés derrière nous...

— Comment les as-tu vus?

— Je me tournais. Douze curés, tous vieux, avec les
cheveux blancs et un peu longs et des lunettes d'or. Ils
avaient une petite pèlerine bordée de fourrure blanche. Ils
s'embrassaient. C'est-à-dire que l'un embrassait l'autre sur
les deux joues, puis celui qui avait été embrassé se tournait...

— *Ecoute, Paul*. Il me fait mourir de rire. Il s'est habillé
en petit curé.

Abel qui, dans le moment, tourné vers la fenêtre, la tête
et le buste un peu penchés, dans l'attitude d'un enfant
(ou d'un « curé ») qui en embrasse un autre, s'immobilisa
comme si les paroles de la mère l'avaient changé en statue
de sel.

La femme se leva et, légère, souriante, magnifique dans
une robe de soie amarante que l'enfant voyait pour la première fois, qui dégageait bien les grasses épaules blanches,
s'avança vers Paul pâle, la lèvre mince découvrant l'émail
des dents.

Tout de suite, l'enfant montra son hostilité. A peine
effleura-t-il de la sienne la main que Paul lui tendit. Il se
refusa à poursuivre son récit, mais ni la mère ni Paul
n'insistèrent.

La femme se tenait debout si près de l'homme qu'à chacun de ses mouvements son corps frôlait celui de Paul. A
certains moments même, elle s'appuyait contre ce corps.

L'attraction que l'homme exerçait sur elle était si forte que l'enfant la ressentait. Il lui semblait que la mère était prise dans un tourbillon qui lui faisait perdre le contrôle d'elle-même, qui lui faisait perdre un peu la tête, comme lui-même, Abel, le matin, grisé par la foule, son aventure, les chants, la musique, l'encens, les lumières, l'or, les paroles latines, les gestes et les mouvements d'ensemble mystérieux, l'avait perdue au point qu'il n'avait plus su, pendant deux heures, s'il était vivant ou mort comme Matthieu, Marc, Luc et Jean dont, en regardant sur le côté, il apercevait les grands corps de pierre.

A la boutonnière de la veste de drap fin dont Paul était vêtu, deux violettes étaient passées. La bouche de la femme s'avança vers ces fleurs comme si elle allait les mordre, puis, brusquement, se détourna et se posa sur la bouche de l'homme, longuement, avec passion. Le sang monta aux pommettes de Paul qui, tant que dura le baiser, ferma les yeux.

Pris de vertige, Abel fit un pas en arrière. Il ressentait une douleur dans le ventre comme si tout à coup il avait été vidé de ses entrailles. Et il désira la mort de Paul. Il aurait voulu voir Paul, comme tué par la bouche de la mère, tomber devant lui roide mort.

Mais la mère se tourna vers Abel. Elle venait là, à l'instant, de se donner à Paul aussi complètement que s'il l'avait tenue nue dans ses bras, dans un lit, et il n'en paraissait rien sur son visage.

— Va t'arranger, dit-elle. Tu viens avec nous.

— Non. Je suis fatigué.

Du mouchoir de soie dont elle s'était servie pour atténuer son propre fard, elle essuyait sur la bouche de Paul les traces que ses lèvres y avaient laissées. Elle riait de cette autre caresse que son doigt qui se pliait un peu, faisait à l'homme.

— Mais tu n'as pas mangé.

— Je n'ai pas faim.

Déjà, se regardant dans le miroir ovale, elle se repoudrait. Déjà, elle se coiffait d'un chapeau de grosse paille tressée garni d'un ruban de couleur assortie à la robe. Elle ouvrit son sac et tendit de menues pièces d'argent à Abel.

— Tu t'achèteras des gâteaux. Tu iras au cinéma. Ne rentre pas tard... petit curé.

Abel dévala l'escalier et s'enferma dans sa chambre.

Il avait été trompé par la mère, se disait-il. Une semaine plus tôt, la conduisant à la recherche d'un voilier qu'il était décidé à ne pas lui montrer, il avait pensé que la femme n'aurait pu vivre au pays sauvage. Ce même jour, un peu plus tard, dans le miroir rectangulaire, il avait vu ce qu'elle croyait caché, son secret : Paul.

Cette même femme l'avait trompé. Quelques heures plus tard, elle avait mis un masque sur le visage. Mais, un peu après encore, son pied chaussé de pantoufles, qui légèrement faisait craquer les tomettes, révélait son attente. Sans en avoir l'intention, elle avait joué avec Abel. Il n'avait pas été assez subtil pour discerner le vrai du faux, l'artifice du naturel. Au moment qu'il avait cru à la libération de la mère, elle avait retrouvé Paul, elle l'avait repris et elle avait été reprise.

Abel qui, quelques mois plus tôt, un après-midi, à la souplesse de la femme, à son allure, à sa nervosité, à la lumière de ses yeux, au ton de sa voix, avait su qu'elle le conduisait vers Paul qu'il avait seulement vu une fois, n'avait pas perçu le moment où la femme s'était démasquée.

Il passa l'après-midi dans sa chambre, assis face à la fenêtre dont les vitres étaient ouvertes et les contrevents gris et épaissis d'une couche de crasse, fermés. Il entendait les rires, les cris, les appels, les musiques, de la rue de la Fête. Il faisait soleil. C'était Pâques. Chacun fête La Pâque à sa façon.

Il demeura plusieurs heures sans bouger, sans que ses traits changent d'expression, et si quelqu'un l'eût vu ainsi, la tête et le buste droits, l'œil ouvert, la bouche sèche, les mains à demi fermées posées sur les genoux, le corps strié horizontalement des lumières que laissaient passer les contrevents, il aurait cru l'enfant séquestré, prisonnier, et aurait cherché les cordes qui le liaient à la chaise.

Abel pensait à tout ce qui avait fait et faisait sa vie : au pays sauvage, à Gilles, à Brebis, aux bêtes, à ses courses sur le plateau, dans les ravins, au village qui n'était peut-être pas vrai, aperçu entre ses pieds écartés et où il n'était jamais allé, à Mathieu, à la mer de Mathieu, à la mort de Mathieu, au bateau semblable à un fruit et chargé de fruits, à l'*Ambassadeur*, à son émotion lorsqu'il était monté à bord du voilier. (Les portes de la mer te sont ouvertes), à Jean-François, au capitaine qui était le père

de Jean-François, au brick-goélette en mer (Le vent se
lève avec le soleil), à tous les matelots du navire, à la
Bible, aux personnages de la Bible, aux Évangélistes dans
leur tombeau de marbre, à la grande fête pascale dans la
cathédrale, à sa propre aventure du matin.

Il y pensait sans joie, sans qu'une seule fois un sourire
modifiât l'expression douloureuse de son visage.

Il ne cessait pas de voir l'image de Paul debout dans la
chambre de la mère, quelques heures plus tôt. Peut-être s'il
eût entendu et reconnu le pas de Paul dans l'escalier, s'il
eût vu le bouton de la porte tourner et su que la main
de Paul dans le moment était posée dessus, s'il eût vu la
porte se déplacer sachant que Paul l'ouvrait, n'aurait-il
pas éprouvé un tel choc.

Mais il avait été arrêté dans son jeu par l'exclamation
de la mère : « Oh, Paul... »

Et Paul avait été là, grand, mince, froid, impassible,
immobile. La mère n'avait pas entendu par correspondance
secrète le cri que son enfant n'avait pas poussé, ce cri de
cauchemar qui n'était pas sorti de la poitrine d'Abel :
« N'avance pas, mais recule-toi, éloigne-toi. »

Abel qui ne l'éprouvait pas, qui ne pouvait pas encore
le comprendre, qui en avait été troublé cependant au point
de se sentir défaillir de jalousie, tout l'après-midi eut
devant les yeux, sous la forme du corps de la mère frôlant
le corps de Paul, le désir physique qui avait rendu la
femme comme folle.

Puis, soudain, ce baiser goulu dans lequel la femme
s'était donnée.

La nuit vint sans qu'Abel changeât de position. Il avait
cru être délivré de Paul, la mère libérée, et tout recommençait. Il entendait cette voix de la mère qui l'avait fait
quelques jours plus tôt s'asseoir sur le lit. Il entendait les
mots qui claquaient sèchement, l'un après l'autre, l'un
bien détaché de l'autre. Tout de suite, il avait su qu'une
rupture s'était produite dans la vie, dans leur vie, dans
celle de Paul et de sa mère. Tout de suite, il avait follement espéré. Il s'était dit que peut-être plus jamais il ne
tremblerait, la nuit, au passage de Paul devant sa chambre.

La vie reprenait au point où elle avait été rompue ce
soir-là.

Abel attendait le retour de la mère... et de Paul. Il ne
doutait pas que la mère et Paul, le soir, rentreraient

ensemble, parce que la mère et Paul s'étaient retrouvés,
parce que c'est une fête de se retrouver, parce que c'était
fête aussi, c'était La Pâque, et tout le monde se réjouissait..
sauf lui, Abel.

Tard dans la soirée, le rire de la mère, dans la rue, le
fit sursauter. Il ne voulut pas se mettre à la fenêtre et voir
la mère, soûle de joie, de désir, d'alcool, bien repue, tenir
Paul par la taille.

Rapidement, il se déshabilla et se coucha. A sa surprise,
l'éclat de rire que le bruit de la porte d'entrée se refermant avait interrompu, ne reprit pas. La montée de
l'escalier fut silencieuse et lente. La mère ouvrit la porte
et se pencha sur l'enfant.

— Tu as mangé?

— Oui.

— Tu es allé au cinéma?

— Oui.

— Je t'ai apporté des gâteaux. (Elle les déposa sur le
lit.) Dors bien « petit curé ».

Peu après, Abel s'accouda à la fenêtre dont il poussa un
peu les contrevents. Un chien jaune, de petite taille et bas
sur pattes, fouillait les ordures. Abel lui lança la moitié
d'un gâteau. La bête fit un bond en arrière, puis se rapprocha. Abel lança l'autre moitié du gâteau, puis tous les
autres gâteaux, par morceaux. Le chien ne paraissait pas
surpris de cette manne.

CHAPITRE VI

Le café du Cours. — Un pauvre petit maquereau. — La
femme morte. — Disparition du monde intérieur d'Abel.
— Les pantins. — « Oh! Abel, c'est toi. » — L'étrange chant
de la mère. — « Je le tuerai. »

Des jours suivirent — et chaque matin, Abel taillait
une marque dans le barreau de la chaise — de calme et de
tristesse. L'enfant éprouvait de la lassitude. N'aurait-il
pas été préférable de partir avec l'*Ambassadeur?* « Veux-
tu embarquer comme mousse? Demande à ta mère. » Et
s'il retournait au pays sauvage? Se souviendrait-il de la
route?

Ce n'était pas possible, le voilier rentrerait dans... (Abel
comptait les encoches; une, deux, six, huit...) dans vingt-
huit jours, vingt-six jours. Ce n'était pas possible. L'enfant
pensait au tombeau des Evangélistes, à la mère, à Paul,
au tremblement qu'il ne pouvait réprimer chaque nuit
tandis que l'homme montait l'escalier, car la vie se poursuivait exactement semblable, en apparence. N'être plus là,
dans la chambre, le corps fiévreux, lorsque Paul dans la
nuit rejoignait la mère et, encore, lorsqu'une heure plus
tard il la quittait, serait, semblait-il à Abel, une lâcheté
du même ordre que celle qu'il aurait commise si, assailli
par les salopiots du port, il ne se fût pas défendu. Gilles
ayant découvert le corps de Mathieu éventré par une bête
sauvage, n'avait eu de cesse avant d'abattre un renard et
de le clouer sur la façade de sa maison.

Abel aurait-il dû en mourir, de jalousie et de haine, qu'il
lui fallait faire face à Paul, à sa manière.

La mère s'occupait davantage de l'enfant. Plusieurs fois,
elle l'avait sorti. Elle lui avait acheté des vêtements plus
légers, un chapeau de paille, des souliers de toile. Elle le
conduisait chez le coiffeur, au bain. Elle était douce. Elle

parlait. Elle était joyeuse. Elle faisait des projets. « Il faudrait aller habiter dans un autre quartier. »

C'était le calme pour la femme. Abel était sûr de ne pas être trompé. La mère était devenue transparente comme une eau claire. Elle se réveillait comme doivent se réveiller les anges, le visage lumineux. Elle était molle, tendre, pleine de tendresse pour l'enfant. Son corps, contre lequel souvent Abel se serrait, vibrait légèrement, palpitait; ainsi palpite le corps de l'oiseau prisonnier d'une main dans laquelle il se sent comme dans un nid.

Une fin d'après-midi, dans la seconde quinzaine d'avril, la mère dit à Abel : « Habille-toi. Nous irons prendre l'apéritif avec Paul. Il nous attend. »

— Est-ce que nous irons au restaurant avec Paul?

— S'il est libre.

Faisant sa toilette, s'habillant, allant dans les rues, Abel ne cessa de voir le cadavre du chat en dérive sur l'eau du port et qui, pour l'enfant, représentait la mort.

Au moment que la femme s'assit au café du Cours, à la table de Paul, elle était encore dans le calme et dans la joie. Elle regarda autour d'elle et salua d'un sourire ses connaissances. Elle parla du temps qui était beau.

Le café était fréquenté par des hommes et des femmes du milieu de Paul et par quelques bourgeois qui, à certaines heures, aimaient à s'encanailler, que ce coudoiement avec des maquereaux et des putains excitait. On n'y parlait pas d'affaires. On se retrouvait entre gens de même qualité, pour se poser un moment, pour se montrer, pour montrer ses belles manières, le costume qui sortait du tailleur. On se donnait des rendez-vous, pariait, nouait des intrigues.

A travers les glaces, on apercevait à l'intérieur les visages blêmes et impassibles des joueurs, avec, à leur côté, un verre à demi plein d'un alcool opale et une poignée de jetons de couleur, qui tenaient les cartes en éventail, et chacun à son tour en posait une sur le tapis d'un geste quasi automatique. D'autres en gilet, les manches de la chemise de soie roulées autour du bras, entouraient les billards. Quelques femmes habillées et chapeautées pour la parade, le buste raide, le geste rare, l'œil mort, le visage fardé, se tenaient assises seules à une table, avec un verre dessus qu'elles ne touchaient pas, comme s'il eût contenu un poison.

Les hommes ne conversaient pas mais échangeaient des rares remarques à la suite d'un beau carambolage et d'une réussite exceptionnelle aux cartes. Personne ne parlait haut ni un long moment. C'était un milieu fermé qui avait une étiquette, des manières, et si un homme fût entré, s'épongeant le front, s'affalant sur une banquette et se commandé d'une voix forte un demi de bière, se plaignant de la chaleur vraiment excessive de cette journée d'avril, il eût été jugé sévèrement pour son manque de correction.

Sur la terrasse, il y avait moins de contrainte. On buvait, parlait, souriait, se disait le prix de la paire de chaussures qu'on portait. Les femmes se complimentaient sur leur coiffure, disaient du bien ou du mal de leurs modistes et de leurs tailleuses, saisissaient une main pour voir un bijou de plus près. A une gosse, aux cheveux sur les épaules, à la lèvre épaisse, aux yeux soulignés d'un fard bleuté, dont les magnifiques pieds nus cendrés d'une crasse craquelée collaient étroitement à l'asphalte, elles achetaient une tige de mimosa qu'elles mordillaient et dont, ensuite, elles caressaient les lèvres de leur compagnon silencieux.

Paul avait confié ses chaussures à un cireur et la mère parlait comme au printemps un oiseau gazouille. Elle portait cette robe de soie amarante qu'Abel lui avait vue pour la première fois le jour de Pâques, qui dégageait très largement le cou et glissait toujours d'un côté, comme si tout à coup l'une ou l'autre des épaules allait se trouver nue, qui était serrée et courte et collait aux cuisses, le chapeau de grosse paille tressée. Elle était chaussée de souliers bas en peau de lézard, dont le haut talon donnait à la jambe un galbe si accentué qu'il attirait le regard de tous les hommes. Du cheveu bleu tant il était noir, sortaient des boucles d'oreilles en forme de croissant. Le corset, une ceinture noire haut placée et la broche faisaient saillir les lourds seins.

Abel regardait les joueurs de cartes, les joueurs de billard, les parieurs, les femmes immobiles devant le verre intact, les couples sur la terrasse, la marchande de fleurs, le cireur de bottes, Paul, la mère et il haïssait tout cela... sauf la mère. Pourtant, il sentait que dans un tel moment elle lui avait totalement échappé, qu'elle n'avait plus de la mère ni le visage, ni le regard, ni la voix, ni la pensée, qu'elle était là, dans ce café, avec les gens de son milieu, dans un monde auquel lui, Abel, n'avait pas accès.

Dans ce visage qu'il regardait, il était étonné — et chaque fois son étonnement était le même — de voir les mêmes traits et de ne pas les reconnaître. C'était une mère « artificielle », comme ces roses de verre qui ont la forme et la couleur exactes de la fleur et qui pourtant ne sont pas une rose. Les yeux n'étaient pas « vrais », ni le nez, ni la bouche, peut-être étaient-ils en verre, et cependant les yeux brillaient d'un éclat accentué et se déplaçaient exagérément, les narines palpitaient, les lèvres tremblaient.

Nulle part ailleurs que dans ce café, la mère n'était ainsi (Abel n'accompagnait pas la femme partout), même pas au restaurant, même pas lorsque au restaurant, quelques semaines plus tôt, elle avait fait la conversation avec ce « monsieur » qui, peu après, avait suivi la femme dans l'escalier.

Abel regardait la mère et subitement il vit le visage de verre changer du tout au tout. En une seconde, tout ce qu'il y avait d'artificiel dans le visage disparut. Peut-être n'était-ce qu'une fine pellicule de verre qui enrobait étroitement les traits de la femme et qui s'était rompue et pulvérisée. Les joues n'avaient plus cette apparence de matière plastique et étaient redevenues de la chair, une chair qui frissonne, qui est sensible au chaud et au froid, qui se dilate et se contracte, se colore et se décolore; l'œil avait perdu ce vernis qui le glaçait et le rendait insensible, semblait-il; de nouveau l'œil était le mystérieux organe de la communication, qui donne et reçoit, qui masque et révèle, dit la vérité et ment. Mais il était vivant comme était vivante la bouche de la femme, qui s'était crispée, dont le mouvement avait fait craquer le fard.

« Qu'y a-t-il? se demanda Abel. Qu'est-il arrivé? » Paul qui, une cigarette à la main gauche, reposait de la droite le verre vide sur la table, n'avait rien vu, semblait-il. Il ne paraissait pas troublé. Il s'agitait comme de coutume lorsqu'il était assis à ce café, s'avançant et se reculant sur la chaise.

— Nous allons? interrogea-t-il, portant la main au portefeuille.

— Allons, répondit la mère.

Elle parla, tandis que dans la foule ils se dirigeaient vers le restaurant, avec le même entrain, la même volubilité, qu'avant le changement dont Abel avait été le témoin, et celui-ci ne devina pas l'effort que faisait la femme pour ne pas se trahir.

Ils s'assirent non pas dans le restaurant où la mère avait conduit Abel le soir où elle avait vainement recherché Paul mais dans un autre, tout à côté, dans la même rue, plus intime, dont Paul connaissait le tenancier.

— Nous aurons chaud, dit la mère.

— Défais-toi, répondit Paul.

— Comment veux-tu? Je n'ai rien sur la peau que ça.

Elle ôta le chapeau. Paul aimait à bien manger et à bien boire. Il commanda des huîtres et du vin blanc de marque, choisit les rougets qu'on devait cuire. Il dit au cuisinier qui le saluait : « Soigne-nous. » « J'ai des loups aussi, très frais. » Paul commanda, encore, un loup.

La salle était étroite, longue, peu éclairée, de tenue assez négligée, étranglée à son entrée par le comptoir où le patron versait les alcools. Peu de dîneurs étaient à table.

La femme mangea des huîtres avec avidité et but coup sur coup deux verres de vin blanc. Tout de suite, elle devint rouge.

— Je n'aime pas trop ici, dit-elle. On est un peu à l'étroit. On étouffe.

Paul mangeait comme une bête, le buste penché en avant, les coudes au-dessous de la table et un peu en arrière du corps. Là, il n'avait plus souci de tenue, de fausse distinction. Sans cesse sa main saisissait un coquillage dont, après l'avoir largement arrosé de vinaigre, il arrachait d'un coup de dents le mollusque. Le front bas, il regardait de bas en haut la femme devant lui.

— On mange mieux ici, répondit-il. Sers-toi.

Abel, assis au petit côté de la table, tournait le dos à la salle et ne voyait rien autre que, devant lui, une cloison grise, à sa droite, Paul et, à sa gauche, la mère. La femme, elle aussi mangeait goulûment, la serviette largement étalée sur la poitrine, la bouche bien fendue, la langue épaisse.

Avec les rougets, le garçon apporta une autre bouteille de vin blanc.

— Ils sont bien cuits, dit la mère et, tandis qu'elle servait à Paul le poisson le plus gros, elle ajouta :

— Quelle est cette femme qui était assise au café à la
table à côté de nous?

— Quelle femme? répondit Paul sans lever les yeux,
écartant du couteau la chair du poisson et disposant les
arêtes sur le bord de l'assiette.

— Cette blonde avec une robe de tulle rose. Elle était
à nous toucher.

— Je ne l'ai pas vue.

— Elle était en face de toi, derrière Abel.

— Je ne l'ai pas vue, répéta Paul dont les traits se
durcirent.

La mère servit Abel sans le regarder, sans lui recom-
mander comme de coutume de faire attention à ne pas
s'étrangler. Elle emplit son verre de vin, emplit aussi
celui de Paul, puis, riant, heurtant son verre à celui de
son amant : « A ta santé », dit-elle. Et, riant toujours,
elle ajouta : « Tu ne l'as pas vue? Quel menteur tu fais!
(Elle riait, le verre à la main, les lèvres dans le vin, le
regard un peu excité qu'elle voulait moqueur, fixé sur
l'homme.) Quel menteur tu fais! Elle t'a souri. »

Ah! Elle ne portait pas sur le visage le masque de verre.
Elle était là, devant Paul, devant son enfant, comme toute
nue, s'efforçant cependant de cacher sa nudité, s'efforçant
de retenir sa jalousie. (C'est pour cela qu'elle avait heurté
son verre à celui de Paul et qu'elle riait), car elle se souvenait de la longue absence de l'homme, de sa propre
souffrance, de ses attentes, le soir, dans la chambre. Mais
sa passion pour son amant éclatait.

Elle riait et elle avait peur. Elle craignait de voir Paul
se lever et partir, pourtant elle n'avait pas pu se taire.
Ainsi, parlant et refoulant cependant en elle sa jalousie,
elle était belle de passion. Tout ce qu'il y avait de vulgaire en elle et qui, un instant plus tôt, se voyait seulement dans sa façon de manger et de boire, avait disparu.
Sur la rougeur du visage, une pâleur s'était répandue, ce
qui lui donnait un teint uni et un peu sombre. La fièvre
avait séché la moiteur de la peau et cerné davantage les
yeux. Sa chair n'était pas dilatée comme souvent lorsqu'elle mangeait et buvait avec excès mais au contraire
comme resserrée, comme contractée, ce qui amenuisait un
peu son visage, ce qui lui donnait un contour plus ferme
et plus net, ce qui faisait saillir un peu les pommettes et
donnait aux traits plus d'expression.

Elle ne paraissait pas en colère et ne l'était pas.

— Elle est jolie du reste, mais un peu maigre. Comment s'appelle-t-elle?

Les coudes écartés, une main tenant le verre, l'autre la fourchette, Paul, la tête basse, s'était immobilisé et avait levé les yeux vers la femme. Il était surpris, ne discernait pas si celle-ci parlait sérieusement ou s'amusait. Il ne pouvait pas ne pas voir l'expression nouvelle de son visage, cette expression caractéristique, authentique, grave, et, en même temps, il était trompé par la voix railleuse et le rire. Etait-ce un jeu ou n'était-ce pas un jeu? Etait-ce une ruse de la femme?

Tout à coup, il se cabra. L'œil dur, le visage tiré, il dit :

— Tais-toi. Tu recommences? Crois-tu que je sois un homme à supporter?...

Avançant les bras, la femme saisit les mains de l'homme et elle les tenait avec douceur.

— Je n'ai rien dit. Quoi? Elle t'a souri. Est-ce défendu? Je t'ai dit qu'elle était jolie. Je t'ai demandé son nom.

D'un geste brusque, il se dégagea.

— Ce n'est pas assez de l'autre soir? Maintenant ici, au restaurant. Puis tu gémis, puis tu pleures, puis tu tournes sur le Cours jusqu'à ce que tu me rencontres.

Il parlait sur un ton méprisant qui bouleversait Abel plus que les paroles dont il ne comprenait pas tout le sens. L'enfant, aux premiers mots, avait cessé de manger, dressé le buste, bien appuyé au dossier de la chaise, regardait celui des deux qui parlait, comme si l'expression des visages pouvait l'éclairer sur ce qui se passait. Chaque mot que prononçait Paul lui paraissait être un coup porté à la mère.

— Ne crois pas que tu me mèneras de cette manière... Tu serais la première...

Les coups de Paul n'atteignaient pas la femme, semblait-il. Elle souriait, mais d'une telle manière que l'homme ne pouvait le prendre pour une moquerie. Seulement, son visage s'était encore affiné; la bouche était devenue plus petite, les lèvres s'étaient amincies, les arcades sourcillières, l'arête et les ailes du nez étaient mieux dessinées.

Elle était femme avec la supériorité, dans la passion, de la femelle qui se sent menacée, sur le mâle. Cette beauté plus marquée, cette supériorité, Paul les subissait, et elles exaltaient sa fureur. Peut-être s'il avait été un homme comme les autres, se serait-il tu. Mais il était un « pauvre petit maquereau ». Il ne connaissait pas la passion. *Il ne devait pas* éprouver de la passion. Il faisait le commerce des femmes comme certains font le commerce des vins. Il était maquereau de profession. Des milliers d'hommes s'habillent comme Paul était habillé, portent comme lui des chemises de soie rayées, au col à demi empesé, des cravates de soie fixées par une épingle d'or, des boutons de manchettes en or, des costumes de fin lainage, des chaussures taillées à leur pied, prennent grand soin de leurs cheveux, de leurs ongles, de leur visage, et on sait bien qu'ils ne vivent pas de la location des femmes.

Paul en vivait et il ne pouvait le cacher. C'était comme une odeur tout à fait particulière qu'il aurait exhalée, comme cette odeur de pourriture qui colle à la peau des hommes qui travaillent dans les égouts. Ça se voyait dans son regard, dans son attitude, dans certains gestes, dans l'accentuation d'autres gestes, dans sa démarche, sa manière de tourner la tête, de marcher, de s'asseoir. Ça s'entendait.

Paul n'était qu'un « pauvre petit maquereau » et, tirant sur ses manchettes aux boutons d'or, ouvrant sur la table le porte-cigarettes, tenant du bout des lèvres la cigarette, faisant jaillir la flamme du briquet, abaissant sur ses yeux gris la paupière bien pourvue de cils tandis qu'il embrasait le tabac, il subissait sans le savoir la beauté de la femme et la supériorité de la femelle.

Il parlait. Il disait ce que *dans de telles circonstances* il convient à un « pauvre petit maquereau » de dire. Toutefois, il cherchait à se défendre, à meurtrir la femme, à la blesser, à l'abaisser. Il n'était pas tout fait dans son rôle de « pauvre petit maquereau ». Et il se trahissait.

— Tu me prends pour un novice, pour un débutant... Ton argent... Parce que tu me donnes de l'argent... Tu voudrais peut-être que je ne lâche pas ta robe... Tu n'es pas une rosière... A ton âge, tu en as vu d'autres... Je ne suis pas ton gosse... Toi et ton gosse...

Abel regardait la mère et, oui, vraiment, alors, les coups l'atteignaient. A chacun des mots entendus, une pâleur s'étendait sur le visage, puis disparaissait, mais, tout de suite après, une autre pâleur s'étendait. Il semblait à Abel voir le coup toucher le visage, comme lorsqu'une pierre frappe l'eau, et, autour de la pierre qui s'enfonce, une ride

court sur l'eau, en cercle, et dans ce cercle la couleur de
l'eau change, pour un instant.

Ce qui stupéfiait Abel c'est que l'attitude de la femme
ne changeait pas. La femme déroutait l'enfant. Au café
du Cours, il avait distingué sur le visage cette transformation qui avait échappé à tous. Il avait, pour ainsi dire,
vu la mince pellicule de cristal se briser. Le visage de la
mère avait été comme ces visages enduits d'un fard épais
de certaines danseuses orientales, et, tout à coup, le fard
se fendille, les paupières se soulèvent, les lèvres s'écartent
et deux rides indiquent le mouvement des joues qui
s'arrondissent.

Sous les coups reçus et que les pâleurs successives accu-
saient, la mère continuait à sourire. Elle étonnait Abel et
elle étonnait Paul. Encore une fois, elle avança les bras et
saisit les mains de l'homme.

— Tu es fou, Paul! Mais je n'ai rien dit. Je ne te fais
pas de reproche, et prenant la bouteille elle servit du vin.
« Buvons, Paul. A ta santé. »

Alors, la femme redevint vulgaire. (Abel ne voyait pas
cette vulgarité.) Elle redevint semblable à la femme qu'elle
avait été au début du repas. Ses traits s'épaissirent. Le
contour du visage perdit sa netteté. Elle se mit de nouveau
à rire, à manger, à boire, sans souci de gêne.

— Jette ta cigarette, Paul. Voici le loup.

Elle-même ouvrit le poisson, fit les parts, servit l'un et
l'autre, sans oublier Abel, arrosa de sauce les morceaux
dans l'assiette de chacun. Sur ses bras nus se déplaçant au-
dessus de la table, la lumière se brisait comme sur une
eau et rebondissait.

Sur le port, Paul les quitta.

— A tout à l'heure, dit la femme. Ne te fais pas attendre.

Paul vint à onze heures.

Le lendemain, commença l'isolement d'Abel. Dans les
jours qui suivirent, pas une fois la mère ne lui dit :
« Habille-toi. Tu sortiras avec moi. » Elle ne le conduisit
plus au cinéma ni au restaurant. Mais cela n'était rien.
Abel avait connu de telles périodes; il lui était déjà arrivé
pendant plusieurs semaines d'être abandonné à lui-même,
et ce n'était pas cette liberté totale qui lui avait pesé et
qui lui pesait.

Mais au lendemain du soir où le visage de la femme s'était, dans la jalousie refoulée, si curieusement affiné, l'enfant devint un étranger pour la mère. C'était même pis que cela, et cet état dont il souffrait terriblement, Abel ne pouvait pas le définir. La mère semblait ne pas le voir, pourtant les gestes et les paroles étaient les mêmes. L'enfant à son réveil montait à la chambre au-dessus, entr'ouvrait les contrevents, embrassait le front de la femme, interrogeait celle-ci, souvent l'assistait dans sa toilette, allait en courant chercher le déjeuner. L'enfant, encore, dans la journée, après le départ d'un visiteur, ou le soir, grattait à la porte, et la femme disait : « Entre, petite souris. »

Mais la femme ne voyait pas l'enfant; il semblait que la matière dont l'enfant était fait n'arrêtât plus les rayons de lumière qui le frappaient, ou que l'enfant — et celui-ci seul — se déplaçât constamment dans la nuit, que sa voix pour la mère, et bien que souvent elle lui répondît, n'ébranlât plus l'air. Lorsque, le matin, l'enfant se penchait sur la femme pour l'embrasser, il ne voyait plus son ombre obscurcir les yeux, lorsqu'il posait la bouche sur le front il ne sentait plus la chaleur que ses lèvres y avaient toujours trouvée, et la peau ne rougissait plus.

Le café et le lait qu'Abel apportait pouvaient être froids, les croissants de la veille, la mère ne le lui reprochait pas. Elle ne lui disait plus : « Tu es sale. Nous irons au bain. Où as-tu encore déchiré ta culotte? Ne peux-tu cirer tes souliers? » Quand il s'approchait d'elle accoudée à la fenêtre après le déjeuner, et se serrait contre elle, de son bras elle n'entourait plus le cou de l'enfant. Elle déposait encore des gâteaux à la porte d'Abel, mais, à sa précision et à sa rapidité, il devinait le geste quasi automatique, semblable à celui de certains catholiques trempant le bout des doigts dans le bénitier et se signant.

Aucune des précédentes « manières d'être » de la mère n'avait autant que celle-ci affecté Abel. Jusqu'alors la femme s'était montrée sensible comme une eau qu'un nuage assombrit, qu'un vent ride, qu'un autre vent soulève en tempête, qu'une pluie trouble, et il y a encore les courants internes (la femme inconnue) qui en modifient la température et l'apparence, et les sources qui jaillissent du fond. Toujours, la mère, dans ses câlineries et dans ses colères, était demeurée « humaine » pour l'enfant. Toujours, elle était demeurée la mère, souvent folle, comme les Vierges.

Elle ne voyait plus l'enfant. Tellement elle avait été
envahie par la passion amoureuse que tous les autres sentiments paraissaient avoir été chassés d'elle. La passion
avait même modifié son apparence physique. La passion
l'avait toute durcie, avait figé ses traits, rendu ses gestes
automatiques, lui avait donné une voix de disque.

Cette nouvelle « manière d'être » de la femme avait
commencé tout de suite après qu'elle eut dit à Paul, sur
le quai : « A tout à l'heure. Ne te fais pas attendre. »
Mais Abel ne s'en était pas aperçu le soir même. Se retour-
nant plusieurs fois — et deux fois elle avait fait de la
main un signe d'amitié à Paul — elle était allée d'une
traite à la maison sans se soucier de savoir si Abel la
suivait ou non. Cela n'était pas nouveau. Souvent, rentrant
le soir après un copieux repas, elle laissait Abel folâtrer
en arrière. Et l'enfant durant le court trajet n'avait pas
plus prêté attention à la mère que la mère à lui. Il
avait encore dans les yeux l'image de l'homme et de la
femme face à face. Il voyait les pâleurs se succéder sur
le visage de la mère et il pensait aussi au cadavre du
chat que les rides de l'eau heurtaient contre le flanc de
l'*Ambassadeur*.

Abel remarqua cette nouvelle « manière d'être » de la
femme, le lendemain, dès qu'il eut poussé les contrevents,
et il lui sembla que l'éclatante lumière d'avril se fut
répandue sur une belle poupée de porcelaine.

Comme par les maléfices d'un enchanteur, la mère avait
été transformée en poupée de porcelaine. Abel aurait voulu
être chassé ce matin-là par ce cri que, quelques mois plus
tôt, la mère avait laissé échapper. « Laisse-moi. Va-t'en. »
Ou encore, il aurait voulu recevoir l'ordre de refermer les
contrevents. « Il y a trop de jour. J'ai la migraine. »

Mais une poupée de porcelaine ne donne pas la liberté
à son enfant. Une poupée de porcelaine n'a d'ailleurs pas
d'enfant et ne souffre pas du mal à la tête. Le visage d'une
poupée de porcelaine ne reflète pas la tempête intérieure,
ses yeux jamais ne s'ouvrent comme deux puits sur une eau
sombre.

Le visage d'une poupée de porcelaine, avec ses joues
rondes et roses, son front uni, ses paupières cillées, est
semblable à celui d'une morte qui aurait été fardée.

La femme morte continuait à avoir l'apparence de la vie. Elle s'asseyait devant la toilette et brossait ses cheveux dont le lustre n'était pas terni, allongeait ses cils, rougissait ses lèvres, parfumait ses noires aisselles, se corsetait, s'habillait avec recherche, se rendait chez la coiffeuse, allait et venait, recevait des visiteurs et, les recevant, bavardait, riait aux éclats, buvait et fumait. Elle était tout de même une femme morte, belle comme une poupée de porcelaine.

Abel, lorsqu'il s'était penché sur elle et n'avait plus vu son reflet assombrir le regard de la femme, lorsqu'il avait entendu la voix nouvelle, cette voix que l'humeur de la femme n'influençait plus, cette voix mécanique comme si à l'intérieur de la poupée un disque avait été mis en mouvement, avait eu l'intuition que cet état n'était pas passager mais allait devenir — était déjà devenu — l'état normal jusqu'à ce que... Il y avait eu au bout de sa pensée un point d'interrogation.

Il éprouva de l'angoisse, et c'était bien la première fois de sa vie. Il tremblait au passage de Paul devant sa chambre, mais, Paul parti, il s'endormait et, à son réveil, un rayon de soleil dilatait son cœur. La rauque voix gémissante de la mère entendue une certaine nuit avait inondé son corps de sueur; cependant, quelques jours plus tard, il avait éprouvé une grande joie à pénétrer dans le chœur de la cathédrale, habillé en « petit curé ». Mais l'angoisse! Ce n'est pas un mal dont souffrent les enfants. L'angoisse qui demeure au fond de l'âme quoi qu'on fasse, dans le sommeil et dans la veille, qui est un poison dont l'effet paralyse la poitrine et tord les entrailles, Abel ne l'avait jamais connue.

Il fut au début comme un jeune chat malade qui, malgré la douleur, joue avec un rayon lumineux. Un spasme le tord; deux secondes plus tard, il joue encore. Le jeune animal n'accepte pas la douleur. L'enfant n'accepte pas l'angoisse.

Abel quittant la chambre de la mère tailla une encoche dans le barreau de la chaise et fit le compte. « Dans dix-huit jours, l'Ambassadeur sera là », mais la douleur lui fit pousser un gémissement, l'amertume du poison lui monta à la bouche. Il sortit. Il roula sur les quais. Dans l'après-midi, il alla au cinéma. Le soir, il lut. Comme le chaton qui ne veut pas, semble-t-il, ressentir la douleur mais que

la douleur torture, il joua avec le rayon de soleil. Et
l'angoisse, plusieurs fois, le réveilla, la nuit suivante.

Rien n'était changé dans l'apparence. Le jour succédait
à la nuit et la nuit au jour. Pendant la soirée, Abel guettait les bruits de la maison. La mère rentrait avec son
visiteur. Au-dessus de l'enfant, les talons claquaient, les
voix se répondaient, les rires fusaient, les verres se choquaient... et, plus tard, l'hôte chancelait un peu d'une
marche à l'autre.

A onze heures arrivait Paul, et Abel tremblait. Sans
doute, l'heure que l'homme passait avec la femme était-elle
un peu moins silencieuse que par le passé, mais il fallait
l'oreille passionnée de l'enfant pour le remarquer. La mère
se montrait plus enjouée. Et c'était une nouvelle souffrance pour Abel, car il savait bien qu'elle était une
« femme morte ». Il sentait obscurément le tragique qu'il
y avait pour cette femme morte à parler avec entrain, à se
mouvoir avec vivacité, à montrer de la joie, devant
l'homme qui l'avait tuée. Abel la voyait, avec ses joues,
son front, ses tempes, son cou, qui ne se ridaient plus, avec
ses yeux dont l'éclat ne changeait plus, avec son teint que,
seule, la lumière transformait, avec ses paupières qui
s'abaissaient et se relevaient d'un coup, avec sa chair qui
ne suait plus, qui n'était plus ni chaude ni froide, aller et
venir dans la chambre d'un pas sans souplesse et tendre le
bras d'un mouvement saccadé pour saisir le verre. Etait-il
seul à la voir ainsi, ou Paul n'était-il pas dupe?

A minuit l'homme quittait la chambre et Abel tremblait.
Pendant la seconde partie de la nuit, l'enfant dormait...
mal.

Regardant autour de lui, Abel ne se posait pas la question à laquelle un homme aurait voulu répondre : « Que se
passe-t-il? » La ville était autour d'Abel, avec ses rues, ses
maisons, bâtie en pierre. Les vitrines à peine protégées
d'une glace offraient des trésors des milliers et des milliers de fois plus précieux que tous ceux enfouis par les
pirates dans les îles désertes. Les rues, les quais, les avenues, les places, grouillaient d'hommes, de femmes et
d'enfants. L'eau du port se ridait et balançait mollement
les navires. Sur l'écran du ciel, les nuages jouaient.

Le matin, quittant la maison, allant sur le port et par
les rues, l'enfant regardait autour de lui et ne recon-

naissait rien. La femme morte avait « tout tué autour d'elle ».

Le mal qu'elle portait, la peste qui était en elle, paraissait s'être répandu autour d'elle. Tout était touché, tout était mort : les maisons et les rues de pierre, les trésors dans les vitrines, les hommes, les femmes, les enfants, l'eau, les navires, le ciel.

Du moins, à l'enfant, tout semblait être mort. Il ne savait pas que jusqu'alors c'était lui qui avait donné la vie à ce qui l'entourait, aux pierres, à l'eau, aux hommes, au ciel, que son esprit avait été le seul animateur, que son esprit donnait une forme aux pierres, un sens aux hommes, que son esprit véritable créateur donnait le mouvement aux trésors inertes des vitrines, à l'eau, au ciel, aux navires.

Après s'être questionné : « Que se passe-t-il? » l'homme aurait ajouté : « En moi? »

C'était seulement dans le cœur de l'enfant que le mal de la mère s'était répandu.

Isolé, ayant perdu le contact avec la mère et avec le monde extérieur, il fut terriblement malheureux. Il avait, aussi, perdu le contact avec son monde intérieur.

Ayant quitté la maison, du pain et du fromage dans une poche, pour une longue course, il fut surpris par le silence et par une sorte d'absence, comme si, à son côté et marchant du même pas que le sien, avait manqué un compagnon familier. Pourtant, il y avait foule dans les rues et sur les quais, et la barquette dans laquelle il traversa le port était chargée de ces femmes dont la mère disait qu'elles se sentaient mauvais, qui jacassaient.

Inquiet, il mit le pied sur le quai de Rive-Neuve et se dirigea vers le Pharo.

De leurs roues cerclées de fer, des fardiers qui transportaient d'énormes pierres blanches, des rails, des fragments de machines, écrasaient le pavé. A grands coups de marteau, des forgerons installés sur le trottoir battaient des pièces chauffées à blanc. Les charpentiers taillaient dans le bois. La halle aux poissons braillait comme un « zoo » au moment où on jette aux fauves les quartiers de viande, et, tout autour, par dizaines, les porteurs vidaient les paniers de poissons, en s'interpellant. Les treuils d'un vapeur tirant les sacs de la cale faisaient un boucan à ne pas entendre le hurlement d'une sirène, et les omnibus pas-

saient au grand trot de leurs chevaux, avec un bruit de
ferraille assourdissant.

Abel allait et il était « surpris du silence ». Il regardait
au delà du vapeur les fines silhouettes mordorées et roses
de trois goélettes italiennes et se demandait « ce qui avait
disparu », « ce qui n'était plus là où toujours il le trouvait ». Il s'arrêta et se tourna pour regarder, au delà de
l'eau du port, le quartier qu'il habitait, et jamais il n'avait
vu avec autant de netteté la « colline » recouverte, comme
par une mousse, de ses centaines de maison couleur de
pain cuit. Jusqu'alors, entre la colline et lui, avait flotté
une sorte de gaze très légère qui en rendait les contours et
les détails imprécis.

Il continua son chemin, traversa le pont jeté sur la passe
du bassin de carénage et gravit la côte qui conduit au
Pharo. Déjà, sa rupture avec le monde extérieur était
accomplie et, s'il en souffrait, il ne s'étonnait plus. Déjà,
l'étincelle de joie qui avait toujours éclaté entre le monde
extérieur et lui, comme entre deux électrodes, ne jaillissait
plus. Il ne savait pas que c'était lui, Abel, qui était
déchargé de son propre courant.

Il l'apprit en apercevant la mer.

Voyant la mer pour la première fois, il s'était dit :
« C'est un grand feu. » Et les flammes de la mer, pendant
des mois, n'avaient cessé d'émerveiller l'enfant. De ce feu
rebondissant, il transportait la vision avec lui. Il le voyait,
les paupières closes, avant de s'endormir, et les flammes
illuminaient son esprit.

Ayant dépassé le Pharo, il vit la mer éteinte. Elle
s'étendait plate, miroitante, avec ses jeux de lumière et de
couleurs, mais elle n'était plus un grand feu. Alors, il comprit pourquoi, traversant l'eau, allant sur le quai, il avait
été surpris par le silence et s'était senti seul.

Il continua à marcher jusqu'à ce que, plus loin, un parapet franchi, il pût d'une roche à l'autre descendre et atteindre l'eau dans laquelle il plongea la main. Elle était froide
comme avait été froid le corps de Mathieu.

Ayant prononcé en lui-même le nom de Mathieu, Abel
regagna la route et reprit la marche vers les rochers nus et
l'anse déserte qu'il s'était donné comme but.

C'était une radieuse journée de fin avril, et les mille
fleurs de l'eau printanière s'étaient épanouies. A deux pas
de l'enfant, sur sa droite, jusqu'au trait lumineux qui mar-

quait, semblait-il, la rencontre et la fusion en une seule matière de la mer et du ciel, l'eau, à sa surface et dans sa profondeur, n'était que braise, étincelles, étoiles, comètes, constellations et voies lactées de feu.

Abel ne voyait que des cendres. Il allait et il pensait à Mathieu. Il cherchait au fond de lui-même les paroles qu'avait prononcées l'ancien navigateur. Il les trouvait et, les ayant trouvées, il les répétait. Elles avaient perdu leur sens. Elles étaient comme des charbons éteints. En lui-même, il avait enfoui un trésor, de pleines poignées de pièces d'or, des perles et des brillants, et il avait coutume de jouer avec ce trésor, de s'accroupir et de jeter devant lui ces pièces d'or, ces perles, ces brillants, de plonger la main dedans et de ramener sur la paume ouverte un louis d'or, une perle, une pierre précieuse qu'il examinait, qu'il présentait et faisait jouer à la lumière. Ce jour-là, ses mains ne ramenaient que des cailloux sans éclat, des jetons de nickel et des billes ternies.

Il se répétait : « Te souviens-tu, Gilles, de l'énorme houle verte du Pacifique, qui nous fit rouler bord sur bord pendant une semaine? » Et encore : « Quand nous entrions dans la brume au sud de Terre-Neuve et que le sifflet hurlait, jour et nuit. » Abel regardait la mer, et elle n'avait pas changé. Il ne voyait pas l'eau changer de couleur, de forme, s'enfler et envahir le ciel. Il ne voyait pas davantage se dessiner la silhouette d'un monstrueux navire.

Les paroles magiques avaient perdu leur pouvoir; elles, aussi, étaient devenues cadavres.

La musique intérieure qui l'avait accompagné pendant des mois avait cessé. Traversant le port, allant sur le quai, gravissant la côte vers le Pharo, en dépit du vacarme extérieur, il avait marché seul et dans le silence.

Il fut atterré par cette découverte et tout autant par ce qu'il craignait de découvrir encore. Il fut comme l'homme qui, ayant trouvé ouverte la porte de sa maison et s'étant aperçu de la disparition de sa bourse d'argent, court d'une pièce à l'autre, ouvre les meubles et les tiroirs, les cachettes où il tient sa fortune et ses bijoux.

Abel poursuivit sa marche, regardant seulement le petit morceau du sol où il devait poser le pied, le caillou et l'ornière qu'il devait éviter, et il se mit à penser à Gilles et au pays sauvage.

Il n'avait pas quitté Gilles et le pays sauvage, lui sem-

blait-il. Gilles et le pays sauvage étaient devenus, Abel
s'en étant éloigné, semblables à un long chapitre de la
Bible, et les pages tournées, ou le livre fermé, Gilles et le
pays sauvage vivaient cependant. Pour les retrouver, il
suffisait de tourner les pages en sens inverse ou d'ouvrir
le livre.

Gilles et le pays sauvage avaient imposé à Abel une
manière de penser, étaient devenus pour l'enfant une
mesure de base. Sans cesse, à son insu souvent, des cor-
respondances s'établissaient entre sa vie passée dans la
petite montagne et sa vie présente, entre l'homme qui,
pendant les deux tiers d'une année, avait été son maître et
son compagnon et sa mère, entre cet homme et tous les
autres.

Il appela Gilles et il lui dit : « Ne me vois-tu pas? Ne
m'entends-tu pas? » Il clama le nom de la chienne :
« Brebis, Brebis, folle, folle, viens ici. » Mais la griffonne
aux cils blancs, le museau au sol, continua sa quête. Abel
alla par les sentiers du pays sauvage, et son pas nulle part
n'éveilla un écho, ni sa présence ne troubla les pies et les
écureuils, ni ne fit dévier de sa course un lièvre blanc. Il
s'assit sur un rocher et regarda entre ses pieds le village
au bas de la falaise, et le village, à cette distance si imma-
tériel, avec ses toitures rousses, ses fumées gris-bleu et
ses rues cendrées, semblable à un jeu de la lumière, lui
parut être une de ces grossières constructions que l'on voit
dans les boutiques marseillaises, avec des maisons et des
arbres en carton peint.

Il atteignit l'anse isolée et se mit à manger le pain et le
fromage. Il se sentait dépouillé de plus en plus. S'il en
eût pris la décision, il n'aurait plus eu le courage de
faire route vers le pays sauvage. Pour trouver quoi? Des
ombres?

Il voyait son sang lui échapper comme d'une blessure.
Que me reste-t-il? Les personnages et les pays de la Bible?
Il ouvrit le livre (dans sa mémoire) mais les pages de cendres s'effritèrent entre ses doigts. Il pensa au voilier, à Jean-
François, au capitaine, qui étaient à Marseille quelques
jours plus tôt et qui devaient rentrer à Marseille, et il
ressentit un tel déchirement qu'il fut sur le point de pousser un cri.

« Monte à bord », avait dit Jean-François, et Abel avait
entendu : « Les portes de la mer te sont ouvertes. » Où donc

l'avait conduit ce chemin qui, tout à coup, s'était offert à son pied?

L'homme qui, après une guerre, rentre chez lui et, d'un col, découvre les ruines de sa ville détruite par le feu, se met à pleurer. Abel était un enfant. Il prit devant lui de petits cailloux et les lança dans l'eau. Puis il se déshabilla et entra dans l'eau.

Il était le chaton dont les reins ont été brisés par une porte et qui s'amuse avec sa queue.

A la vérité, Abel était « malade de haine ». Instinctivement, il allait à la source, et la source du mal dont souffrait la mère, la source de son propre mal, c'était Paul. La mère semblait tout avoir tué autour d'elle et tout tué dans le cœur de l'enfant, mais qui avait rendu la mère semblable à une femme morte? Paul. Qui avait rendu la femme aveugle et sourde au point qu'elle ne voyait plus son fils? Paul.

Abel n'avait pas compris ce qui, au restaurant, s'était passé entre la femme et l'homme. Le sens des mots — de ceux prononcés par la femme et de ceux prononcés par l'homme — lui avait échappé. Des mots mêmes, il ne se souvenait pas, et il ne cherchait pas à les retrouver dans sa mémoire. Ils ne lui auraient rien appris. Peut-être même ne les avait-il pas entendus. Mais, très souvent, dans la journée et la nuit lorsqu'il ne dormait pas et lorsqu'il s'éveillait brusquement, il avait devant les yeux l'image de la femme et de l'homme face à face, séparés seulement par le plateau de la table aux serviettes de papier froissées et maculées, et chargée de bouteilles vidées, d'assiettes et de plats à demi dégarnis. La mère levait le verre, puis, ayant bu et reposé le verre, saisissait les mains de l'homme. Ce qui s'était passé juste dans le moment dans le cœur ou dans l'esprit de la mère échappait à Abel, mais en même temps il voyait l'homme, il voyait les lèvres qui se desserraient, et les mots brefs jaillissaient rapidement, les uns après les autres, comme des balles.

Abel réfléchissait. Il n'y avait pas que cela. Il y avait tout ce qui s'était passé avant, depuis le jour où la mère avait connu Paul jusqu'au soir où la voix de la femme avait secoué l'enfant, en passant par le matin où la mère avait dit à Abel : « Va-t'en. Laisse-moi. »

Il y avait eu cette période d'espoir et de désespérance qui

avait précédé Pâques, avec ce masque que la femme portait sur le visage, et Abel avait essayé cependant de surprendre le secret de la mère, mais celle-ci l'avait bien gardé
jusqu'à l'après-midi où elle avait entraîné Abel sur le
Cours. Pourtant, les jours qui avaient suivi, elle avait
encore réussi à tromper Abel.

Il y avait eu Pâques, et un frisson de haine et de dégoût
secouait Abel lorsque sa mémoire lui restituait la voix de
la femme s'exclamant : « Ecoute-le, Paul. Il me fait mourir
de rire. Il s'est habillé en petit curé. » Et l'image de la
femme collant ses lèvres à celles de Paul !

Il y avait eu, au café du Cours, ce changement dans
l'apparence de la mère, si brutal qu'on aurait pu croire
qu'elle allait mourir, foudroyée par un poison mystérieux.

Mais jusqu'à la scène du restaurant, la mère avait été
vivante. Peut-être même l'enfant ne l'avait-il jamais vue
aussi vivante qu'au cours de cette scène. Jamais, en tout
cas, il ne l'avait vue aussi « naturelle », aussi humaine.
Face à Paul, regardant Paul, lapidée par les mots de
Paul, tout ce qu'il y avait d'artificiel en elle avait disparu.
Et cette « nudité » de la mère avait bouleversé Abel et le
bouleversait d'autant plus que tout de suite après (mais
il ne s'en était aperçu que le lendemain) elle avait pris
l'apparence de la poupée de porcelaine. Tout de suite après,
elle avait été morte.

Il revoyait le visage affiné par la passion retenue, qui
serrait la femme à la gorge et l'étouffait, avec l'émotion
que l'on a à retrouver dans la mémoire la dernière image
vivante d'un mort.

Abel n'était plus jaloux de Paul. Il haïssait Paul. Il était
malade de haine. C'est Paul qui lui avait pris sa mère,
son passé, ses souvenirs, toutes ses joies. Paul avait pénétré
dans l'enfant même, dans son cœur, dans son esprit, sa poitrine, pour tout piétiner, déchirer, saccager, disperser.

Le Christ, les mains et les pieds cloués à la croix, le flanc
percé s'adressait à son Père, et une femme agenouillée
pleurait. A Abel, il ne restait rien, que sa haine.

Après la course au bord de la mer, Abel vécut quelques
jours d'un désespoir affreux. Les pages de la Bible ouverte,
le soir, n'avaient plus de sens. Encore si elles avaient été
écrites en une langue étrangère, l'enfant aurait-il pu se
dire qu'il ne possédait pas le secret, s'intéresser cependant

au texte en recherchant les mots semblables et se donner
l'illusion d'être sur la voie de la découverte du secret. Les
mots lui étaient parfaitement connus et ils avaient perdu
leur pouvoir magique.

Il retourna à la cathédrale. Au centre de l'église, déserte
ce jour-là, il se plaça entre les quatre Evangélistes, et, tout
petit, immobile, il fut glacé jusqu'au cœur par le froid de
la mort qui rayonnait des gigantesques statues de pierre.
Il chercha en vain de découvrir l'étincelle qui, plusieurs fois,
pour lui, avait animé l'œil de Matthieu, de Marc, de Luc
et de Jean. Si, pour lui, un instant seulement, l'œil de
pierre se fût attendri, avait eu un reflet de vie, un immense espoir aurait soulevé son cœur. Tout n'aurait
pas été perdu, dans le désert un brin d'herbe aurait ver-
doyé entre deux grains de sable. Mais les Evangélistes
eurent ce jour-là le visage dur et fermé des morts dont
le sang s'est déjà glacé. Ils avaient le visage même de
l'Eternité.

Plus affreusement désespéré, Abel rentra dans sa chambre et tailla une encoche dans le barreau de la chaise. Il
attendait impatiemment et redoutait l'arrivée du voilier. Il
ne savait pas ce qui se produirait lorsqu'il en verrait la
silhouette, lorsqu'il se trouverait devant Jean-François et en
entendrait la voix.

Dans Abel, tout n'était que sentiments, sensations, mouvements d'attirance et de répulsion, pensées à peine
ébauchées. Tout se traduisait par de la joie, de la peine,
de la crainte. Il possédait cependant une sensibilité si aiguë
et si nuancée que, si on l'y eût poussé, peut-être aurait-il
exprimé la nature de sa crainte et de son espoir, quant à
l'*Ambassadeur* et à François.

Il redoutait que les images qu'il verrait et les sons qu'il
entendrait eussent eux aussi, comme les phrases de la
Bible, perdu leur pouvoir d'incantation. Il redoutait de se
trouver aveugle et sourd devant le voilier et son équipage.
Mais il espérait dans le miracle de la vie, dans le miracle
du contact, dans la chaleur humaine. Il espérait que sa
main touchant le bois du voilier, touchant celle de Jean-
François, que les mains du capitaine s'appuyant sur ses
épaules, que le regard de Jean-François et celui des matelots cherchant et trouvant le sien, son cœur desséché refleu-
rirait.

L'*Ambassadeur* devait rentrer cinq jours plus tard, et Abel quitta sa chambre. Pour aller où? Peu lui importait. Ne devant trouver la vie nulle part, rien ne l'attirait, et il ne se fixait pas de but. Il marchait, et le soir il n'aurait pu dire où il était allé. Il marchait cependant comme tous les enfants livrés à eux-mêmes, avec indécision dans l'allure, avec des détours brusques, en sautant par moments sur un pied, tantôt sur le trottoir et tantôt sur la chaussée, avec de longs arrêts devant une vitrine, une affiche, un navire, se mêlant aux badauds assemblés autour d'un camelot, se tournant vers le soleil d'avril et le regardant par le jour que laissaient passer ses doigts serrés, ramassant un œillet que les pieds n'avaient pas foulé. Il fredonnait. Il imitait l'appel du pinson. Il acheta un sorbet de deux sous qu'il se mit à façonner avec le bout de la langue.

N'étant plus accompagné par cette foule qu'il s'était faite depuis le jour qu'il avait connu Gilles, sans cesse accrue, qui était devenue considérable, il se trouvait si seul dans cette autre foule de la ville qu'il s'ennuyait. Il était comme un poisson dans une vaste mer dont tous les autres poissons auraient été détruits et les fonds et les rivages bouleversés. Il s'ennuyait, et pour chasser l'obscurité poisseuse de l'ennui, il n'avait que la petite flamme de l'arrivée prochaine de l'*Ambassadeur*.

Il s'ennuya pendant deux heures, jusqu'au moment où il se mit de nouveau à penser à Paul, à la nuit qui viendrait, à sa propre attente dans la nuit, au tremblement dont il serait pris, à la sueur qui humecterait ses tempes et ses mains. Il se mit à penser à Paul, à le haïr et à le chercher, dévisageant les hommes qu'il croisait et regardant au loin lorsqu'une trouée se produisait dans la foule.

Sa promenade sans but l'avait entraîné loin dans la ville et l'église des Réformés qui ne l'avait jamais attiré et dans laquelle il n'était jamais entré, atteinte, il fit demi-tour.

Il s'en retournait, lentement, ayant loin devant lui le port (où s'amarrerait l'*Ambassadeur*, se disait-il), ayant un peu plus loin devant lui, en appuyant sur la droite, la rue de l'Araignée et la maison de la mère, ayant un peu moins loin devant lui et en appuyant un peu plus sur la droite, le café du Cours que fréquentait Paul.

Les feuilles nouvelles et à peine formées des platanes géants et des ormeaux centenaires, l'or du soleil arrêté,

laissaient passer une douce lumière d'un vert tendre qui
paraissait posséder le curieux pouvoir d'étouffer les bruits,
d'arrondir les arêtes, de rendre les démarches plus légères,
d'enlever aux visages des hommes ce qu'ils avaient de trop
mâle, d'effacer les rides, d'estomper les couleurs vives, de
donner encore plus de charme aux visages des jolies
femmes, d'atténuer comme par un velouté les traits trop
accentués.

C'était une magnifique fin d'après-midi printanière. Dans
les voix, les gestes, les attitudes, l'allure, on percevait une
sorte de relâchement, d'attendrissement. La foule allait
moins vite qu'une heure plus tôt, s'agitait avec moins de
fièvre, s'arrêtait plus longuement, parlait plus lentement
et sur un ton plus bas.

Mais l'enfant pensait à Paul et rien de ce qui l'entourait
ne le touchait... ni ne l'avait jamais touché. Le secret de
cette vie artificielle et un peu mécanique lui avait toujours
échappé. Mêlé à cette vie, il n'avait jamais été pris par elle.
Le quartier du port quitté et dès le moment où il s'engageait
dans la ville, il lui semblait pénétrer dans un immense
jouet constitué de plaques de tôles découpées en forme
de maisons, d'arbres, de kiosques, de magasins, de fontaines, de cafés, d'églises, de théâtres, peintes et ajustées,
peuplé d'une infinité de poupées habillées en hommes, en
femmes, en enfants, de chevaux et de chiens de bois auxquels
un mécanisme caché donnait le mouvement et la voix,
tandis que les eaux jaillissaient et que, le moment venu, les
lampadaires et les lanternes s'éclairaient.

La lumière verte exagérait encore cette apparence d'artifice. L'enfant, s'il en avait été encore capable, s'en serait
réjoui. L'extraordinaire était que l'une de ces poupées dont
le secret lui échappait, était en même temps un être de
sang et de chair qui se nommait Paul et qu'il haïssait.
Comment un pantin à mécanique pouvait-il avoir ainsi
troublé la vie d'Abel, comment le pas dans la nuit d'un
pantin qui tenait le mouvement d'un ressort pouvait-il
faire trembler Abel?

Entre ce jouet de tôles ajustées dont les personnages
de tôle gesticulaient, parlaient, s'asseyaient dans les cafés
et les restaurants, entre ce monde artificiel et le monde
vrai d'Abel existait une communication, un passage par
lequel la mère entraînait l'enfant, par lequel aussi Paul
surgissait à ses heures.

Il y avait communication, passage, mais pas transformation d'un monde à l'autre. Jamais Abel, se promenant en ville, entrant dans un grand magasin, prenant place dans un restaurant, n'était devenu un pantin, mais, jamais non plus, Paul ayant franchi le seuil de la maison de la mère, n'était devenu un homme du monde de l'enfant, comme Gilles, Mathieu ou Jean-François.

Abel parvint au bas des allées de Meilhan n'ayant rien d'autre dans le cœur, dans le corps tout entier, que la haine de Paul, et il marchait en direction du port, ayant devant les yeux, bien qu'il ne pût le voir, les lumières du café où Paul, croyait-il, se trouvait dans le moment.

Elles étaient le centre d'un tourbillon et Abel marchait à la limite de ce tourbillon, ne voulant pas se laisser entraîner ni s'en éloigner tout de suite. Il ne s'était pas aperçu que la lumière avait changé, que n'étant plus tamisée par le feuillage, elle était devenue dure. Il n'avait pas remarqué l'énorme nuage de poussière dorée qui s'élevait au-dessus du port. Il marchait, s'efforçant de ne pas mettre un pied dans le tourbillon dont les remous lui paraissaient plus violents tandis qu'il approchait du Cours.

Il atteignit le Cours et le traversa, comme il aurait fait d'un fleuve. Il hésitait à aller plus loin, à tourner le dos au tourbillon, lorsqu'il se trouva en face de la mère.

Un café s'ouvrait dans les deux façades qui formait un angle du Cours, et sa terrasse avec ses dizaines de tables posées sur le large trottoir l'encadrait et encadrait les deux façades, comme un coin de tableau.

Les tables, toutes occupées, s'alignaient en profondeur sur trois rangs, et la mère était assise au premier rang, à l'angle même. Elle était comme la pierre d'étrave à laquelle se heurtait le flot des deux avenues.

Abel ne pensait pas à elle et il fut saisi de la voir là tout à coup, de la voir si parfaitement immobile. Elle ne participait pas au mouvement du fantastique jouet. Parmi les autres qui s'agitaient, elle semblait être un pantin dont le ressort se serait cassé et qu'il faudrait saisir de deux doigts et ôter de là, pour qu'on le répare.

Elle était seule, comme posée sur une chaise, à côté d'un guéridon de marbre garni d'un verre à pied à demi plein et d'un siphon d'eau de Seltz. Coiffée de son large chapeau de grosse paille tressée, elle tenait la tête un peu penchée sur le côté droit, les mains se joignaient sur le

ventre, et les cuisses se croisaient haut exposant les jambes
dont le mollet de l'une s'élargissait sous la pression du genou
de l'autre, moulées dans des bas de soie noire à larges
mailles.

Abel eut, en la voyant, un mouvement d'hésitation, puis
il s'arrêta net. Il se dit : « C'est elle. C'est bien elle. »
Puis il recula d'un pas et il sourit comme pour s'excuser
d'être là et d'être si mal soigné, de ne pas porter son beau
costume, de ne pas avoir brossé celui dont il était vêtu,
de ne pas avoir ciré ses souliers, d'être tête nue et de ne pas
avoir coiffé ses cheveux de la manière qui plaisait à la
mère.

Se reculant, il se heurta légèrement à un homme et il
tourna un peu la tête mais l'homme était déjà passé. Il
regarda de nouveau la mère, s'attendant à voir sur son
visage un signe : froncement des sourcils, moue des lèvres,
de reconnaissance et de réprobation pour sa tenue et sa
maladresse.

Le visage de la femme demeura absolument immobile,
pourtant elle avait les yeux fixés sur l'enfant, du moins
celui-ci le croyait-il.

Jamais encore Abel ne s'était ainsi trouvé par le hasard
face à face avec sa mère. Jamais il ne l'avait vue si parfaitement immobile. Comment la vue de son enfant ne tirait-
elle pas de cette femme un seul mot, un seul geste?

Abel s'avança d'un pas mais la pensée de Paul l'arrêta.
« Peut-être attend-elle Paul. Peut-être Paul n'est-il pas
loin? »

Depuis la scène du restaurant, l'enfant, le matin, se penchant sur la mère, ne voyait plus son image se refléter dans
ses yeux. La femme cependant savait que l'enfant était là.
Elle ne le regardait pas mais elle répondait à ses questions.
Elle lui donnait de l'argent, mordait dans les croissants qu'il
apportait.

Peut-être Paul n'est-il pas loin, se répéta Abel, et il se
recula encore, se dissimulant derrière le rideau mouvant
que tendaient les passants.

Il avait voulu éviter le tourbillon et il avait été entraîné,
lui semblait-il. Il allait se trouver pris entre la femme et
Paul. Il se disposait à se reculer encore et à s'en aller, à
fuir, lorsque de nouveau — le rideau des passants s'étant
rompu — il se trouva face à face avec la mère, et elle le
regardait; il en fut sûr. Elle avait les yeux fixés sur lui.

Cependant aucun trait du visage ne bougeait. Les yeux
n'appelaient pas l'enfant et ne le chassaient pas.
« Se peut-il, se dit Abel, qu'elle ne me voie pas? »

Une peur folle le saisit dont il aurait été incapable de
dire la cause exacte. Peut-être avait-il peur qu'elle fût là,
assise sur cette chaise, et morte, mais vraiment morte. Peut-
être encore, avait-il peur qu'elle ne le reconnût plus jamais,
d'être chassé pour toujours de l'esprit et du cœur de la
mère. Il s'avança de la femme, pas à pas, lentement, sans
cesser de regarder ses yeux qui étaient fixés sur lui, jusqu'à
se tenir devant elle, jusqu'à toucher ses jambes de son
corps. Des deux mains, il saisit la bordure de zinc du guéridon, et il continua à la regarder.

Alors, après quelques secondes, et chaque seconde pour
l'enfant dura une heure, la femme ferma les yeux. Elle les
ouvrit aussitôt. Une rougeur envahit son visage. Elle
dit :

— Oh! Abel. C'est toi? Qu'est-ce que tu fais là?
— Rien, mère. Je te regardais. Je rentre à la maison.
Il sourit et il partit.

Se trouvant en face de la mer pour la première fois, Abel
avait été ébloui. Une fanfare céleste avait accompagné
l'enfant gravissant le planchon qui l'avait conduit à bord
de l'*Ambassadeur*. Mais, au moment que le visage de la
mère s'anima, rosit, s'attendrit, que des lèvres descellées
s'échappèrent les mots : « Oh! Abel. C'est toi? Que fais-tu
là? » le cœur de l'enfant se trouva dans les flammes mêmes
et se mit à vibrer comme une corde de harpe.

Abel reprit sa route vers le port, sans se retourner. Il
avait le visage de la mère devant lui. Il ne voyait pas le
visage immobile mais au moment que les paupières
s'étaient soulevées. Il le voyait juste au moment que la
femme avait reconnu son fils. Tous les démons qui dansaient autour de la mère, dans le cœur et dans l'esprit de la
mère, avaient été chassés. Un instant, elle s'était trouvée
devant son enfant. Pendant un instant, à cet endroit de la
ville où se croisaient des milliers d'êtres humains, il n'y
avait eu que la femme et son enfant face à face.

Pendant deux ou trois secondes, le vide avait été fait
autour de la femme mais, aussi et surtout, en elle. Toute
sa vie depuis qu'Abel était né, avait été chassée, et avec
sa vie, les vices de la femme, ses passions, sa passion pour

Paul. Elle avait vu Abel devant elle, mieux même qu'à l'instant où on lui avait présenté l'enfançon qui vagissait et où elle lui avait refusé le sein.

— Oh! Abel. C'est toi?

Dans l'appel si tendrement murmuré, il y avait eu tous les regrets de la mère qui s'était si longuement séparée de son fils, l'aveu de toutes les fautes, une sorte de supplication même, une espèce de demande de pardon.

Tout cela, Abel l'avait obscurément senti. Les paupières s'étaient abaissées, puis soulevées. Depuis des jours et des jours, la femme ne voyait plus l'enfant devant elle, ne l'entendait plus. Elle en avait fait un robot. Abel avait dans le cœur le désespoir de ceux qui assistent un agonisant dont le regard paraît mort, dont le visage ne reflète plus aucun signe de vie, et ils disent : « Il ne nous voit plus. Il ne nous entend plus. » Soudain, le regard redevient expressif, les lèvres s'agitent, s'écartent, les yeux se tournent vers l'un, vers l'autre. « Il est avec nous, encore. »

Abel allait, et cette musique qui faisait vibrer son cœur n'était rien autre que l'expression de ce qu'il avait ressenti. « Elle vit toujours. Elle est toujours ma mère. Pourquoi ai-je désespéré? Elle est ma mère. »

Et les grandes flammes s'élevaient autour de son cœur, sans le brûler, sans le consumer. Sa joie était si grande qu'il ne s'aperçut pas tout de suite d'un autre miracle; sa solitude avait cessé au moment même que les paupières de la femme s'étaient relevées.

Un vent qui desséchait et tuait, semblait-il, avait soufflé sur le monde réel et imaginaire de l'enfant. Tout, autour de lui et en lui, avait été calciné et transformé en cendres. Le pays sauvage avait perdu sa vie. Le soleil ne l'éclairait plus et sa lumière était froide, les eaux ne couraient plus, le vent n'agitait plus les arbres et les herbes au ras du sol. Le souffle de l'enfant aurait pu disperser la maison de Gilles, celle de Mathieu, les grands rochers, le plateau, les bois, le village au bas de la falaise. Gilles, Brebis, les chèvres, les bêtes étaient devenus des statuettes de terre cuite. La mer était déserte et vide, les silhouettes des grands navires fantômes s'étaient effacées. Les phrases de la Bible avaient perdu leur sens. La mort avait éteint le regard des Évangélistes. La mère avait dit : « Oh! Abel. C'est toi? Que fais-tu là? »

L'enfant avait une telle habitude de ne pas être seul

que, dans le moment, il ne se souvint pas de l'absence prolongée de ses compagnons. Il appela Brebis, et Brebis répondit. Il regarda le pays sauvage, et le soleil était chaud, le vent soufflait et les eaux couraient.

Ayant atteint le Vieux-Port, Abel s'arrêta, le regard fixé sur les grands navires de Mathieu. « Te souviens-tu de cette nuit où nous avons traversé à grande allure le Banc dans la brume. La sirène sifflait. »

Abel acheta du pain et de la charcuterie et monta dans sa chambre. « Je vais attendre le retour de la mère », se dit-il. Il mordit dans le pain et ouvrit la Bible.

Abel ferma le livre et pensa : « Il est tard, et la mère n'est pas rentrée? » Il éteignit la lumière et s'accouda à la pierre de la fenêtre, le front appuyé contre les contrevents aux trois quarts tirés. « Qu'est-il arrivé à la mère? » se demandait-il.

Se penchant un peu sur le côté, à droite, il voyait la partie basse de la rue, depuis son croisement avec la rue de la Fête jusqu'à la porte de la maison. Il en voyait les deux trottoirs étroits, les deux ruisseaux dont l'eau galopait jour et nuit avant de s'engouffrer dans les bouches d'égout. Mais il était gêné pour distinguer le bout de la rue, là où sur trois mètres elle se confondait avec la rue de la Fête, par la lampe électrique qu'un câble tenait suspendue au-dessus d'un pavé gluant.

Au delà de la lampe, les façades, les trottoirs, la chaussée, les ordures, l'eau moirée, les silhouettes des hommes et des femmes qui traversaient le carrefour, baignaient dans une brume lumineuse qui en déformait l'aspect, et lorsque l'enfant avait fixé cette espèce de poussière dorée, il demeurait aveuglé un moment.

Pourquoi la mère n'est-elle pas encore rentrée? se demandait-il. Paul en est-il la cause? La mère avait-elle cédé à ce tourbillon par lequel lui-même, Abel, n'avait pas voulu se laisser prendre? Etait-elle allée rejoindre Paul?

Tandis qu'il attendait la mère, Paul la torturait-il? L'homme et la femme étaient-ils assis face à face à la table d'un restaurant, et Paul, le front bas, la bouche dure, lançait-il à la mère des mots qui la frappaient?

Mais l'heure du restaurant était passée.

Pourquoi la mère n'était-elle pas rentrée, comme toujours, à son heure, avec un ami? Pourquoi n'entendait-il pas dans la chambre au-dessus claquer les talons, et la voix et le rire de la femme, et les verres se heurter? Si la mère n'allait pas rentrer! Si elle n'allait jamais plus rentrer!

Le chien jaune et bas sur pattes auquel Abel, le soir de Pâques, avait lancé ses gâteaux, allait d'un tas d'ordures à l'autre. L'enfant fit glisser entre deux lattes d'un contrevent les peaux de saucisson et la couenne du jambon et pensa à Brebis, un instant.

Si la mère ne rentrait pas de la nuit, si elle n'était pas là le lendemain à l'heure où l'enfant avait l'habitude de monter à sa chambre, il lui faudrait la chercher. Où la chercherait-il? Comment? A Marseille, il n'y avait pas de broussailles qui retiennent un fil de soie. Abel ne voulait pas perdre la mère. Il ne voulait pas que la chambre au-dessus demeurât vide comme était demeurée vide la maison de Mathieu, avec le vent chargé de neige qui s'engouffrait par la porte et la fenêtre, avec tout ce qui avait appartenu à l'homme, qui se dispersait.

Lorsque la mère au café avait quitté sa chaise, à quel courant avait-elle cédé, quelle foule avait-elle suivi? Etait-elle allée à droite ou à gauche?

Mais s'il ne revoyait plus la mère! Jamais plus. Si elle était morte! Si, sur son corps, on avait jeté des pierres comme sur celui de Mathieu!

Comme il pensait à cela, il la revit.

Un couple apparaissait au milieu de la rue, à égale distance des trottoirs, juste au-dessous de la lampe électrique. La mère était à droite... et Paul à gauche, à un pas. Ils s'arrêtèrent et se tournèrent l'un vers l'autre.

Le bruit de la voix de la mère parvenait jusqu'à l'enfant. La voix était celle d'une femme qui a bu, grasse, un peu hoqueteuse, avec des intonations hautes et basses, entrecoupées d'exclamations, de silences, de brefs éclats de rire.

Pourquoi sont-ils ensemble? se demandait l'enfant.

Dans la lumière crasseuse de la lampe électrique, qui frappait leurs chapeaux et leurs épaules, s'accrochait un instant, selon leurs mouvements, à un nez, un menton, une joue, à un bras tendu, à une main élargie, puis coulait sur le pavé où elle s'étendait en nappe autour d'eux, ils étaient comme sous une couche d'huile lourde, aux reflets verdâtres.

A son habitude, Paul parlait peu, et sa voix était maintenue assez basse pour que le murmure de l'eau qui sautait d'un pavé à l'autre, la couvrît. Abel ne l'entendait pas mais, lorsque la mère se taisait et cessait de gesticuler et se tenait un instant comme figée, il savait que Paul parlait.

Que s'est-il passé, ce soir? se demandait l'enfant. Cette rupture dans les habitudes de la femme et de l'homme était-elle un bien ou un mal?

Depuis la scène du restaurant, Abel n'avait plus vu la femme et l'homme ensemble. Il les avait entendus — sans comprendre leurs paroles — mais pas vus. Il n'avait pu, d'un instant à l'autre, regarder le visage de l'un, puis le visage de l'autre. Lorsque la femme se trouvait avec l'homme, son visage se transformait-il et de quelle manière? Devenait-il lumineux? La femme était-elle attirée comme ce jour de Pâques où l'enfant l'avait vu s'approcher de Paul, s'appuyer contre son corps, s'approcher encore et?... Ou bien le visage s'affinait-il, pâlissait-il, la femme se dominant, luttant, souffrant?

Que s'était-il passé entre eux? Il y avait ce trou — ce vide — pendant lequel la femme avait été semblable à une morte, à une poupée de porcelaine, avec une mécanique dans le ventre, qui la faisait veiller, dormir, manger, parler, rire, pleurer, s'habiller, se déshabiller, se maquiller, qui lui faisait ouvrir et fermer les yeux.

La femme et l'homme s'étaient remis en marche, appuyant vers la droite, vers le trottoir, vers la maison. La femme titubait légèrement, et l'homme, une fois, la saisit par un avant-bras comme pour la soutenir, mais il la secoua un peu, sembla-t-il, peut-être pour la faire taire, peut-être seulement pour qu'elle parlât moins fort.

Abel voyait la femme et l'homme de nouveau ensemble. Il les voyait de haut en bas, inondés d'une lumière sale qui ne les éclairait pas, qui les rendait semblables à ces ombres que l'on fait en plaçant la main entre une lampe et un mur et en agitant les doigts.

Abel devinait que la femme avait bu, qu'elle était restée au restaurant longtemps — peut-être jusqu'à cette heure — assise en face de Paul, avec entre eux des assiettes salies et des bouteilles sur une nappe de papier maculée. Il voyait la mère, les coudes sur la table, les avant-bras nus, une épaule charnue découverte, le visage épanoui, un verre à la main, les lèvres dans le vin, les yeux fixés sur Paul.

Mais pourquoi cela, ce soir? Etait-ce un bien? Etait-ce un mal?

La femme était montée sur le trottoir et s'était appuyée contre le mur de la maison même, à trois mètres de la porte, et Abel, le visage écrasé contre le volet, n'en distinguait plus qu'une forme extraordinairement raccourcie, tandis qu'il voyait bien Paul, tourné vers la femme, un pied sur le trottoir, l'autre sur la chaussée, enjambant l'eau.

La femme riait mais elle n'était pas maître de son rire, comme d'habitude. Elle ne lançait pas ses éclats de rire argentins qui étaient une espèce de chant, qui réjouissaient ceux qui les entendaient. Le rire de la femme était fait de dissonances et était fêlé.

Elle parlait d'une voix empâtée, avec une langue lourde, et les mots soudés les uns aux autres, lourds eux aussi, ne s'élevaient pas jusqu'à l'enfant.

Dans la maison d'en face, une fenêtre s'éclaira et on entendit le bruit d'une espagnolette soulevée.

— Tais-toi, dit Paul d'une claire voix dure. Rentrons.

Abel se coucha. Etendu dans les draps frais, les yeux ouverts, le silence s'étant fait, Abel sut que ce qui s'était passé ce soir-là n'était pas un bien mais un mal... pour la mère et pour lui. Après avoir entendu la mère dire : « Oh! Abel. C'est toi? » il avait eu cette grande joie, il y avait eu en lui cette résurrection. Et, là, il éprouvait la sensation de tomber dans un gouffre de plus en plus noir, tandis que d'énormes oiseaux aux ailes velues et griffues, qui piaillaient avec la voix et le rire hoqueteux de la mère et la voix claire de Paul, le poursuivaient.

La porte de la maison se ferma lourdement.

Abel ne pensa plus, ne se posa plus de questions. Il se mit à écouter les bruits qui montaient du fond du puits et qui lentement se rapprochèrent : vibrations de la rampe métallique, coups sourds contre le mur, rire gras, exclamations, courtes phrases débitées rapidement. La femme dont le pied hésitait et se dérobait, dont le corps s'appuyait contre la muraille, dont la main s'agrippait à la rampe, s'arrêtait, se retournait, lâchait un juron, se retournait encore vers l'homme qui avait bu aussi et qui trébuchait aussi.

Abel ne tremblait pas comme toujours il tremblait lorsque dans la nuit Paul allait rejoindre la mère. L'homme et la femme étaient déjà ensemble. Ils étaient liés comme la coupe de ciguë vidée, le poison et le sang. La mère était avec l'homme qui en avait fait une femme morte.

Ils faisaient corps et montaient l'escalier comme un seul corps, et Abel ne tremblait pas. Il ne redoutait pas que la mère s'arrêtât devant sa porte, l'ouvrît et vînt jusqu'à son lit. Il entendit l'homme et la femme passer ensemble sur le palier sans marquer un arrêt. Il y eut encore des bruits sourds dans la partie supérieure de l'escalier, un court colloque devant la porte de la chambre de la mère, puis cette porte s'ouvrit.

Abel avait redouté que la mère ne revînt pas. Elle était là. Elle avait tourné le commutateur, se disait-il, et la lampe du chevet du lit s'était allumée. Elle avait refermé la porte derrière elle, s'était avancée, avait allumé le lustre suspendu au plafond et s'était assise devant la toilette. Elle ôtait le chapeau et le jetait sur la chaise-longue, dégrafait et entr'ouvrait son corsage, portait les mains aux cheveux, retirait deux peignes et deux boucles, et les cheveux se déroulaient sur les épaules.

La mère était là, malade, empoisonnée. Mais elle était là. Elle dégageait ses épaules du corsage, se disait encore Abel, se regardait dans le miroir, essuyait du mouchoir de soie les lèvres trop rouges et les cils dont le kohl avait un peu coulé. Elle se poudrait les pommettes, le nez, le menton, le cou. Elle disait : « Que je suis lasse ! »

La voix qu'Abel croyait entendre n'était plus celle d'une femme qui avait trop bu, qui souvent avait tendu le verre à Paul pour qu'il le remplît, qui avait fumé, allumant une cigarette au mégot d'une autre, qui s'était fait plusieurs fois servir de la Chartreuse et qui à la liqueur avait ajouté du rhum. La voix était presque celle de la femme qui avait murmuré : « Oh ! Abel. C'est toi ? »

Elle desserrait son corset. Elle disait : « Fais-moi passer le peignoir » et encore, tendant les jambes : « Délace mes souliers. »

Abel se laissa glisser du lit. En chemise, pieds nus, il s'approcha de la porte, l'ouvrit, s'avança sur le palier et, là, dans l'obscurité complète, il jeta un regard vers le fond du puits, et la lumière qui filtrait par la vitre crasseuse de la porte d'entrée, lui parut être le reflet de l'eau.

Il se hissa de six marches jusqu'au tournant de l'esca-

lier, jusqu'à ce que ses yeux fussent à la hauteur de la barre
de lumière épaisse de deux doigts qui soulignait la porte
de la chambre de la mère. Il se demanda pourquoi il avait
quitté son lit et ce qu'il faisait là et il craignit que la
porte s'ouvrît brusquement devant Paul.

La femme parlait, et le bois n'était qu'un faible écran
au bruit qui le faisait vibrer. Elle disait : « Donne-moi
une cigarette. » Elle insistait : « Donne-la-moi. Je la veux.
J'ai envie de fumer. » Et, après une toux répétée : « Verse-
moi à boire. J'ai soif. »

C'était bien là la voix d'une femme avinée et non celle
qu'Abel avait « entendue » quelques minutes plus tôt. Il
en reçut un choc, ne comprenant pas, ne comprenant pas
encore, car il ne savait pas ce qu'est un mirage, une hallu-
cination, car il ne connaissait pas le pouvoir créateur de
l'esprit.

La femme entrant dans la chambre s'était laissée tomber
lourdement sur le lit, rejetant loin d'elle son chapeau, et
elle avait attiré Paul contre elle. Longuement, elle avait
bu à la bouche de son amant, puis, le repoussant, elle avait
dit : « Donne-moi une cigarette, je veux fumer. Verse-moi
à boire. J'ai soif. »

Elle se mit debout et, tandis que Paul décoiffé, le col
déboutonné, la cravate de travers, allumait les cigarettes
et emplissait les verres, commença à se défaire de ses
vêtements, à se desserrer, à se dénuder. Le corps moite de
sueur et à peine voilé, les épais cheveux noirs déroulés,
toute chaude, exhalant son odeur de femelle passionnée, elle
s'approcha de l'homme, saisissant et portant aux lèvres la
cigarette allumée, saisissant ensuite le verre à demi rempli
d'alcool. Ils étaient face à face, le mâle et la femelle, livrés
à leurs instincts. La femme ne songeait pas à en refouler
aucun. Elle était tout entière la proie de son amour et de
sa jalousie. Elle se sentait puissante, et si une crainte eût pu
encore la modérer, l'alcool l'avait écartée.

Que s'était-il passé entre la femme et l'homme, s'était
demandé Abel une heure plus tôt, pendant les derniers
jours? Comment la femme avait-elle été avec l'homme?
Avec l'homme avait-elle eu ce visage de morte, cette apparence, ces gestes et cette voix de poupée de porcelaine?

Tremblant un peu mais de froid, Abel s'était assis sur
la marche de l'escalier. Il y avait au-dessous de la porte
cette barre de lumière épaisse de deux doigts, et, mainte-

nant qu'il s'était fait à l'obscurité, l'enfant distinguait une
faible lueur sur les trois autres côtés du panneau de bois
qui lui paraissait, ainsi, être détaché de la nuit. La porte
formait une espèce d'écran pas tout à fait noir — à cause
de ce cadre lumineux — qu'Abel fixait comme s'il eût espéré
qu'il allait s'éclairer, s'éclaircir davantage et devenir trans-
parent.

Les verres se choquaient, heurtaient le marbre de la cheminée, un soulier détaché du pied de la mère cogna contre
le cuivre du lit, l'autre rebondit sur le carrelage, une chaise
fut tirée, puis gémit sous le poids d'un corps. La mère rit
très haut et toussa. Des vêtements furent suspendus derrière la porte et, un instant, la barre de lumière, au-dessous,
fut voilée. De l'eau coula dans la cuvette. Un verre, encore,
fut posé sur le marbre et un pied nu s'appuya et se détacha
du carrelage avec un bruit de ventouse. Et un murmure
de voix accompagnait ces divers bruits, comme si l'homme
et la femme se doutant de la présence de l'enfant, eussent
chuchoté plutôt que parlé.

Vraiment, il semblait à Abel que l'écran de la porte
s'était encore un peu éclairci et que l'ombre de la mère
et l'ombre de Paul se dessinaient sur cet écran. Vraiment,
il lui semblait voir ces ombres s'agiter, grandir, grossir,
se rapetisser, s'amincir, se déformer, dans une sorte de
jeu.

Abel aurait voulu voir les visages. Ils étaient l'un contre l'autre, et la femme une fois encore dominait l'homme
mais, pour le coup, sans plus aucune retenue, sans plus
aucune peur, saoule d'alcool mais saoule aussi d'amour et
de jalousie. Ce poison qui l'avait aveuglée, assourdie, qui
l'avait rendue semblable à un mannequin, lui était remonté
à la bouche. Elle en avait la bouche pleine et elle le
crachait.

Tout à coup, elle eut un cri qui domina tous les bruits,
qui fit vibrer les murs dans la maison plongée dans l'obscurité et le silence, qui fit trembler Abel.

— Je t'ai vu. Je t'ai suivi.

L'homme réagit tout de suite, brutalement. « Tu m'as
suivi. Garce! » Et il gifla la femme, deux fois.

D'abord, Abel se recula comme si lui-même avait été
frappé. Il se ramassa sur lui-même et ferma les yeux. Il
avait distinctement entendu chaque syllabe `es mots pro-
noncés par la femme et prononcés par l'homme. Puis, les

deux coups. Il avait eu la bouche pleine d'une salive amère.
Des larmes coulèrent de ses yeux.

Il se tendit et se mit à avancer lentement sur les genoux
et sur les mains. Il ne se posait pas de questions. Il ne se
demandait pas : « Va-t-il tuer la mère. » Il voyait Paul sur
la mère, la frappant, comme lui-même avait été frappé
par les « salopiots » du port, lui enfonçant les doigts dans
le visage, lui lacérant la chair, la mordant. Il s'avança
d'une marche à l'autre lentement, le corps trempé de sueur,
la salive amère coulant aux commissures des lèvres agitées
d'un mouvement convulsif.

Il se trouva contre la porte, debout, arrêté là, un instant,
par son instinct de ruse. Cette porte allait-elle céder sous
sa main et pourrait-il d'un élan, par surprise, se jeter sur
Paul ? Ou était-elle fermée à clef ?

Il était debout contre la porte, la cuisse, les jambes et
les pieds nus, le corps appuyé contre elle, la main pesant
sur le bouton de la serrure, l'oreille contre le panneau de
bois, la joue collée à la peinture par la sueur.

Il était à peine à un mètre de la femme et de l'homme.
Si la porte eût cédé sous son poids, entraîné par elle, il
se serait trouvé jeté contre eux. Il en était si près qu'il
entendait leur souffle mêlé et le froissement de leur chair
en contact, qu'il entendait le râle de plaisir de la femme,
cette sorte de chanson animale qu'exhalait son corps
pénétré.

Comme vidé d'un coup de son désir de lutte, Abel se
recula un peu. Il n'osait plus s'appuyer à la porte, ni la
toucher, ni même l'effleurer d'un doigt, comme si elle fût
devenue du feu, comme si, soudain, elle avait été transformée en une tôle rougie par le feu, par les flammes sifflantes et crépitantes qui dévoraient le corps de la mère.

Il était, comprenait-il, à la limite même d'un mystère.
Si la porte se fût ouverte, il aurait connu, se disait-il, les
raisons du pouvoir de Paul sur la mère. Tout lui aurait
été expliqué, depuis le jour où le regard de la femme
n'avait plus été le même. Paul était le Diable. Il avait
transformé la mère en femme morte. Il l'avait frappée, et,
maintenant, il lui tirait des entrailles ce chant étrange qui
n'était pas un chant de douleur mais de joie, de plaisir.

Abel descendit une marche. Il avait vu le cadavre de
Mathieu, mais la mort (des bêtes) lui était trop familière
pour que son mystère l'émut profondément. Il avait vu

des chèvres mettre bas et des brebis agneler, et il s'en était réjoui, prenant dans ses bras le petit animal encore ensanglanté. Il avait tourné une à une les pages de la Bible, et rien ne l'avait étonné, ni les trompettes de Jéricho, ni le soleil s'arrêtant dans sa course. Il avait écouté Mathieu. Les portes de la mer te sont ouvertes...

Mais ce gémissement heureux de la mère que Paul avait frappée l'atterrait. Il lui semblait que Paul avait ouvert la poitrine de la mère et lui avait arraché le cœur.

Il descendit une marche encore et se mit à genoux, puis, ainsi, à genoux et à reculons, il descendit lentement, la tête levée vers la chambre de la mère.

Ainsi qu'il avait vu Mathieu étendu sur le dallage de la cuisine, les mains et les pieds rongés et le ventre déchiré par les dents du renard, il voyait la mère sur son lit, la poitrine ouverte et le cœur arraché, mais le visage transformé, encore une fois, par une extraordinaire lumière.

Il se dit, pensant à Paul : « Je le tuerai. »

CHAPITRE VII

Comment, quand et où tuer Paul? — Délivrance d'Abel et de la mère. — Spéculations. — Le retour de l'*Ambassadeur*. Le pur et l'impur.

Rentré dans sa chambre, Abel alla non pas se coucher mais s'accroupir, ainsi aux trois quarts nu, n'ayant sur le corps qu'une courte chemise de coton, dans l'angle le plus éloigné de la porte, du côté de la fenêtre.

Comment, quand et où tuerait-il Paul?

Dans la remise obscure, basse de plafond mais profonde, qui faisait suite à la vaste salle où Gilles et les bêtes dormaient, à un croc planté dans une poutre était suspendu un fort piège de fer garni de dents.

— C'est pour prendre les renards, avait répondu Gilles à Abel qui l'interrogeait. Mais, moi, je les tue au fusil.

Il était regrettable, se disait l'enfant, que Gilles qui en possédait trois ne lui eût pas donné un fusil, avec une poignée de cartouches, plutôt que son couteau. Avec un fusil chargé à deux coups et des cartouches dans la poche, Abel serait bien venu à bout de Paul, et pendant quelques minutes l'enfant se vit recherchant Paul, le trouvant, le suivant, le mettant en joue et l'abattant.

Il était fou de haine.

Pendant quelques minutes, il ne fit pas de différence entre Marseille et le pays sauvage et entre Paul et un renard. Il se voyait mettant en joue et pressant sur la gâchette. Il se sentit secoué par l'explosion et il vit l'homme à terre, la poitrine défoncée par les chevrotines. Il plongerait le couteau dans la blessure et arracherait le cœur.

Alors, il entendit au-dessus le bruit du pas de Paul. L'homme s'était laissé glisser du lit, et ses pieds posés sans précaution sur la peau avaient fait vibrer le plafond. Il se chaussait, et tout de suite après ses talons claquèrent sur les tomettes.

Dans le coin de sa chambre obscure, Abel était un petit tas de chair qui suait et frissonnait. Paul, au-dessus, marchait d'un pas de maître, du pas du mâle qui a gagné la partie, qui s'est imposé.

Abel, du même coup, sentit sa propre faiblesse et la force de l'homme. Dans sa haine un peu de clairvoyance se fit. Il plaça le pays sauvage sur un plan et Marseille sur un autre. A Marseille, tout était faux, fabriqué, artificiel. Marseille était le jouet avec ses pantins entraînés par une mécanique secrète. A Marseille, on ne pouvait pas tuer à coups de fusil.

Mais comment, quand et où tuerait-il Paul qui allait et venait dans la chambre au-dessus, s'habillant, se coiffant, prenant une cigarette dans l'étui, l'allumant, qui parlait à la mère, à qui la mère répondait!

Elle n'avait plus la même voix. Elle ne parlait plus avec cette voix de femme avinée. Elle ne sanglotait plus, ne râlait plus, ne gémissait plus. Elle avait une voix tout amollie, doucereuse, caressante, un peu plaintive.

La mère n'était plus fâchée avec Paul qui l'avait frappée, deux fois.

Je le tuerai, se répéta l'enfant et, un instant, il s'arrêta à l'idée de se jeter, quelques minutes plus tard, dans l'obscurité, sur Paul descendant l'escalier. Il l'aurait fait s'il n'avait eu peur d'être vaincu dans la lutte, non pas peur pour lui mais pour la mère; il fallait qu'elle fût libérée.

Gilles avait enterré Mathieu. Il était rentré dans la maison, avait allumé le feu, s'était chauffé, s'était nourri, avait visité son arme, s'était couché et s'était reposé. Le lendemain seulement, il était parti à la recherche d'un renard, non pas pour le tuer tout de suite bien qu'il portât l'arme à l'épaule mais pour se préparer à le tuer, *d'un seul coup*. Il avait recherché une piste et ne l'avait pas trouvée le jour même. La piste trouvée ne l'avait pas conduit au terrier. Gilles avait dû quêter encore. Il lui avait fallu suivre d'autres traces, et la tanière découverte, il avait eu la patience de guetter le fauve, de l'observer, d'apprendre ses habitudes et de fixer le lieu où il devait lui-même se placer. A l'heure et à l'endroit choisis, il avait abattu la bête, sûrement.

Au bruit de la porte de la chambre de la mère s'ouvrant, Abel se leva et courut jusqu'à sa propre porte contre laquelle il s'appuya. Du haut de l'escalier venaient la chaleur des voix murmurantes, du corps de la mère, de la caresse des mains, venait encore l'odeur de la mère.

« Elle l'embrasse. Il l'a frappée et elle l'embrasse! »

La porte de la chambre de la mère refermée, Abel se trouva seul avec Paul dans l'obscurité et le silence, séparé de lui par le mince bois contre lequel son corps pesait. Paul s'avançait vers lui lentement, de marche à marche, avec précaution, sa présence révélée seulement par le gémissement du cuir des bottines et le froissement de la laine.

Pendant cinq à six secondes, Abel n'entendit que ces deux faibles bruits, dans un tel silence qu'il lui sembla être seul au monde avec Paul. Il fermait les yeux, et il lui semblait encore que le monde (ce qu'il en connaissait et ce qu'il en soupçonnait) s'était rapetissé jusqu'à être réduit à ces quelques marches d'escalier que descendait Paul, à cet étroit palier qui le séparait de Paul et à ce panneau de bois contre lequel il était lui-même plaqué.

Je le tuerai, se dit encore l'enfant, et *je le tuerai là. Je le tuerai tandis qu'il descendra l'escalier et qu'il s'approchera de moi. Je le tuerai avec le revolver du capitaine de l'Ambassadeur.*

Il lui avait paru que le monde s'était réduit à cette espèce de cage noire dans laquelle il était enfermé avec Paul, mais, dans le même moment, il avait vu une autre partie du monde, bien distincte, une autre cage, claire celle-ci, dans laquelle il se trouvait avec Jean-François. Le jeune marin, un tiroir ouvert, tenait dans les mains un revolver et des balles.

« As-tu jamais vu un revolver? Sais-tu t'en servir? » Un écran s'était éclairé, comme au cinéma. Jean-François, un foulard rouge autour du cou, la casquette un peu de côté, l'air « voyou », chargeait l'arme, la déchargeait, appuyait sur la gâchette, s'amusait, en tirant, à faire tourner le barillet à vide. « Je le porte toujours sur moi quand je vais à terre, le soir. » La vision fut si rapide que lorsqu'elle eut disparu, Paul se trouvait à peine de l'autre côté du panneau, tout contre Abel, si près que la porte frôlée par l'homme pesa un peu contre la joue de l'enfant.

Abel s'écarta et se jeta dans son lit, se couvrant, se ramassant sur lui-même, car il frissonnait de froid. En même temps, il se sentait léger comme si tout ce qui l'avait accablé depuis plusieurs semaines eût disparu. Il lui semblait que Paul était déjà abattu. Le corps de Paul touché à la poitrine s'était plié en deux, avait roulé dans l'escalier, puis n'avait plus été là. Il n'y avait plus eu de corps, pas de cadavre, plus de Paul.

Dans l'esprit de l'enfant s'échafaudèrent de grandes constructions, avec des colonnes de lumière, des arcades de lumière, des voûtes de lumière, des dallages de lumière, des rayons en faisceaux, horizontaux, verticaux, obliques, des boules de lumière, de grands cubes de lumière, et colonnes, arcades, voûtes, dallages, rayons, boules et cubes, dont l'intensité et la coloration variaient, se déplaçaient, se dédoublaient, se traversaient, sans confusion ni désordre, tandis qu'éclataient, grandioses tout de suite, les accords d'une fanfare céleste.

Je le tuerai avec le revolver du capitaine de l'*Ambassadeur*, se répéta l'enfant dévoré par la fièvre.

Il se leva, fit de la lumière et compta les encoches dans le barreau de la chaise. Il dut s'y reprendre. « Il ne sera ici ni demain, ni après-demain, ni après-après-demain. Il ne sera là ni mardi, ni mercredi, ni jeudi, mais vendredi. Je tuerai Paul vendredi. »

Il se recoucha, retrouva dans sa tête les rayons lumineux et les ondes sonores et il s'endormit sans penser à aller voir la mère.

Le mardi, Abel s'éveilla dans des draps roidis par la sueur séchée. Assis sur le lit, il regarda autour de lui comme s'il se fût attendu à voir à sa droite et à sa gauche, sur le carrelage, les cadavres des êtres de cauchemar qui l'avaient tourmenté durant la nuit, depuis des mois.

Il était délivré et sa mère — dans l'esprit de l'enfant — était, elle aussi, délivrée.

Le jour que pour la première fois, s'asseyant au café en face de Paul, il l'avait regardé et observé, il avait éprouvé un sentiment mitigé d'attrait et de répulsion. Il ne s'était pas demandé quel mal cachait l'homme, si même un mal se cachait en lui. Il aurait voulu ne plus jamais rencontrer cet homme dont il avait obscurément pressenti la puissance.

Il semblait que Paul fût à mille faces. Il s'était introduit sous mille formes dans la vie de l'enfant. Il avait été la jalousie, la peur, l'anxiété, l'angoisse, le désespoir, la haine, sentiments et sensations que, jusque-là, Abel n'avait pas connus.

Jamais Paul n'avait agi directement sur Abel, mais toujours l'avait atteint en passant par la mère. Depuis des mois, l'enfant avait l'impression d'être harcelé par une infinité de petits démons qui possédaient tous le visage, la silhouette et les manières de Paul. Ils s'étaient introduits en lui. Ils étaient dans sa tête et dans sa poitrine, comme des corps étrangers qui font souffrir, qui détournent la pensée, déforment la vision, essoufflent, contractent le cœur. Depuis des mois, Abel était tourmenté et, souvent, son tourment avait changé de forme, mais que l'enfant fût jaloux, qu'il tremblât de peur, qu'il fût « malade de haine », anxieux, angoissé, désespéré, Paul toujours en avait été la cause.

Abel assis sur le lit, ce mardi matin, à demi couvert du drap taché de sa sueur, regarda autour de lui, cherchant les cadavres de tous ces démons.

Parce que, dans la nuit, il avait pris la résolution de tuer Paul, il était délivré. Il avait dit : « Je le tuerai », et déjà Paul était mort, déjà il n'avait plus de puissance, plus de rayonnement. Déjà, autour de Paul, tout se défaisait comme autour du cadavre de Mathieu.

Il était temps. Abel avait le sentiment d'avoir échappé à un grand danger. Il regardait derrière lui et il ne comprenait pas. Il revoyait dans la nuit les silhouettes de la femme et de Paul, titubant un peu, gravissant côte à côte la rue, se cognant de l'épaule, s'arrêtant parfois. Il les entendait dans l'escalier. Il les entendait dans la chambre, et il n'avait été séparé d'eux que par le mince écran de la porte.

La femme avait dit : « Je t'ai suivi », et l'homme l'avait frappée. Le grand danger n'avait pas été les coups mais ce qui avait suivi, mais ce râle mystérieux, ce râle de plaisir, de soumission, *reconnaissant*.

Abel s'était trouvé devant un gouffre. Entouré de nuages noirs, il avait été devant le cratère d'un volcan dont la lave bouillonne, se soulève et monte. A temps, il avait dit : « Je le tuerai. »

Sa décision avait détruit tous les démons. Il n'était plus

jaloux. Il n'avait plus peur. Il n'était plus malade de
haine. L'anxiété et l'angoisse avaient disparu. Il tuerait
Paul. Il le tuerait avec le revolver du capitaine dès que le
voilier serait rentré au port.

Ce mardi matin, Abel aurait eu, semble-t-il, plus de
raisons que de coutume à interroger les yeux de la femme,
à examiner et à interpréter l'expression de ses traits, à
écouter, pour en saisir le sens profond, ses premières
paroles. Il semblerait que ce mardi matin Abel eût dû, dès
avoir repoussé les contrevents de la chambre de la mère,
se précipiter vers le lit et regarder les yeux de la femme.
Dans leur éclat ne demeurait-il pas un signe du moment
exceptionnel de la nuit?
Il était délivré et déjà la mère, croyait-il profondément,
était délivrée. Elle n'était plus la femme morte ressuscitée
mais sans âme. Elle n'était plus la femme qui avait été
frappée et qui, au lieu de se révolter, s'était soumise. Abel
avait décidé de tuer Paul, et, déjà, ces liens qui avaient
immobilisé la femme étaient tranchés, ce poison qui avait
glacé son sang et l'avait rendu folle, chassé.
Abel sauta du lit, procéda à une toilette sommaire,
s'habilla rapidement et, pas une seule fois, tandis qu'il
baignait son visage, coiffait ses cheveux, enfilait ses vêtements, brossait ses souliers, il ne se posa une question sur
la mère. Mais, à tout instant, il se demanda comment il
exécuterait son projet dans les meilleures conditions.
Il monta chez la mère et, les contrevents repoussés, il
ne vit pas le visage défait de la femme, les yeux meurtris,
la peau terreuse, la chair molle, la bouche lasse, les linges
souillés, la literie froissée, les verres gluants d'alcool
sucré, les mégots écrasés dans les cendriers, les vêtements
jetés en tas sur les meubles. Mais il sentit l'odeur de Paul
comme accrochée aux soies, aux toiles, à la laine, aux bois.
Se penchant sur la mère pour l'embrasser au front, il sentit
l'odeur de Paul collée à la peau et aux cheveux de la mère,
et il se recula du même mouvement qui jetait Brebis en
arrière, tous les poils de l'échine soulevés, lorsque brusquement elle se trouvait devant la tanière d'un fauve.
« Je le tuerai » et il n'avait pas été triste mais joyeux.
Il pensait à la chasse qui déjà avait commencé. Il y avait
en lui l'excitation joyeuse qui avait soutenu Gilles amon-
celant bûches sur bûches et allumant l'énorme feu qui avait

rendu la souplesse au cadavre de Mathieu. Gilles jetant
du bois aux flammes, creusant une fosse, y couchant le corps
de son ami, couvrant ce corps de pierres, de planches et de
neige, durcissant cette neige à coups de talon, pensait au
renard qui avait éventré son camarade, pensait avec joie
à cette chasse qu'il allait entreprendre.

Abel se recula. « Mère, dit-il. Je vais chercher le café. »

Peu après, il nettoya la table, la recouvrit d'une serviette
propre et y disposa les pots, les tasses et le sucrier.

Il se disait : « Vendredi, l'*Ambassadeur* sera arrivé. »

Il poussa devant la mère qui était venue s'asseoir à la
table une tasse de café et de lait chauds. Il dit : « Bois.
Est-ce assez sucré ? »

Il n'avait aucun souvenir des souffrances qui lui étaient
venues de Paul. Il n'entendait plus ce bruit de pied nu qui
lui avait appris, un matin, que l'homme n'avait pas quitté
la chambre. Il avait oublié ses peurs chaque nuit renou-
velées. Son oreille ne vibrait plus du son de voix canaille.
« Ah ! Tu parles d'une baille ! » Il ne ressentait plus ce
déchirement éprouvé chaque fois que la femme, accompagnant Paul, était passée devant sa porte sans s'arrêter,
ni cet autre déchirement plus profond qui, le jour de
Pâques, l'avait tenu immobile et couvert de sueur tandis
que le corps de la mère s'approchait irrésistiblement de
celui de Paul, puis se pressait contre, ni ce choc qui l'avait
comme paralysé, ce même jour, un instant plus tôt, tandis
qu'il avait vu Paul debout à trois mètres de lui, ni cette
sorte d'hébétement peureux qui, au restaurant, lui avait fait
perdre toutes notions de temps et de lieu tandis que l'homme
insultait la mère, ni cette angoisse des jours où la mère
avait été changée en femme morte, ni cette terreur féconde
qui, enfin, l'avait délivré. « Je le tuerai. »

— Mange, mère, dit-il.

Il regarda la mère, sans voir dans son regard et dans
ses traits les traces évidentes des excès de la veille, de la
jalousie criée à pleine bouche, de la blessure provoquée par
l'aveu de l'homme, de la honte, du plaisir, du remords, du
doute, parce que, dans le même moment, il luttait contre le
désir insensé de lui dire : « J'ai décidé de tuer Paul, et je
le tuerai. »

Les mots lui emplissaient la bouche. Il ne parla pas,
prévenu par une interrogation de la mère.

— Qu'est-ce que tu as ?

Et se souvenant que quelques semaines plus tôt l'enfant lui avait dit avoir entendu ses plaintes, elle ajouta :

— Tu as dormi, cette nuit ?

Mais sans attendre la réponse, elle répéta :

— Qu'est-ce que tu as ?

Elle eut, pour poser ces questions, le ton d'une mère qui demande une explication, la raison d'un acte, qui est prête à réprimander son enfant. La veille, au matin, ce ton aurait réjoui Abel. La veille, au soir, après la douce parole : « Oh ! Abel. C'est toi ? » ce ton l'aurait peiné. Ce mardi matin, il retint Abel sur le point de faire l'étonnante confidence : « Je le tuerai. » Il fit obscurément comprendre à l'enfant l'abîme qui le séparait de la femme.

Abel baissa la tête et répondit :

— L'*Ambassadeur* sera là vendredi.

— L'*Ambassadeur* ? Ah ! Oui, ton bateau.

Pas un instant, Abel ne douta que le brick-goélette arriverait à Marseille le jour fixé par le marin. Depuis que, par Mathieu, il les avait connus, il avait une confiance absolue dans les hommes de mer. A la question de l'enfant : « Quand revenez-vous ? » Jean-François avait répondu : « Dans cinq semaines » et avait ajouté : « Tu compteras les semaines sur les doigts. »

Pour chaque jour de chaque semaine, Abel avait fait une marque au couteau dans un barreau de la chaise. Cinq fois sept font trente-cinq. Le compte y serait dans la nuit du jeudi au vendredi. Le vendredi au matin, l'*Ambassadeur* se trouverait à l'endroit même où l'enfant l'avait vu pour la première fois. Du moins, Abel le croyait-il.

Dans tout ce qu'il avait entendu et lu sur la mer, par la bouche de Mathieu, dans les livres, dans les articles découpés dans les journaux, par la bouche de Jean-François, rien n'avait appris à Abel que la mer commande à l'homme, que les vents s'imposent et régissent la navigation. Jean-François avait répondu : « Dans cinq semaines. » Abel ne s'était pas inquiété des vents qui soufflaient. Il ne s'était pas approché des matelots groupés sur le quai pour surprendre leurs conversations. Il n'avait interrogé aucun homme des autres bricks-goélettes en chargement. Un matin, au pays sauvage, Gilles lui avait dit : « Va de l'avant. Brebis te conduira. » Plus tard, se trouvant sur le rebord de la falaise, il avait aperçu Mathieu, Mathieu et Gilles s'étaient donné rendez-vous; chacun de son côté, chaque jour, avait taillé une encoche dans un bâton. S'étaient-ils inquiétés des tempêtes qui, entre temps, avaient grondé dans le ciel? Jean-François et Abel s'étaient, eux aussi, donné rendez-vous.

Pas davantage Abel ne craignit de ne pas trouver dans le tiroir le revolver du capitaine. Tout devant ses yeux changeait, se modifiait, se déplaçait, pourtant il avait le sentiment de la permanence. Cette pensée ne lui venait pas à l'esprit mais elle était en lui, informe, que, pour lui, toute chose qu'il avait quittée était demeurée dans l'état même où elle se trouvait au moment de son départ. Abel qui avait vu le cadavre de Mathieu, qui avait décidé de tuer Paul, était incapable de se représenter le changement, le vieillissement, la mort d'un être qu'il avait connu. Lorsqu'il rouvrait la Bible, les personnages étaient figés dans le geste du moment où la veille il avait fermé le livre.

Ainsi pour le pays sauvage, ainsi pour l'*Ambassadeur*. Entre le moment où Jean-François avait poussé le tiroir dans lequel le capitaine du voilier déposait son arme et le moment où Abel ouvrirait ce tiroir, de nombreux événements avaient bouleversé la vie de l'enfant, événements d'une telle importance qu'il avait décidé de tuer un homme. Pourtant, en ce qui concernait l'*Ambassadeur* et les hommes du brick-goélette, il semblerait que les deux gestes — fermer et ouvrir le tiroir — se succéderaient sans interruption.

L'extraordinaire est que l'enfant ne se trompait pas; l'*Ambassadeur* revint au jour fixé par Jean-François, et le revolver et les balles se trouvaient dans le meuble où Abel les avait vus.

Cette crainte que l'*Ambassadeur* ne rentrât pas à la date fixée et cette autre crainte que l'arme ne se trouvât plus dans le tiroir, Abel ne les avait donc pas éprouvées. Mais Paul serait-il au rendez-vous que l'enfant avait fixé?

Le mardi, après avoir bu le café avec la mère, après avoir été sur le point de lui faire son étonnante confidence, Abel prit le chemin de l'anse isolée.

Il faisait un temps clair de début de mai, avec dans l'air de la fraîcheur, avec dans l'air une printanière poussière végétale et animale qui se déposait et recouvrait toute chose, même l'eau, d'une sorte de velours mordoré. Abel

avançait accompagné de tous les spectres qu'il avait créés
à son usage. Il appelait les uns et les autres tour à tour, et
chacun répondait à son nom. Il lançait Brebis sur une
piste. Il se taisait sur un signe de Gilles aux aguets. Il
s'arrêtait devant la fantastique voilure carrée (qu'il n'avait
jamais vue déployée) de l'*Ambassadeur*, dessinée comme
au pochoir dans le ciel et, dans le moment, il entendait
deux voix sans que l'une gênât l'autre : celle de Jean-
François : « Nous nagerons jusqu'au lever du soleil » et
celle de Mathieu : « Pendant des jours, j'ai gardé dans la
bouche le goût de cette brume. » Il reprenait sa marche
mais se rapprochait de l'eau pour ne pas être bousculé par
les cavaliers du lointain ouest qui chassaient devant eux des
bœufs ravis à de paisible bergers.

« Mais Paul sera-t-il au rendez-vous ? » pensait-il.

Il passa la journée à jouer avec l'eau, à se baigner. Il
chassa des petits crabes, ramassa des arapèdes et des
moules. Il alluma un feu et se fit un lit d'algues sèches. Il
était là, entre le ciel, l'eau et les rochers nus, aussi isolé
que sur le plateau du pays sauvage. Il aurait pu croire, si
son jeune esprit lui eût permis ce jeu, Marseille disparue.
Là, rien de la ville artificielle avec ses bonshommes à mécanique ne l'atteignait ; elle ne se profilait pas à l'horizon
de l'eau, ses fumées n'obscurcissaient pas le ciel, son odeur
n'empuantissait pas l'air.

Ce mardi, courant sur les galets, mangeant — le pain,
le fromage, le saucisson posés sur une pierre — entouré
d'une foule visible pour lui seul, il ne pensa cependant qu'à
Marseille. Constamment il eut devant les yeux les rues
rectilignes chaussées de pavés et revêtues d'asphalte, les
hautes maisons, les arbres sans herbe autour, les hommes
et les femmes dont les chaussures n'avaient pas pétri l'argile
des champs, dont les pantalons et les robes n'étaient pas
lacérés par les épines des haies.

Impatient, il quitta l'anse plus tôt que de coutume. Il
regardait le ciel qui changeait et, devant lui, la ville un
peu indistincte d'abord, un peu brouillée par la poussière,
la buée de chaleur et les fumées, puis devenant nette, se
déployant, s'ouvrant en éventail, qu'il atteignit et qui
l'absorba au moment où les premières lueurs se montraient aux fenêtres, dans les boutiques, sur le pont des
navires.

Paul viendrait-il ?

Son esprit avait fait un tri, avait écarté tout ce qui n'était pas sa chasse et sa proie. Arrivé sur le port, il ne vit plus devant lui que sa maison, les rues conduisant à sa maison, le restaurant où peut-être la mère prendrait le repas du soir, le café du Cours où sans doute Paul attendait l'heure de rejoindre la femme... s'il la rejoignait. Et, encore, dans la foule, dans Marseille, à part lui, deux seuls êtres vivaient : la mère et Paul.

Il avait oublié que, la veille, dans Marseille, il avait été un tout petit être à part, un minuscule étranger dans cette foule qui l'écartait, le rejetait, le bousculait comme l'eau fait d'une paille, que, la veille, il avait tremblé de peur que la mère ne le reconnût plus et, plus tard, qu'elle ne rentrât pas. Il avait oublié la joie extatique éprouvée à entendre la mère : « Oh! Abel. C'est toi! » et le bouleversement, dans la nuit, qui lui avait arraché le cri : « Je le tuerai. »

Il préparait sa chasse, avec le doute : viendra-t-il? Avec la confiance de celui dont le secret n'est connu de personne et qui profitera de la surprise.

Il entra le premier à la maison. Il mangea, attendit la mère qui plaça des gâteaux à la porte, et plus tard s'accouda à la fenêtre. Les curieux reflets du ciel dans l'eau courante des ruisseaux occupèrent son esprit jusqu'au moment où le visiteur de la femme s'en alla. Alors son cœur se mit à battre.

Paul viendrait-il?

Il fouillait l'ombre. Il écoutait. Là, il n'y avait pas de fourrés dans lesquels la bête attendue se dissimule, pas de branchettes qui craquent, s'abaissent, se redressent, pas d'étroite piste nue blanchie par la lune et le gel et le long de laquelle la bête s'avance, pas de vrai silence. Là, c'était l'obscurité fangeuse des villes qui se colle à la crasse des murs et à la boue des chaussées; qui, se mélangeant à la lumière sale des lampes, forme une sorte d'épais liquide bitumeux avec, par endroits, des reflets vert-jaune, tandis que le faux silence des villes, qui n'est qu'un assourdissement des bruits, semble être un autre liquide, aussi sombre, aussi poisseux, éclairé ici et là par un appel, un dialogue, un cri, un chant de femme, une musique.

Et, soudain, se décollant de l'obscurité, mais avec encore de l'obscurité sur les épaules, la tête, les mains, comme le crapaud sortant de la vase, Abel vit Paul marchant au milieu de la ruelle, à pas rapides.

— Il est là. Il viendra demain, après-demain. Il viendra vendredi, et vendredi je le tuerai.

Pendant des mois, Abel avait désiré que Paul cessât de rendre visite à la mère, et, ce mardi soir, il était couvert de sueur parce qu'il avait craint que l'homme ne parût pas. Pendant des mois, assis sur son lit, il lui avait été impossible de maîtriser, à l'approche de l'homme, le tremblement de son corps, et, ce mardi soir et les nuits qui suivirent, à peine si une légère vibration rendit ses gestes et sa démarche moins sûres.

Il se coucha un peu anxieux cependant, craignant d'être arraché à son lit par un cri de la mère, par les éclats d'une dispute, d'être, comme la nuit précédente, attiré vers la chambre par le besoin de se rapprocher de la mère, d'être à côté d'elle, de se mettre entre elle et l'homme.

Il craignait surtout ce qu'il avait ardemment souhaité quelques semaines avant : qu'une scène violente écartât Paul de la mère pour quelques jours... ou pour toujours.

...Il s'endormit satisfait après avoir entendu la mère quitter Paul tendrement.

Le mercredi et le jeudi, Abel ne fut pas tourmenté par le souci de la veille. A la certitude d'avoir en main, le vendredi soir, le revolver du capitaine s'était ajoutée celle d'avoir, la même nuit, Paul en face de lui.

Le mercredi et le jeudi furent des jours de calme, deux jours pendant lesquels l'enfant, tout pris par son projet, se trouva comme sur une épave, dans un creux entre deux monstrueuses lames, tournant le dos à celle qui l'avait roulé dans sa masse, ne regardant pas celle qui le menaçait. Dans ce creux, le vent ne soufflait pas et l'eau était lisse et claire, comme par beau temps.

Le mercredi et le jeudi matins (dans la nuit du mercredi, Paul, comme la veille, rendit visite à la mère) Abel se garda bien encore de chercher dans le visage de la mère une indication. L'enfant s'était rendu volontairement aveugle et sourd, semblait-il. La mère avait dit parfois à l'enfant : « Dans ta colline perdue, tu vivais seul avec un vieil homme et tu couchais avec les bêtes. Tu étais vêtu de linges sales et de haillons. Tu n'avais rien autour de toi que des champs, des bois et des rochers. Tu étais un petit sauvage. » Elle n'avait jamais ajouté : « Regarde ce

que j'ai fait de toi et ce que je t'ai donné. Tu es soigné.
Tu es propre. Tes cheveux sont coupés et coiffés. Tu changes
de linge, possèdes des vêtements en bon état. Tu as une
grande ville autour de toi, avec ses boutiques, ses cafés,
ses restaurants, ses musiques. Je te nourris bien. Tu manges
des gâteaux et bois des vins sucrés. Tu vas au cinéma. Il
y a des ombrages des avenues, les jardins publics, le port,
les journaux dont tu découpes les images, tous les livres
que tu lis. Là-bas, avais-tu seulement une idée de tout ce
que tu vois et entends ici, de tout ce dont tu jouis? Tu étais
un petit sauvage et te voilà un petit civilisé. »

Elle le pensait, et toutes les femmes, ses amies, pensaient
comme elle.

Il y avait autre chose que cela qui était l'apparence.
Avant sa venue à Marseille, les mouvements de l'âme de
l'enfant avaient été à peine marqués. L'enfant n'avait
jamais éprouvé ni joie profonde ni peine profonde, mais
des émotions. Il était satisfait plus ou moins ou déçu plus
ou moins. Surtout, ses émotions, ses satisfactions et ses
déceptions avaient toujours dépendu de lui-même.

Lorsque Gilles et Abel avaient aperçu la mère dans la
charrette, ils n'avaient pas vu ce qu'elle apportait, avec sa
beauté, son odeur retrouvée, ses parfums, sa robe de soie,
ses dentelles, ses fourrures, ses bijoux, ce qu'elle allait
libérer en ouvrant son sac de cuir, en jouant avec ses doigts,
en souriant, en parlant : la joie et la peine. Elle allait
d'Abel faire son esclave. Elle allait le faire dépendre d'elle
pour le bonheur et le malheur.

La mère parfois avait dit : « Tu étais un petit sauvage », sous-entendant : « Maintenant tu ne l'es plus. Fais
le compte de ce que je t'ai donné. » Elle ne voyait que le
corps de l'enfant, ce qui était sur le corps, autour et au
delà du corps.

Pendant ces mois, souvent, l'enfant s'était penché sur le
visage de la mère, pas une fois celle-ci ne l'avait attiré près
de la fenêtre. « Approche-toi. Tourne-toi vers la clarté. Fais
voir tes yeux. Quelles sont ces ombres et ces lumières que
j'aperçois dans tes prunelles? Elles n'y étaient pas lorsque
je suis allé te chercher au pays sauvage. »

Depuis le moment où Abel s'était dit : « Je le tuerai »,
les ombres et les lumières avaient disparu des yeux. Abel
avait brisé sa chaîne. De nouveau, il n'éprouvait plus ni
joie ni peine mais des émotions. Il était redevenu exacte-

ment ce qu'il était au temps où il vivait avec Gilles : un petit sauvage, selon l'expression de la mère.

Aussi, ce mercredi et ce jeudi — sûr de posséder bientôt l'arme qui tuerait Paul et sûr de diriger, le vendredi, cette arme vers la poitrine de Paul — ne se souciait-il plus de la mère.

Seulement, par instinct de chasseur, il était arrivé à Abel quelquefois de prendre au piège un petit fauve. La bête avait traversé son chemin. Etait-elle sur une piste? Se dirigeait-elle vers l'eau? Où était son nid ou son terrier? Il revenait le lendemain au même endroit, à la même heure, et se cachait. Parfois, pendant près d'une heure il demeurait immobile, alors une branche craquait, ou dans le ravin une pierre roulait, et l'enfant apercevait le museau de l'animal. Il recherchait les entailles des griffes sur le tronc des arbres, la bourre du poil aux épines, la trace des pattes dans la poussière, les petits amas des coques d'amandes rongées, ou les plumes ensanglantées des oiseaux égorgés. Il cherchait entre les pierres l'entrée du terrier, ou le nid dans l'épaisseur des arbres, et pendant les jours que durait ce travail d'approche, le soir il taillait le piège.

Sur laquelle de la dizaine de pistes que son œil avait reconnues, du nid ou du terrier aux terrains de chasse, aux vergers exploités, au ruisseau le plus proche, avec encore les pistes de fuite, de dégagement, de trompe-l'œil, Abel placerait-il le piège et en quel point de la piste choisie et à quelle heure du jour ou de la nuit? Cette nouvelle recherche demandait à l'enfant autant de patience et de temps que la précédente, et il ne fallait pas qu'il fût pris au dépourvu par un orage soudain ou par un changement de vent.

Instinctivement, le même enfant avait décidé de tuer Paul dans la nuit, au moment que l'homme quitterait la femme.

Mais étaient-ce la meilleure heure et l'endroit le mieux choisi pour abattre Paul? Abel passa les journées du mercredi et du jeudi à chercher une réponse à cette question.

Tout de suite, il se dit qu'il fallait qu'il tuât d'une balle ou deux... mais qu'il tuât. Il ne fallait pas que l'homme fût seulement blessé, qu'il se relevât. Seulement autour du cadavre de Paul, comme autour du cadavre de Mathieu, comme la chair même du cadavre du chat, tout se défaisait, tout se désagrégerait. Un renard mal atteint, même s'il a les reins cassés, va crever au fond du terrier, et on ne le dépèce pas, et on ne le cloue pas par les pattes sur la façade de la maison.

Le mercredi et le jeudi, Abel erra dans le quartier sans trop s'éloigner de la rue de l'Araignée et il revint plusieurs fois dans la journée à la maison. Il alla sur le port, d'un côté et de l'autre, vers le fort Saint-Jean et vers la Canebière. Il alla jusqu'à l'endroit même où, deux jours plus tôt, il s'était trouvé devant la mère. Il traversa l'eau et s'assit sur des billes où il resta longtemps à regarder les treuils crocher dans les cales d'un navire.

Il franchit les grilles de la grotte et regarda la Vierge de plâtre, les fleurs fraîches, les bouquets qui se défaisaient, les cierges à demi consumés. Il alla à la cathédrale mais n'y entra pas.

L'inquiétude que l'enfant éprouvait à la pensée qu'il pourrait ne pas tuer sûrement Paul, aiguisa son esprit. N'avait-il pas pris un peu trop vite la décision de tuer Paul au moment que celui-ci quitterait dans la nuit la chambre de la mère? Ne serait-il pas préférable de tirer sur lui dans la partie basse de la maison, ou dans la rue, ou au moment que l'homme gravirait l'escalier?

L'enfant s'était promené ici et là, avait joué avec ses fantômes, s'était assis sur le quai à regarder les hommes et les navires, avait salué l'un, avait salué l'autre, servi la mère, sifflé des airs qu'il inventait, mais, se promenant, jouant, parlant, sifflant, il réfléchissait. Il lui fallait se représenter exactement dans son esprit ce qui se passerait dans chaque cas, dans le cas où il tirerait dans le dos de Paul montant l'escalier et dans le cas où il lâcherait le coup dans le ventre de Paul, quittant la mère. Il avait dû rechercher l'endroit où il se cacherait s'il jugeait préférable d'exécuter son projet au moment que l'homme ouvrirait la porte d'entrée de la maison, ou avant qu'il ne la refermât sur lui.

Pendant ces deux jours, il eut devant les yeux des milliers d'images éclairées par un beau soleil de mai et aérées par le vent printanier, mais son esprit avait été une petite boîte à demi obscure dans laquelle il faisait se déplacer et se mouvoir deux personnages minuscules dont les silhouettes se distinguaient à peine. C'était Abel entr'ouvrant la porte de sa chambre et Paul descendant l'escalier. Puis, Abel caché dans l'embrasure d'une porte et Paul s'avançant vers la

maison de la mère. Puis, Abel dans la même position et
Paul quittant la maison. Puis... Chaque scène se terminait
par deux coups de feu, et Paul tombait ou ne tombait pas.
Valait-il mieux? Etait-il préférable? L'enfant ne se posait
pas les questions sous cette forme. Il regardait les petites
scènes en témoin, en juge, comme s'il se trouvait devant
un écran. Tandis qu'il jouait dans la chambre obscure de
son esprit avec sa propre silhouette et celle de Paul, tandis
que, le décor changeant, il plaçait une silhouette ici et
l'autre là comme il aurait fait de ces personnages de carton
auxquels les enfants font jouer la comédie, peu à peu le
garçon avait pensé qu'avec la certitude de tuer l'homme il
lui fallait s'inquiéter d'autre chose.

D'abord, il avait considéré la chambre obscure comme
s'il n'y avait rien eu autour, comme si, autour d'elle, le
monde n'eût pas existé. Ainsi faisait-il lorsqu'au cinéma
l'écran s'éclairait et il ne voyait, par exemple, que quatre
hommes assis autour d'une table et jouant aux cartes, puis
un bandit, revolver au poing, pénétrait dans l'auberge. Par
la porte ouverte, par le rectangle ainsi découpé dans le
mur, l'enfant apercevait des maisons, une rue et, aussitôt,
son imagination commençait à construire un monde autour
de cette auberge.

Peu à peu, sans y réfléchir, sans cesser de voir s'agiter
les deux petits personnages, l'enfant n'avait plus isolé le
drame dans son esprit. Une porte qui s'était ouverte avec
un flot de lumière libéré, peut-être la porte de la chambre
de la mère, peut-être celle de la maison cédant sous la main
d'une femme qui rentrait chez elle, avait replacé le drame
là où il devait se jouer, dans le monde, avec, autour, d'autres
personnages que Paul et Abel.

Et la pensée était venue à Abel que, dans le choix du
lieu et de l'heure où il tuerait Paul, il lui fallait tenir
compte de ces autres personnages.

Le mercredi soir, encore, Abel rentra de bonne heure
à la maison. Comme souvent il le faisait — cela lui rappelait Gilles — il alluma un feu dans la cuisine et prépara
son repas : des poissons achetés sur le port.

Plusieurs fois, tandis que l'huile grésillait dans la poêle,
il ouvrit la porte avec précaution et se plaça dans la
position qu'il prendrait si ce lieu se révélait le meilleur
pour abattre Paul. Plusieurs fois, aussi, après l'avoir
monté, il redescendit lentement, du pas d'un homme que

guide le rayon d'une lampe électrique, la volée de l'escalier entre la chambre de la mère et la sienne. Puis il bondissait jusqu'à la poêle où les sardines risquaient de se
brûler.

Paul ne devait pas soupçonner le danger. Personne ne
devait surgir tandis que l'enfant caché se disposerait à
appuyer sur la gâchette. Mais tout de suite après, que se
passerait-il?

Abel s'accouda à la fenêtre, l'assiette et le pain posés
sur la pierre. Il piquait de la fourchette un filet de poisson
et regardait un homme qui montait la ruelle. L'homme
passé, il crachait les arêtes qui tournaient sur elles-mêmes,
claires dans l'air lumineux, comme de petites hélices.

Paul tué, tout autour de son cadavre se déferait, comme
autour du cadavre de Mathieu tout s'était dispersé et,
après avoir mis l'homme en terre, Gilles et Abel avaient
repris le chemin de la vieille maison. Paul disparaîtrait et,
comme si Paul n'eût jamais vécu, un homme suivrait la
rue de l'Araignée de bas en haut, l'eau courrait dans les ruisseaux, les femmes de la rue de la Fête chanteraient et les
sirènes des navires beugleraient.

Mais encore... après le coup de feu on viendrait, on entou-
rerait le cadavre. On dirait : « Qui l'a tué? » Il ne faudrait
pas que la mère fût soupçonnée, ni Abel. Le cadavre enlevé,
la vie devait se poursuivre comme si Paul n'eût jamais
pénétré dans la maison.

...Dans la nuit du mercredi au jeudi, après le départ de
Paul, Abel gratta à la porte de la mère. Celle-ci après avoir
touché l'enfant l'interrogea : « Tu es chaud. Tu as de la
fièvre. Où es-tu allé aujourd'hui? » Trois jours plus tôt,
cette sollicitude aurait rendu Abel fou de joie.

Dans la nuit du jeudi au vendredi, la femme encore
répondit à l'enfant : « Entre, petite souris. » Il absorba un
gâteau dédaigné et but une goutte d'alcool. S'il savait
quand et comment, il n'avait pas encore décidé où il tuerait
Paul.

Il s'approcha de la mère déjà à moitié endormie, qui,
sans ouvrir les yeux, murmura : « Va dormir, Abel. Il est
tard. Moi, j'ai sommeil. » Juste comme elle se taisait, la
cloche des Accoules sonna minuit. « Un... deux... » Douze
gouttes d'eau qui tombèrent dans le silence.

Un frisson secoua Abel. Il n'y avait plus de passé. Douze

gouttes d'eau mais aussi douze pelletées de terre et de cailloux lancées sur le cadavre du passé. Il n'y avait plus de demain. C'était vendredi. C'était le jour de l'arrivée de l'*Ambassadeur* et du meurtre de Paul.

— Va dormir, répéta la mère et, pour pousser l'enfant à quitter plus vite la chambre, elle appuya sur le bouton de la poire électrique.

L'enfant se trouva dans l'obscurité, surpris, un peu apeuré. « Tu sais, dit-il, le bateau arrive aujourd'hui, tout à l'heure, dès qu'il fera jour. » « Tout à l'heure, répéta-t-il. Je le verrai. »

— Qu'est-ce que tu dis?

— Le bateau. L'*Ambassadeur*.

C'était étrange de s'entendre parler dans l'obscurité et d'entendre parler la mère sans la voir. C'était un peu comme lorsque dans la maison du pays sauvage, Brebis rêvait dans la nuit. La chienne « parlait ». Peut-être dans son cauchemar se battait-elle avec une monstrueuse bête, et elle parlait, elle disait sa peur. Alors, dans l'obscurité toujours, la voix de Gilles s'élevait. Le maître interrogeait. « Qu'est-ce que tu dis, Brebis? » Il calmait la chienne sans la réveiller. « Tu es dans la maison, Brebis. Je suis là. Toutes les bêtes sont là. La porte est fermée. Aucun renard ne tourne autour de la maison. Dors. »

La mère, aussi, dit : « Va dormir, Abel. »

Il descendit l'escalier dans l'obscurité. Il était comme Brebis, dans son cauchemar, attaqué par une bête dont il pouvait mal se défendre parce qu'elle était un fantôme. Il descendit l'escalier lentement, prudemment, guidé par la rampe, le bras gauche tendu en avant, comme s'il eût craint de se heurter à Paul.

C'était vendredi et Abel avait beaucoup à faire. Il lui fallait s'emparer du revolver du capitaine et tuer Paul. Il n'avait pas le temps de dormir. S'il se couchait et s'endormait, peut-être se réveillerait-il trop tard.

Il alla à la fenêtre et il se dit : « Je vais attendre le jour et dès que le jour sera là, je courrai au quai et je monterai à bord du voilier. » Il écarta un peu les contrevents et regarda le ciel, le morceau rectangulaire de ciel pris entre deux gouttières avec, au milieu, le cube et les trois tuyaux d'une cheminée. C'était la nuit, la claire nuit de mai, semblable à la mer quand on la regarde de haut,

vue dans sa profondeur, avec des phosphorescences et des
traînées de lumière qui apparaissent et disparaissent.

Il s'assit devant la fenêtre, les coudes posés sur le
rebord. « Je verrai arriver le jour. Je sortirai. Je prendrai
le revolver. » Quand il baissait la tête, il avait devant les
yeux un bout de rue à demi obscur, sale, traversé du
miroitement de l'eau qui sautait d'un pavé à l'autre et
passait dans sa vitesse par-dessus elle-même, comme les
enfants qui jouent à saute-mouton. Quand il la levait, il
voyait le morceau de ciel comme au bout d'une lunette.
C'était très haut. C'était très loin. C'était très profond.
C'était un autre monde. C'était peut-être le monde d'où
venait l'*Ambassadeur,* où il était dans le moment. Abel y
pensait. Il pensait aux navires de Mathieu, au vent. Il se
disait : « Le vent se lève avec le soleil. » C'était vrai. Il
regardait le ciel et il n'y avait pas de vent dans le
ciel.

Alors, il baissait la tête vers le bout de rue sale et écoutait l'eau. Toute cette eau, d'où vient-elle? Jamais personne
ne le lui avait dit. Jamais il ne l'avait lu dans un livre.
Elle coule le jour et elle coule la nuit. Elle coule ici et elle
coule au pays sauvage.

Il regardait le ciel. Il n'y avait pas de vent dans le ciel.
Maintenant, approchant du port, les hommes de l'*Ambassadeur* n'avaient plus besoin du vent. Ils avaient mis la
baleinière à la mer et ils remorquaient le voilier. Ils
« nageaient », comme avait dit Jean-François. Ils tiraient
sur les avirons. Il y avait une « corde » derrière la baleinière, et le voilier suivait. Abel le voyait là-haut dans le
ciel, au bout de la lunette, entre les gouttières. Il était
très haut, très loin, tout petit. Il était blanchâtre dans
l'obscurité claire du ciel. Abel le voyait et entendait la
chanson de l'eau. Il entendait les cris joyeux des enfants
qui jouaient à saute-mouton.

Quand Abel s'éveilla il faisait jour.

Jean-François l'interpela : « Oh! Abel. C'est toi! »
L'enfant crut entendre l'exclamation de la mère quelques
soirs plus tôt. « Oh! Abel. C'est toi! » Le marin et la
femme revenaient de loin et, tout à coup, ils avaient vu
l'enfant devant eux, silencieux, immobile, avec de l'anxiété
dans le regard.

— Oh! Abel. C'est toi!

Abel leva un bras vers Jean-François debout à l'arrière du voilier, sur le pavois.

Il était beau, Jean-François, arrivant de la mer. Il était plus grand, plus mince, plus brun. Tout son corps était enveloppé d'une lumière blanche qui se déplaçait avec lui. Son visage, son torse nu, ses bras nus, brillaient comme recouverts d'une poussière d'argent.

Il souriait. Il arrivait de la mer. Il arrivait du ciel. L'enfant l'avait vu dans la nuit du ciel, au bout de la lunette, entre les gouttières. Maintenant, il était là et il criait : « Oh! Abel. C'est toi! » Il avait reconnu Abel du premier coup. Il avait dit : « Dans cinq semaines, nous serons de retour. Compte sur tes doigts. » Il était exact. Il arrivait de la mer.

L'*Ambassadeur* était mouillé sur une ancre et il avait lancé à terre, par l'arrière, deux amarres, une à droite, l'autre à gauche. Il était loin du quai, peut-être à cinq mètres. Il n'avait pas pris contact avec la terre. Pour cela, il lui faudrait mollir sa chaîne d'ancre et raidir ses amarres.

Mais c'était trop tôt. Il est pénible, quand on arrive de la mer, de prendre contact avec la terre. Il faut s'habituer. C'était le silence, et c'est le bruit. On était huit hommes, et c'est la foule. C'était le parfum de la mer, et c'est la puanteur de la ville.

La couleur de la coque avait encore un peu passé. Elle était exactement celle de ces « bleus » de matelot dont la toile est solide et qui ont été lavés des dizaines de fois. Elle semblait déteindre dans l'eau tout autour, cette eau blanchâtre des ports méditerranéens à la première heure du jour. Une vergue était de travers avec sa voile gris-clair larguée d'un bord, ferlée de l'autre, et la corne d'artimon était amenée à mi-mât. Des bouts de filin passaient par-dessus le pavois. C'était le désordre de l'arrivée, comme le désordre du lit quand dans la jeunesse on a fait l'amour toute la nuit. L'*Ambassadeur* avait fait l'amour avec la mer, pendant une semaine, et, maintenant, il arrivait.

— Monte à bord, dit Jean-François.

Il lui montra le youyou que le courant avait fait glisser sous la poupe, où il était comme le chevreau sous le ventre de sa mère, tenu à bord par un filin, tenu à terre par un autre filin.

— Tire dessus et saute dedans.

Deux minutes plus tard, la tête d'Abel, encore agrippé à l'échelle de corde, dépassait le pavois.

Tout était comme autrefois. Les mêmes hommes étaient là avec le même visage, les mêmes attitudes, les mêmes gestes, la même voix, la même façon de parler et de se déplacer, avec les mêmes vêtements.

Le navire, dont la main de l'enfant caressait le bois poli, n'avait pas changé, ni son odeur, ni son goût. Les champs avaient verdi, les fleurs piquetaient l'herbe de taches, jaunes, blanches, bleues, roses, les feuilles avaient mis aux arbres une fourrure de printemps, mais l'*Ambassadeur* et ses hommes qui revenaient de la mer, étaient les mêmes.

Abel fut accueilli par les mots d'autrefois : « C'est toi. Saute à bord », par les saluts et les sourires d'autrefois. Il se pourrait que le temps n'existât pas en mer « bien qu'il faille nager jusqu'au lever du soleil pour trouver le vent ». Abel savait-il ce qui se passait après la disparition du navire derrière la ligne de l'horizon?

Il ne connaissait pas les mots qu'il est convenu de dire à ceux qui retrouvent la terre. Sans avoir tendu la main à Jean-François, il s'assit sur le caillebotis et regarda le capitaine dans sa cabine, qui se rasait. D'ici à midi (il avait l'intention d'essayer l'arme dans l'après-midi), il avait le temps pour s'emparer du revolver. Il se pourrait que Jean-François parlât, comme un certain soir, de ce qu'il avait vu en mer, de ce qu'il avait entendu, de ce qu'ils avaient rencontré. Peut-être y avait-il, de l'autre côté de la ligne de l'horizon, une grande réunion de navires. Il dirait encore : « Il nous a fallu virer de bord et les lames passaient par-dessus le pavois. »

Abel pensait : « Je prendrai le revolver et je tuerai Paul. Lorsque j'aurai tué Paul, je reviendrai et remettrai le revolver dans le tiroir. Puis, tous les jours, je reviendrai, je m'assiérai là et j'écouterai les marins. »

— Qu'est-ce que tu as fait, Abel, dit Jean-François, pendant que nous n'étions pas là?

— Rien, répondit l'enfant; et il sourit.

C'était vrai; Abel pensait qu'il n'avait rien fait.

— Comment? Rien? Et que t'est-il arrivé?

— Rien, répondit encore l'enfant, et il pensait de même qu'il ne lui était rien arrivé.

Jean-François poussa un grand éclat de rire et se tourna vers le capitaine, son père, qui, dans le miroir suspendu

à l'encadrement de la porte de la cabine, voyait son propre
visage recouvert de mousse de savon, son fils et Abel.

— Il n'a rien fait et il ne lui est rien arrivé, dit-il.

— Fais voir tes yeux, ajouta-t-il par jeu, et il posa les
mains sur les joues d'Abel, le tenant immobile et lui faisant lever un peu la tête.

Ce qui arrivait là à Abel était extraordinaire et terrible.
Cet homme jeune dont, sur la chair, il sentait le contact
de la main, dont le regard fouillait le sien, n'était pas un
homme de la terre, de ce monde, mais de la mer, un
homme dont il avait vu le navire dans la profondeur du
ciel. Abel était sûr que personne de la terre ne pouvait
voir jusqu'à son âme, même pas la mère. Si celle-ci lui
eût ainsi saisi la tête et eût ainsi regardé dans ses yeux,
Abel aurait été bien tranquille. Mais Gilles avait eu ce
pouvoir, Abel n'en doutait pas, de lire dans l'âme de
l'enfant par les yeux, Jean-François le possédait aussi et
toute la vie de l'enfant depuis le départ de l'*Ambassadeur*
lui serait révélée.

Abel devint blanc, sa bouche s'entr'ouvrit, sa lèvre trem-
bla. Il ne pouvait pas bouger, ni même abaisser les paupières. Il ne pouvait pas se défendre. Il était pénétré,
fouillé jusqu'au plus profond de lui. Tous ses actes et toutes
ses pensées étaient connus. Jean-François apprenait tout,
savait tout. Jean-François le voyait assis à côté de la mère
au café, assis au restaurant entre l'homme qui insultait et
la femme que chaque mot touchait, errer misérablement
seul au milieu des ruines, trembler sur son lit dans l'attente
de Paul, à demi nu, couvert de sueur, tandis que derrière
la porte la mère frappée par Paul gémissait de plaisir. Il
voyait sa jalousie, sa haine, sa colère. Jean-François savait
qu'il tuerait Paul et qu'il était venu à bord prendre l'arme
du capitaine.

Et, tout à coup, le visage de Jean-François, tout près du
sien, perdit sa netteté, sembla s'épaissir, puis se diluer, se
fondre.

— Tu pleures ? Qu'est-ce que c'est ? Toi, Abel ? Toi qui
prenais ton couteau pour te défendre, tu pleures ?

Abel pleurait. Une source s'était ouverte en lui, et l'eau
coulait de ses yeux, tiède. D'où vient toute cette eau, celle
des torrents du pays sauvage, celle des ruisseaux de la
ville, celle qui a jailli du rocher sous le bâton de Moïse,
celle de ma poitrine et de mes yeux ? Le regard du garçon

qui arrive de la mer, a fait jaillir une source dans ma
poitrine.

C'était bon et c'était terrible. Abel était découvert.
Jean-François savait son malheur et sa décision de tuer.
C'était bon. Cette eau qui coulait était douce. Jean-François ne le trahirait pas. Il était son complice. Le jour où
il l'avait connu, il lui avait dit : « Je t'ai bien vu. Tu
avais sorti le couteau de ta poche et tu en aurais éventré
un. » Il savait. Il le regardait et il pensait : « J'ai bien vu
au fond de toi. Tu prendras le revolver et tu tueras Paul. »

Dure, la voix du capitaine fit se retourner Jean-François.
Le garçon répliqua. Puis, le capitaine : « Laisse ce gosse.
Tu l'as fait pleurer. »

— Je ne l'ai pas fait pleurer.

Tous les matelots entouraient Abel. Ils disaient : « Il
n'a peut-être pas de maison. » « Il faut le faire manger. »
« Tu as faim ? » « Il vit avec sa mère. »

Abel mangea des galettes dures et du fromage blanc et
but un clair vin aigrelet. Les larmes avaient terni ses joues.
Il pleurait encore et il souriait. En vidant le gobelet, il
levait vers les hommes debout autour de lui ses grands
yeux clairs. Il n'osait pas trop regarder Jean-François qui
savait.

Le moment vint pour le voilier de prendre contact avec
la terre. Une équipe donna du mou à la chaîne, une autre
vira les amarres. Abel descendit dans la cabine désertée,
ouvrit le tiroir, saisit le revolver et deux poignées de balles.

Un peu plus tard, il suivit Jean-François sur le quai.

— Tu reviendras ?

Ils se trouvaient face à face, les yeux dans les yeux
encore. Abel pâlit.

— Oui. demain. Il fit trois pas et, avant de s'éloigner
davantage, cria : « *Je le rapporterai.* »

Le tiroir du capitaine ouvert, Abel avait été surpris par
la grosseur de l'arme; il ne se souvenait pas qu'elle fût de
telles dimensions. Il avait été surpris bien davantage en
la soulevant et la cachant dans son blouson. Le revolver
était beaucoup plus lourd qu'il ne pensait.

C'est en courant presque tout le temps, une main sur
l'arme, l'autre dans la poche, serrant les balles pour qu'elles
ne s'entre-choquent pas *trop*, qu'Abel au début de l'après-

midi et après avoir déjeuné rapidement à la maison, avait gagné l'anse secrète.

Il était anxieux. Il ne doutait pas qu'il pourrait se servir de l'arme et tuer Paul. Mais de quelle manière pourrait-il s'en servir? Il s'était vu, tirant sur Paul, sur le palier devant sa chambre, dans le couloir qui faisait suite à la porte d'entrée, dans la rue, mais, quel que fût le lieu, il tenait l'arme d'une seule main, le bras tendu. Ainsi font les cow-boys au cinéma. Encore, ils maîtrisent un cheval fougueux, brandissant l'arme et ne l'abaissant qu'au moment de faire feu.

Il s'assit face à la mer, jeta les balles sur les galets entre ses cuisses écartées, prit le revolver dans les mains. « Tu vois, avait dit Jean-François, ça, c'est la gâchette. Tu poses le doigt dessus, et tu appuyes. Ça, c'est le barillet. (Il l'avait fait tourner.) Ça, c'est le cran d'arrêt. »

Du barillet, Abel fit couler les balles, l'une après l'autre, dans le creux de la main, et il avait appuyé sur la gâchette plusieurs fois.

C'était facile bien que la détente fût dure... facile à condition de tenir le revolver des deux mains, la gauche le dirigeant et le soutenant, la droite le mettant en action.

Et cela avait enfin décidé Abel à tuer Paul dans l'escalier, au moment que l'homme quitterait la mère. Nulle part, le garçon ne serait mieux que là pour se préparer. Il ouvrirait la porte de sa chambre, se placerait, tiendrait le revolver des deux mains, et Paul lui-même s'offrirait aux balles. Il verrait d'abord les pieds de Paul, se posant l'un après l'autre dans le petit cercle de lumière qui précéderait, puis les genoux et les cuisses avec la lumière jaune qui glisserait le long de la jambe droite, enfin, dans la main, la lampe. Alors il tirerait, un peu au-dessus et un peu à droite de la lampe, un coup et un autre.

— Je vais placer les balles et j'essayerai, se dit-il.

Ce jour où Abel allait tuer Paul, la mer était d'un gris-bleu très clair, semblable à du velours, et parfumée comme un jardin par les roses au mois de mai. A dix mètres de l'enfant, la première balle déchira le velours; on aurait dit le coup des ciseaux du tailleur dans une étoffe. Les bras tendus, les mains crispées, les yeux à demi fermés, l'enfant fit exploser trois autres balles.

Il s'était attardé mais sans en avoir conscience. Ce soir où il devait tuer Paul, cent choses avaient paru vouloir retenir l'enfant délibérément. De minuscules poissons argentés et presque translucides qui, en bandes, étaient venus jouer à un pied d'Abel. Il les avait poursuivis et s'était d'abord déchaussé, puis déshabillé. L'eau était froide contre le rocher d'où l'enfant avait pénétré en elle mais, trois pas plus loin, une langue d'un courant faisant le tour de l'anse, elle était tiède. Jamais, l'eau n'avait été si enveloppante, n'avait caressé si voluptueusement la chair nue d'Abel. Comme celui-ci s'avançait vers le large, tâtant du pied les pierres du fond, il avait été surpris par un rire, un appel et les gémissements cadencés que les avirons tirent des tolets auxquels ils sont unis par une bande de cuir. Une étroite barquette de pêcheurs, longue, basse, passait à toucher les rochers les plus avancés de la baie. Au-dessus d'une bande brun-rouge qui assombrissait l'eau et au-dessous d'une bande bleu vif, sa coque écaillée était de la couleur même de la coque de l'*Ambassadeur*. Trois hommes dont deux tiraient sur les avirons, dont l'autre mouillait une ligne, la montaient. Abel, levant les bras, répondit à leur appel. Puis, l'embarcation ayant disparu, il pensa au revolver et aux balles abandonnées sur les galets. Il se détourna, courut, tomba, se releva, courut encore et ne fut un peu moins inquiet que lorsqu'il eut caché l'arme sous ses vêtements.

Puis le soleil avait retenu l'enfant, tant il était bon de rester nu dans sa tiédeur.

Puis l'eau, encore. Comme la lumière la frappait de plus en plus en oblique, comme la brise s'amollissait, en une heure elle avait changé peut-être dix fois de forme et de couleurs. Elle avait été hérissée, elle s'était aplatie, elle s'était ondulée. Elle avait été bleu clair, puis irisée, puis rose, puis rouge. Lorsqu'elle était devenue vert sombre, Abel s'était senti angoissé.

La nuit n'était pas là, encore, mais elle venait... lentement... sûrement, cette nuit au cours de laquelle il tuerait Paul.

Il s'était habillé avec fébrilité, avait placé les balles au fond d'une poche, le revolver chargé dans le blouson. Il allait « descendre » un de ces pantins de l'énorme ville à mécanique, un pantin mauvais qui faisait du mal à la mère, qui la frappait et la rendait folle. Oui, oui, folle.

C'était bien cela; ce gémissement d'un sauvage plaisir que l'enfant avait entendu, était celui d'une femme qui avait perdu l'esprit.

Abel s'était hissé rapidement jusqu'au haut du mur rocheux qui fermait la baie et, déplaçant avec prudence un pied après l'autre, il se disait presque que, lorsque le pantin serait abattu, tout le jouet serait « démoli ». Il n'y aurait plus de jouet fantastique, tous les pantins à mécanique seraient « cassés ».

Tandis qu'assis sur une pierre, il se chaussait, il avait aperçu en mer, au loin, une flamme qui, aussitôt, s'était éteinte. On aurait dit la flamme d'une allumette mais quelqu'un, tout de suite, avait soufflé dessus.

Il savait bien ce que c'était; la mère le lui avait dit. C'était Planier. Un phare. Une grande lanterne qu'on allume en pleine mer pour guider les navires. Celle-là indiquait Marseille. Mathieu n'en avait pas parlé, ni Jean-François mais peut-être le jeune matelot en parlerait-il plus tard... lorsque Paul serait mort.

Le soleil avait disparu derrière des nuages, juste au-dessus de la ligne de l'horizon. La mer au large était violette et l'obscurité venait vite. Le chemin qu'avait pris l'enfant, suit la mer autant qu'il se peut le long de cette côte en festons. Par endroits, il fait le tour des anses mais, parfois, il coupe droit, taillé dans la pierre. C'est-à-dire que, souvent, Abel avait été obligé de s'arrêter pour retrouver la flamme de Planier, tantôt devant lui, tantôt sur sa gauche, tantôt dans son dos.

Puis, la flamme avait été précédée, accompagnée et suivie d'une lueur dans le ciel et sur l'eau, mais tout cela était très rapide, tout cela avait à peine la durée d'un clignement d'œil. Et c'était un jeu d'apercevoir la lueur avant la flamme et après.

Abel avait marché de plus en plus vite, car il devait tuer Paul dans la nuit, mais il n'avait pu s'empêcher de se retourner cent fois et même de s'arrêter. Il y avait la lueur et la flamme de Planier, mais, aussi, d'autres feux sur l'eau si sombre qu'elle semblait avoir englouti les embarcations qui pêchaient et regagnaient le port. Une lumière ici, une autre là, deux plus loin, trois à droite, s'élevaient et s'abaissaient sans avancer beaucoup. On pouvait s'imaginer qu'elles étaient tenues au bout d'un bâton par des naufragés qui appelaient à l'aide.

Abel avait avancé aussi vite qu'il avait pu; par moments, même, il avait couru, mais il avait été retenu comme par une main posée sur son épaule. Il y avait la flamme de Planier avec sa lueur à chaque minute plus étendue. Il y avait les lanternes tenues au bout des bâtons et, encore, des feux blancs, verts et rouges qui se déplaçaient rapidement. Il y avait enfin de grandes silhouettes un peu phosphorescentes que l'enfant distinguait : les navires de Mathieu.

La nuit était belle. Belle nuit printanière avec déjà des étoiles dans le ciel encore clair, avec des lueurs fugitives, avec une subtile odeur de mer, avec des murmures, avec l'écho de certaines voix.

Mais Abel avait couru. Il ouvrirait sa porte, se tiendrait dans l'obscurité, l'arme dans les mains, et lorsque...

Puis, il n'avait plus été tenté de se retourner. Devant lui, au-dessus de l'eau, il avait aperçu un brouillard léger qui se dégageait d'un brasier qu'un démon attisait de son souffle, et les charbons rougeoyants s'étaient tout de suite mis à pétiller, à étinceler, à lancer des flammes.

Les grands ports de Marseille! Le Vieux-Port! Il se lança dans le brasier, en traversa une pointe et se trouva, dans la nuit, devant la fenêtre de la mère dessinée par la lumière.

« La mère est entrée bien tôt, ce soir. Pourquoi? » s'interrogea-t-il, inquiet déjà.

Plusieurs fois, Abel avait éprouvé des pressentiments. Le jour où de la haute terrasse rocheuse il avait guetté Mathieu qui, au-dessous de lui, suivait les détours du sentier, il s'était demandé, sans formuler ainsi sa pensée : « Qui est-il? Que m'apporte-t-il? » Lorsque pendant des jours, il avait tourné autour de la cathédrale sans oser y entrer, il avait soupçonné que l'énorme édifice avait un secret, et, s'étant glissé dans l'église à la suite de la vieille femme, il avait découvert les Evangélistes.

Mais, jamais, il n'avait été saisi avec une telle force par la certitude d'une découverte prochaine et capitale, que ce soir où il devait tuer Paul, au moment qu'il vit de la lumière dans la chambre de la mère.

Il s'était posé la question : « Pourquoi? » et déjà une immense aile noire l'enveloppait et l'isolait.

Par la mère, il avait éprouvé des peines. A cause de

Paul, il avait connu la jalousie, l'angoisse et la haine. Paul agissant à travers la mère avait, pendant quelques jours, tué toutes les joies de l'enfant. Abel avait été dépouillé. Tout ce monde dont il était le créateur et l'animateur avait été réduit en cendres. Mais ce qu'il allait apprendre, découvrir, pressentait-il, serait la destruction si totale de ce qui jusqu'alors l'avait accompagné et entouré que même la mort de Paul serait inutile.

Bien sûr, Abel n'avait pas de telles pensées. Seulement, il s'était senti enveloppé et comme séparé du monde par l'immense aile noire de l'angoisse. Elle le serrait à précipiter sa respiration, à faire battre son cœur à grands coups, à faire couler la sueur sur tout son corps, à le faire trembler.

Il s'élança dans la maison dont, à cette heure, la porte n'était pas encore fermée. Deux marches par deux marches, il monta l'escalier; à quoi bon prendre des précautions? Passant devant la porte de sa chambre, il se débarrassa du revolver; il savait bien que cette nuit-là, ni aucune nuit suivante, il ne tuerait. Il se jeta contre la porte de la chambre de la mère et, comme verrouillée de l'intérieur, elle ne cédait pas, il cria : « Ouvre, maman. Ouvre. »

Quelques nuits plus tôt, entendant la mère, battue, râler de plaisir, une force mystérieuse l'avait écarté de cette porte, puis éloigné. Ce soir-là, une force mystérieuse le poussait à secouer la même porte au point de l'ébranler.

Il savait bien que tout ce qui avait fait sa vie jusqu'à cette minute allait être détruit, et, cette fois, détruit irrémédiablement, que le souvenir imprécis du temps ancien où la mère n'était qu'une voix et qu'une odeur n'aurait plus de valeur, qu'il n'éprouverait plus d'émotion à évoquer les silhouettes de Gilles, de Brebis et des bêtes, que c'était fini pour lui d'aller par la pensée sur le plateau du pays sauvage jusqu'à la pierre d'où l'on dominait le village qui n'était peut-être pas vrai, d'ouvrir la Bible et d'oublier tout le reste, d'écouter l'écho de la voix de Mathieu et de voir se dessiner dans le ciel les formes des grands navires fantômes.

Derrière cette porte se trouvait quelqu'un qui *par sa présence près de la mère* avait tout réduit en cendres. Quelle lumière du ciel dispersant l'obscurité de *ce qui* est caché avait éclairé l'enfant? Quelle voix mystérieuse —

tandis que dans la nuit il avait aperçu de la lumière dans
la chambre de la mère — lui avait soufflé à l'oreille ce qui
s'était passé depuis le moment qu'il avait quitté l'*Ambassadeur*, lui avait dit : « Tu as été suivi jusqu'ici. Toi-
même, tu *l'*as conduit à ta maison, à ta mère. Et dans le
moment, elle *le* caresse »?

Abel n'avait pu se dérober à Jean-François. Il lui avait
livré ses yeux, et le regard du jeune marin avait pénétré
jusqu'à son âme. Jean-François avait tout appris. Il l'avait
vu, au café, assis à côté de la mère; au restaurant, entre
l'homme qui insultait et la femme que chaque mot touchait; errer dans les ruines; trembler chaque nuit dans
l'attente de Paul; couvert de sueur, derrière cette même
porte, tandis que la mère gémissait de plaisir. Il avait
connu sa jalousie, sa haine et sa décision de tuer.

Abel serrant contre la poitrine le revolver qu'il venait
de dérober avait crié à Jean-François : « Je le rapporterai ».

Et Jean-François était là — Abel n'en doutait pas —
dans la chambre de la mère, dans les bras de la mère (la
lumière qui s'était faite dans le cœur de l'enfant était si
grande que tous les secrets lui étaient dévoilés) comme les
visiteurs de l'après-midi et du soir, *comme Paul!*

Jean-François, une main sur l'épaule de l'enfant, lui
avait dit : « Monte à bord », et Abel avait entendu : « Les
portes de la mer te sont ouvertes. »

Ce même Jean-François avait gravi l'escalier de la mère,
sans doute guidé par elle. Il était entré dans cette chambre.
Il avait senti les odeurs combinées des parfums douteux,
des mégots froids, des mâles échauffés, de la femelle
amoureuse, et la femme lui avait ouvert sa chair chaude.

Mais n'avait-il pas aperçu dans la demi-obscurité des
rideaux le visage inquiet d'Abel, l'ombre de l'enfant assis
sur le tabouret, près de la fenêtre? Tandis qu'il s'avançait
de la femme n'avait-il pas été gêné par la présence de
l'enfant?

Peut-être avait-il un court instant hésité. Mais il avait
fait un pas en avant, et tout avait été détruit. Il avait cru
être le mâle qui domine et dont la vie passe dans le corps
de la femme. Elle avait été la femelle qui empoisonne.

Il s'était séparé d'elle, et il portait le mal en lui.

Abel secouait la porte. « Ouvre, maman, ouvre. » Dans
la chambre, l'un contre l'autre, la femme et le jeune garçon

ne comprenaient pas la raison de cet appel angoissé, de la détresse qu'il y avait dans ce cri.

Peut-être l'enfant avait-il été battu? Peut-être s'était-il blessé? C'était bien autre chose. Le pur et l'impur s'étaient confondus. Le pur avait été souillé. Jean-François ignorait quel symbole il était pour l'enfant qui, dans le visage du marin, retrouvait les traits de Gilles, de Mathieu, des Evangélistes, de tous les personnages bibliques, qui, dans la voix du marin, reconnaissait celle de Mathieu, qui, dans les yeux du marin, voyait les « longues lames grises de la mer ».

Maintenant, Jean-François, avec tout ce qu'il représentait, s'était abaissé au niveau de Paul, et c'était comme si dans une eau vierge on eût vidé un seau d'ordures.

Abel secouait encore la porte. « Ouvre, maman, ouvre. » Il entendait des chuchotements, des froissements d'étoffes et ce bruit si familier des pieds nus courant sur les tomettes.

Un peu plus tard, la porte enfin s'ouvrit, et la femme et Jean-François, épaule contre épaule, se penchèrent sur Abel évanoui.

FIN

TABLE DES MATIERES

———————

rieur d'Abel. — Les pantins. — « Oh! Abel, c'est
toi! » — L'étrange chant de la mère. — « Je le
tuerai. »